Humaine

Rebecca Maizel

Humaine

Traduit de l'anglais (américain)
par Valérie Le Plouhinec

Rebecca Maizel est diplômée de l'université de Boston et de l'université de Rhode Island. Elle enseigne dans le Rhode Island et poursuit actuellement ses études pour obtenir un master d'art à l'université du Vermont.

Titre original :
INFINITE DAYS
(Première publication : Lovers Bay, Inc.,
St Martin's Griffin, New York, 2010)
© Rebecca Maizel, 2010
Tous droits réservés, y compris droits de reproduction totale ou partielle,
sous toutes ses formes

Pour la traduction française :
© Éditions Albin Michel, 2011

À mes parents : chaque mot, chacun de ces mots,
vous appartient. Vous éclairez toujours la route.

Et à ma sœur, Jennie, qui a toujours le mot qu'il faut.

Première partie

Voici du romarin, c'est pour le souvenir.
De grâce, mon amour, souvenez-vous.

William Shakespeare,
Hamlet, acte IV, scène v[1].

---

1. Trad. J.-M. Déprats, Paris, Gallimard, « Bibliothèque de la Pléiade », 2002.

Chapitre 1

Je te libère...
Je te libère, Lenah Beaudonte.
Garde espoir... et sois libre.

C'étaient les derniers mots dont je me souvenais. Mais ils étaient informes, prononcés par une voix que je ne reconnaissais pas. Cela aurait pu se dérouler une éternité plus tôt.

À mon réveil, je sentis immédiatement une surface froide sous ma joue gauche. Un frisson glacé courut le long de mon échine. Même les yeux fermés, je savais que j'étais nue, étendue à plat ventre sur un parquet.

Je pris une inspiration, mais ma gorge était si sèche que j'émis un son bestial, impossible. Trois respirations laborieuses, puis un *poum-poum, poum-poum* : un battement de cœur. Mon cœur ? Ou dix mille ailes d'oiseau, aussi bien. Je voulus soulever mes paupières, mais à chaque tentative j'étais éblouie par une lumière aveuglante. Une autre. Et encore une. Chaque fois, ce rayon implacable.

Je hurlai.

– Rhode !

Il était forcément là. Un monde sans Rhode, cela n'existait pas.

Je me tortillais par terre en m'efforçant de couvrir mon corps avec mes mains. Comprenez bien que je ne suis pas du genre à me retrouver ainsi toute nue, surtout si le soleil vient frapper ma peau. Et pourtant j'étais bien là, baignée de lumière jaune, à attendre une mort imminente, douloureuse et flamboyante – c'était inéluctable. D'un instant à l'autre, les flammes surgiraient des tréfonds de mon âme pour me transformer en poussière.

Sauf qu'il ne se passa rien. Pas de flammes, pas de destruction. Rien que la senteur boisée du plancher. Je déglutis, et les muscles de ma gorge se contractèrent. Ma bouche était humide... de salive ! J'étais allongée, poitrine contre le sol. J'appuyai sur mes paumes et tournai la tête vers la source de mon tourment. Un soleil radieux entrait à flots dans la chambre par une vaste baie vitrée. Le ciel était bleu saphir, sans un nuage.

– Rhode ! Où es-tu ?

Ma voix me fit l'effet de tourbillonner en l'air, vibrante au sortir de ma bouche. Comme j'avais soif !

Quelque part non loin de moi, une porte s'ouvrit et se referma. J'entendis des pas mal assurés, un mouvement irrégulier, puis les bottes noires à boucles de Rhode entrèrent dans mon champ de vision. Je roulai alors sur le dos et ne vis plus que le plafond. Je hoquetai. Mon Dieu... Je respirais ?

Rhode me dominait de sa hauteur, mais il était flou. Il se pencha vers moi, jusqu'à ce que ses traits embrumés ne soient plus qu'à quelques centimètres de mon visage. Cette fois, ses contours se précisèrent, comme s'il sortait du brouillard. Il était méconnaissable. La peau était si tendue sur ses pommettes que les os semblaient tout près de la crever. Son menton, d'habitude large et fier, n'était plus qu'une pointe étroite. Mais le bleu de ses yeux... ce bleu, au moins, n'avait pas changé. Même dans la confusion de l'instant, il me transperçait jusqu'à l'âme.

– Quelle bonne surprise.

Malgré les cernes noirs qui marquaient ses paupières, une étincelle, venue du plus profond de lui, me retournait mon regard.

– Joyeux anniversaire, ajouta-t-il en me tendant la main. Seize ans !

Rhode me proposait un verre d'eau. Je me redressai, le lui pris et le bus en trois gorgées. Je sentis le liquide froid couler dans le fond de ma gorge, descendre dans mon œsophage et inonder mon estomac. Le sang, la substance à laquelle j'étais habituée, s'écoulait goutte à goutte, bien plus lentement ; le corps des vampires l'absorbait plutôt comme une éponge. Il y avait si longtemps que je n'avais bu de l'eau...

De l'autre main, Rhode tenait un tissu noir. Quand je le lui pris, il se déploya : une robe. En cotonnade légère. Je me levai en prenant appui sur le sol. Mes genoux cédèrent, mais je retrouvai mon équilibre en écartant prestement les bras. Je restai ainsi un petit moment, jusqu'à me sentir solidement campée sur mes jambes. Quand j'essayai de marcher, un frisson me secoua si fort que mes genoux s'entrechoquèrent.

– Enfile ça et viens dans l'autre pièce, me dit Rhode en sortant de la chambre d'un pas lourd et traînant.

J'aurais dû remarquer qu'il devait se tenir au chambranle pour marcher, mais mes cuisses tremblaient, et je cherchai de nouveau mon équilibre. Je laissai retomber mes mains le long de mes hanches. Quand je me redressai, mes cheveux châtains se déroulèrent telles des algues. Quelques mèches restaient collées à mon corps nu ; d'autres, plus longues, m'arrivaient aux seins. J'aurais donné n'importe quoi pour un miroir. Je respirai un peu, et mes jambes se remirent à flageoler. Je cherchai un corset des yeux, mais ne trouvai rien. Comme c'était étrange ! Allais-je devoir aller et venir sans rien pour me tenir ? Je fis glisser la robe par-dessus ma tête et elle s'arrêta au-dessus de mes genoux.

On m'aurait donné seize ans, pas un jour de plus. Pourtant, si on faisait le calcul, ce jour précis était mon cinq cent quatre-vingt-douzième anniversaire.

Tout était si net, si lumineux ! Trop lumineux. Les rayons du soleil dessinaient de minuscules arcs-en-ciel sur mes ongles de pieds. Je regardai autour de moi. Bien que je me sois réveillée par terre, il y avait un matelas sur un sommier métallique, couvert d'un édredon noir. De l'autre côté de la pièce, on voyait par la baie vitrée un feuillage épais et des branches qui s'agitaient. Sous la fenêtre, un banc était garni de gros coussins bleus.

J'effleurai le grain des boiseries, et à ma grande surprise, je le *sentis*. Le bois était marqueté et je distinguais les reliefs et les jointures des pièces sous la pulpe lisse de mes doigts. Dans mon existence de vampire, je n'avais plus de terminaisons nerveuses. Seuls mes souvenirs des sensations humaines permettaient à mon âme vampirique de comprendre si je touchais quelque chose de dur ou de mou. Les seuls sens que conservaient les vampires étaient ceux qui renforçaient leur capacité à tuer : l'odorat captait la chair et le sang, la vue était extraordinaire, précise jusqu'au moindre détail, son seul objet étant de détecter les proies en un instant.

Mes doigts voletèrent de nouveau sur le mur... et de nouveau, un frisson remonta dans mes bras.

– Tu auras tout le temps pour cela, dit Rhode de l'autre pièce.

Les battements de mon cœur résonnaient à mes oreilles. Je sentais le goût de l'air. À chaque pas, les muscles de mes cuisses et de mes mollets me brûlaient, tressaillaient, puis se détendaient. Pour cesser de trembler, j'appuyai le poids de mon corps contre le chambranle et croisai mes mains sur ma poitrine.

Je fermai les yeux et respirai un grand coup.

– En quel siècle sommes-nous ?

– Le XXIᵉ.

Ses cheveux noirs, qui lui arrivaient au milieu du dos la dernière fois que je l'avais vu, étaient coupés court et ébouriffés. Un bandage blanc, médical, lui entourait le poignet droit. Rhode s'appuya à une petite table pour se rapprocher d'un fauteuil rouge vif.

– Assieds-toi, murmura-t-il.

Je pris place en face de lui sur un canapé bleu pâle.

– Tu as une mine terrible, dis-je à voix basse.

– Merci.

J'entrevis une infime ébauche de sourire. Il avait les joues si creuses que ses traits autrefois virils, taillés à la serpe, étaient devenus osseux. Son teint, d'habitude doré, avait jauni. Les bras tremblants, il s'installa lentement sur son siège, en se cramponnant jusqu'à ce qu'il soit complètement assis.

– Raconte-moi tout, le pressai-je.

– Un instant.

– Où sommes-nous ?

– Dans ton nouveau chez-toi.

Il ferma les paupières. Renversa la tête contre le dossier. Il serrait les bras du fauteuil, et je remarquai que les bagues qui ornaient autrefois ses doigts avaient disparu. Le serpent noir aux yeux d'émeraude, la bague à poison réservée aux urgences (c'est-à-dire toujours pleine de sang) : elles n'étaient plus là. Il n'en restait qu'une, à son petit doigt. Ma bague. Celle que je portais depuis presque six cents ans. Je ne m'étais pas rendu compte, jusqu'alors, que mes doigts étaient nus. C'était un tout petit anneau d'argent, garni d'une pierre noire : de l'onyx. « Ne porte jamais d'onyx à moins de désirer ou de connaître la mort », m'avait-il dit un jour.

Je l'avais cru. Et d'ailleurs, jusqu'à cet instant, j'avais toujours fermement pensé qu'aucun vampire n'aimait plus que moi provoquer la mort.

Je tentai d'éviter son regard. Jamais je n'avais vu Rhode dans un tel état de faiblesse.

– Tu es humaine, Lenah, me dit-il.

Je hochai la tête, pour montrer que j'avais entendu, mais sans cesser de contempler les lignes du parquet. J'étais incapable de réagir. Pas encore. J'avais trop désiré cela. Le dernier échange que j'avais eu avec Rhode, avant de me réveiller dans cette chambre, concernait mon désir d'être humaine. Nous nous étions disputés ; une dispute qui, je le croyais, durerait des siècles. Et c'était le cas, d'ailleurs : la brouille avait eu lieu cent ans avant ce moment.

– Tu as enfin obtenu ce que tu voulais, murmura-t-il.

Je ne relevai toujours pas la tête. Je ne supportais pas le bleu froid de ses iris qui semblaient me juger. L'apparence physique de Rhode avait tant changé, décliné... comme s'il était en train de se flétrir. Quand il était au mieux de sa forme, avec sa mâchoire carrée et ses yeux bleus, c'était un des hommes les plus beaux que j'eusse jamais vus. Je dis « hommes », mais je ne suis pas sûre de son âge. Il n'était sans doute encore qu'un jeune garçon lors de sa transformation en vampire, mais au fil des ans, il en avait tant vu, tant fait... cela l'avait vieilli. Les vampires, en entrant dans la maturité de leur existence, prennent une apparence si éthérée qu'il est presque impossible de deviner leur âge.

Évitant toujours soigneusement son regard, j'examinai le salon dans lequel nous nous trouvions. Il donnait l'impression que Rhode venait tout juste de l'aménager, même si l'atmosphère de la pièce lui ressemblait. Hormis quelques cartons empilés près de la porte, tout semblait être à sa place. Beaucoup d'affaires à moi, datant de ma vie de vampire, décoraient l'appartement. Des objets venus de ma chambre, plus précisément. Au mur, une épée ancienne était accrochée par des broches dorées à une plaque métallique. C'était un des objets préférés de Rhode : son épée bâtarde, datant de l'époque où il appartenait à l'ordre de la Jarretière – un cercle de chevaliers formé du temps d'Édouard III. C'était une épée particulière, forgée par magie, en dehors de la confrérie. Elle avait une crosse de cuir noir et une large base qui s'effilait jusqu'à une pointe précise et meurtrière. Le pommeau – le contrepoids en forme de roue qui terminait la poignée – portait sur son périmètre une inscription gravée : *Ita fert corde voluntas*, « Elle suit la volonté du cœur ».

Au mur, de chaque côté de l'épée, des chandeliers de fer forgé imitant des roses reliées par du lierre et des épines soutenaient des chandelles blanches, non allumées. On brûle des bougies blanches dans une maison pour dissiper les esprits maléfiques et les énergies destructrices. Tous les vampires en possédaient, pour se protéger contre d'autres formes de magie noire. Oui, il y a pire dans l'univers que les vampires.

– J'avais oublié ta beauté humaine.

Enfin, j'osai regarder Rhode. Il ne souriait pas, mais à l'étincelle qui brillait dans ses yeux, je sus qu'il était sincère. Me voir, là, sous ma forme humaine, comblait ses vœux. Ce qu'il avait entrepris des siècles plus tôt était accompli.

Chapitre 2

Hathersage, Angleterre. The Peaks.
31 octobre 1910. Le soir.

Je vivais dans un château. Celui-ci recelait de vastes pièces, des dallages de marbre, des plafonds peints. J'habitais Hathersage, une petite bourgade perdue dans une campagne connue pour ses douces collines et ses gorges profondes. Ma demeure, située en retrait de la route, dominait une vaste étendue de champs et de prairies. C'était l'époque de la Nuit Rouge : chaque année, des vampires venaient du monde entier passer un mois chez moi. Pendant les trente et un jours du mois d'octobre, la Nuit Rouge amenait dans mon château des vampires de toutes races. Trente et un jours de faste. Trente et un jours de pure terreur. Cette nuit-là était la dernière avant que chacun retourne hanter ses terres.

La nuit venait de tomber. Au-dessus de moi, les étoiles scintillaient dans le crépuscule – elles arrachaient des étincelles d'or aux lourdes coupes de cristal. Je me frayais un chemin entre les invités qui buvaient du sang et dansaient au son d'un quatuor à cordes. Rhode me suivit sur la terrasse de granit, à l'arrière du château. Hommes et femmes, en chapeau haut de forme, corset et fines soieries de Chine, riaient et se pressaient dans sa direction. Depuis la terrasse, un escalier majestueux descendait jusqu'aux jardins. De hautes chandelles blanches s'élevaient aux deux extrémités de chaque marche, et leur cire dessinait sur les dalles des archipels miniatures. Le terrain en pente s'étendait en éventail et allait se fondre dans le paysage champêtre. Je portais une longue robe de soie vert sapin à ganse dorée, avec un corset assorti.

– Lenah ! me héla Rhode.

Mais je fonçais toujours à travers la foule. Je marchais si vite que l'espace d'un instant, j'eus peur de renverser du vin sur mon corset.

– Lenah ! Arrête-toi !

Je traversai tous les jardins, dévalant la pente jusqu'à la lisière des prés. J'entraînais Rhode vers le pied de la colline, loin des yeux des vampires qui peuplaient le château. Je m'arrêtai à l'orée des champs qui se déployaient à perte de vue. À l'époque, je n'étais pas comme aujourd'hui. Mon teint était blanc pâle, sans un cerne ni une ride. Rien que du blanc, sans tache, comme si on avait effacé mes pores avec un chiffon.

Rhode, resté au-dessus de moi dans la pente, me regardait. Chapeau haut de forme, costume noir, canne tenue de sa main gantée. Lorsqu'il descendit le coteau escarpé, les herbes échevelées qui tapissaient tout le paysage s'inclinèrent sous ses pas. Je lui tournai le dos pour contempler la campagne.

– Tu ne m'as pas dit un mot de toute la soirée. Tu es restée muette comme une carpe. Et maintenant, tu t'enfuis jusqu'ici ? Vas-tu daigner me dire ce que tu as ?

– Tu ne comprends donc pas ? Si je prononçais un mot, je serais incapable de dissimuler mes intentions. Vicken a des dons exceptionnels. Il lirait sur mes lèvres à une lieue de distance.

Vicken était ma dernière création en date, c'est-à-dire le dernier homme que j'avais transformé en vampire. À soixante ans, c'était aussi le plus jeune membre de mon cercle ; cependant, on ne lui en aurait pas donné plus de dix-neuf.

– Oserais-je croire à un éclair de lucidité ? me demanda Rhode. Peut-être te rends-tu enfin compte que Vicken et ta bande d'ingrats sont bien plus dangereux que prévu ?

Je ne répondis rien. J'observais les herbes qui ondulaient dans le vent.

– Sais-tu pourquoi je t'ai quittée ? Avant mon départ, je n'avais qu'une crainte : que tu aies perdu la tête pour de bon. Que la perspective de l'éternité ait commencé à te ronger. Tu ne prêtais plus attention à rien.

Je fis volte-face et plongeai mes yeux dans les siens.

– Je ne te laisserai pas me reprocher d'avoir créé un cercle composé des vampires les plus forts, les plus doués qui existent. Tu m'as dit de me protéger, j'ai fait le nécessaire.

La puissante mâchoire de Rhode se crispa.

– Tu ne vois pas ce que tu as fait.

J'avançai d'un pas vers lui.

– Ce que j'ai fait, moi ? Je ressens le poids de l'existence jusque dans mes os. Comme si mille parasites rongeaient ma raison. Un jour, tu m'as dit que j'étais la seule chose qui t'empêchait de devenir fou. Que la douleur qui accable ton âme se calmait en ma présence. À ton avis, qu'ai-je éprouvé pendant tes cent soixante-dix années d'absence ?

Ses épaules se voûtèrent légèrement. Ses yeux étaient les plus bleus que j'eusse jamais vus, même en cinq cents ans. La splendeur de son nez aquilin et de sa chevelure noire me surprenait toujours autant. L'état de vampire rehaussait toujours la beauté, mais celle de Rhode émanait de l'intérieur, illuminait son âme – et embrasait mon cœur.

– La magie qui lie ton cercle, insista-t-il, est plus dangereuse que tout ce que j'aurais pu imaginer. Que veux-tu donc que j'éprouve ?

– Tu n'éprouves rien, tu te rappelles ? Nous sommes des vampires.

Il me prit le bras et le serra si fort que je crus qu'il allait me briser les os. J'aurais eu peur, si je ne l'avais aimé avec une force indicible. Rhode et moi étions des âmes sœurs. Unis par un amour fait de passion, de goût du sang, de mort et d'une inébranlable compréhension de l'éternité. Étions-nous amants ? Parfois. Certains siècles plus que d'autres. Amis ? Toujours. Nous étions liés.

– Tu m'as abandonnée pendant cent soixante-dix ans, lui rappelai-je, les dents serrées.

Rhode n'était rentré de son « escapade » que la semaine précédente. Nous étions inséparables depuis son retour.

– Tu ne comprends donc pas pourquoi je t'ai amené ici ? Je ne peux dire la vérité à personne d'autre.

Il laissa retomber mon bras et je me campai bien en face de lui.

– Je n'ai plus rien. Plus d'amitiés.

Je chuchotais, mais ma voix frisait l'hystérie. Je me voyais reflétée dans les yeux de Rhode. Ses pupilles dilatées mangeaient tout le bleu, mais mon regard plongeait dans leur puits noir. D'une voix tremblante, je poursuivis :

– Depuis que je sais que tu connais le rituel... Rhode, je ne pense plus qu'à cela. L'idée que mon humanité... que ce soit envisageable...

– Tu ne te rends absolument pas compte du danger que cela représente.

– Qu'importe ! Je veux sentir le sable sous mes pieds. Je veux être éveillée par le soleil entrant par ma fenêtre. Je veux humer la brise. Tout. Tout ce que je peux ressentir. Bon Dieu, Rhode. J'ai besoin de sourire... et que ce soit sincère.

– C'est ce que nous voulons tous, me répondit-il, impassible.

– Ah oui ? Moi, je doute que tu le veuilles vraiment.

– Bien sûr que si. Moi aussi, je veux me réveiller près de la mer bleue et sentir le soleil sur ma peau.

– La douleur est trop forte, je n'en peux plus.

– Tu pourrais réessayer. Te consacrer à moi, à ton amour pour moi, me suggéra-t-il d'une voix douce.

– Toi, qui t'en vas.

Rhode me prit les mains.

– Tu es injuste.

– Même t'aimer est une malédiction. Je ne peux pas réellement te toucher. Je regarde les humains que nous prenons, et même eux peuvent ressentir quelque chose. Même dans les derniers instants de leur vie, ils ont de l'air dans les poumons et un goût dans la bouche.

Rhode tenait ma paume entre les siennes ; la chaleur, la sensation de sa passion pour moi remonta dans mon bras et dans tout mon corps. Je fermai les yeux pour savourer cet instant, fugacement soulagée des innombrables tragédies qui reposaient en moi. Puis je les rouvris et m'éloignai d'un pas.

– J'en perds la raison, et j'ignore combien de temps encore je pourrai tenir. (Je marquai un silence, afin de choisir soigneusement mes mots.) Depuis que tu as découvert le rituel, je n'ai plus que cela en tête. Mon évasion.

Je devais avoir l'air d'une folle, j'en avais la certitude.

– J'en ai besoin. J'en ai besoin. Que Dieu me vienne en aide, Rhode, parce que si tu ne le fais pas, je m'avancerai dans le soleil jusqu'à ce qu'il me consume.

Une bourrasque faillit emporter son chapeau. Rhode lâcha précipitamment ma main. Il avait encore ses cheveux longs, à l'époque : ils tombaient sur ses épaules et sur sa redingote.

– Tu oses me faire un chantage au suicide ? Ne sois pas mesquine, Lenah. Personne n'a jamais survécu au rituel. Des milliers de vampires ont essayé. Tous, jusqu'au dernier, sont morts en chemin. Crois-tu que je pourrais supporter de te perdre ? Que je pourrais renoncer à toi ?

– C'est déjà fait, répondis-je avec sauvagerie.

Rhode m'attira contre lui, si vite que la force de sa bouche contre la mienne me surprit. Un sourd grognement de sa part, et mes lèvres s'entrouvrirent. Rhode mordit en moi. Une aspiration rythmique : il pompait le sang de ma bouche. Puis il recula d'un pas et essuya sa lèvre ensanglantée sur sa manche.

– Oui, je t'ai quittée. Mais c'était pour trouver la magie et la science nécessaires. Si jamais nous tentions ce rituel... Il fallait que je sois certain... En partant, je n'avais pas prévu que tu tomberais amoureuse.

Il y eut un silence. Rhode savait aussi bien que moi que je n'avais jamais cru à son retour.

– Je n'aime pas Vicken comme je t'aime.

J'avais détaché chaque mot afin que mon propos fût bien clair et posé. Un instant plus tard, j'ajoutai :

– Je veux me sauver.

– Tu ne te rends pas compte de ce que tu devras endurer si tu choisis la vie humaine.

– L'air ? Respirer pour de vrai ? Le bonheur ?

– La mort, la maladie, la nature humaine...

– Je ne comprends pas, dis-je en m'éloignant de lui. Tu disais toi-même que l'humanité était le rêve ultime de tous les vampires. La liberté de ressentir davantage qu'une douleur et une souffrance perpétuelles. Ce n'est pas ton sentiment ?

– Cela me consume.

Rhode retira son haut-de-forme et contempla les champs.

– Il y a des biches, là-bas.

Il avait raison. À environ dix milles de nous, un troupeau de cervidés paissait en silence. Nous aurions pu nous en nourrir... quoique : j'adorais ma robe, et le sang rouge aurait juré sur la soie verte. En outre, je détestais le goût du sang animal, et n'en aurais voulu que dans une situation désespérée. En créant le cercle, j'avais fait en sorte que cela n'arrivât jamais.

Rhode passa les mains dans le bas de mon dos et m'attira encore plus près de lui.

– Ta beauté sera une force puissante dans le monde des humains. Ton visage humain pourrait bien trahir même tes meilleures intentions.

– Aucune importance.

Je ne comprenais pas vraiment, et de toute manière tout m'était égal.

Rhode passa l'index sur la fine arête de mon nez. Puis il frotta doucement mes lèvres avec son pouce. Son air grave, son regard perçant... Je n'aurais pas pu détourner les yeux, même si je l'avais voulu.

– Quand je t'ai prise dans le verger de ton père, au xve siècle, j'ai vu ton avenir se déployer devant moi, m'avoua-t-il. Un vampire farouche et étincelant, lié à moi pour toute l'éternité.

Il y eut un silence. Quelque part derrière nous, la musique de la fête se répandait jusque dans les champs.

– J'ai vu ce dont j'avais toujours rêvé.

– Alors donne-moi ce que je veux.

Ses lèvres formaient une ligne mince. Les sourcils froncés, il contemplait les biches. Je vis à sa bouche immobile et à son air sombre qu'il formulait un plan.

– Cent ans, chuchota-t-il sans quitter les animaux du regard.

Mes yeux s'agrandirent.

– À dater de ce soir, tu hiberneras pendant cent ans.

Il m'indiqua du geste le sommet de la colline. Je savais qu'il désignait un cimetière. À droite de la terrasse, protégé par une grille en fer forgé surmontée de pointes acérées.

L'hibernation n'est possible que quand un vampire repose sous terre. Celui-ci dort, alors, et se prive de sang : il existe tout un éventail de sortilèges pour lui permettre de demeurer dans cet état méditatif, aux frontières de la mort. Puis, à une date convenue d'avance, un autre vampire le ramène à la vie. Mais ce n'est possible que par magie. Seuls des vampires très

29

courageux (certains diraient aussi très bêtes) s'y sont risqués.

– Un peu avant la date de ton réveil, continua Rhode, je te déterrerai et t'emmènerai en lieu sûr, un lieu où personne ne pourra te retrouver. Un lieu où tu pourras vivre en humaine jusqu'à la fin de tes jours.

– Et le cercle ?

– Tu l'abandonnes.

J'eus un élancement au cœur : une douleur familière que je reconnaissais à coup sûr. Le lien magique qui unissait le cercle et moi-même obligerait ses membres à se lancer à ma poursuite. Tout comme je savais que j'aimerais Rhode jusqu'à la fin des temps, je savais que le cercle me chercherait à jamais. Je hochai la tête, mais ne dis rien. Je regardais les biches brouter les herbes folles et lisser leur pelage.

– Tu n'as pas peur de mourir ? me demanda-t-il.

Je fis signe que non. Rhode se tourna vers le château. Alors qu'il allait remonter la colline, je l'arrêtai en attrapant doucement ses doigts. Il me fit face.

– Tu seras là ? lui demandai-je. Si nous échouons, si je meurs, tu seras là ?

Ses doigts effleurèrent légèrement le dos de ma main. Il la retourna, toucha ma paume et murmura :

– Toujours.

– Comment as-tu fait ?

J'étais envoûtée. Toujours dans l'appartement obscur, le dos appuyé contre les oreillers. Mes doigts s'attardaient sur le fin velours. Je caressai la surface douce du divan, et cela m'envoya une vague de frissons dans les jambes. Avant, j'aurais su que ma couche était lisse, mais cela ne m'aurait renseignée que sur la nature de l'étoffe. Je n'en aurais tiré aucune idée de confort ni de réconfort. Une surface lisse, un point c'est tout.

– Cette nuit-là. La dernière de la Nuit Rouge. Tu es allée te coucher... commença Rhode.

– Après avoir tué une petite bonne, avouai-je en repensant à la jeune fille blonde que j'avais surprise au grenier.

Il poursuivit avec un léger sourire.

– J'ai dit à Vicken que tu avais décidé d'hiberner. Que tu dormirais pendant cent ans, et qu'ensuite je te réveillerais pour la dernière nuit de la Nuit Rouge.

– Et pourquoi cent ans ? Je ne t'ai jamais posé la question.

– En deux mots ? Le temps. Cela laissait à Vicken le temps d'être occupé ailleurs pendant que moi, je t'exhumerais de ton caveau, au cimetière. Il me suffisait d'attendre une nuit où il ne surveillerait pas ta tombe. Quand ce moment s'est présenté, je suis venu te chercher.

Je ne me repérais pas encore bien dans l'espace et dans le temps.

– Alors il y a cent ans que je n'ai pas mis le nez au-dessus de la terre ?

– Presque. Nous sommes début septembre. Je t'ai épargné presque deux mois.

– Et tu as accompli le rituel il y a deux jours ?

– Deux jours, confirma Rhode.

– Et le cercle ? Est-ce qu'il se doute que je ne suis plus là ?

– Je ne crois pas. Vicken te croit toujours sous terre. À vrai dire, quand je lui ai annoncé ta décision d'hiberner, il a trouvé l'idée excellente. Il n'attendait qu'une occasion pour régner sur ton cercle.

– Je n'y aurais pas vu d'objection.

– C'est précisément pour cela qu'il m'a cru si facilement. C'était un mensonge, Lenah. Dès l'instant où tu m'as regardé dans les yeux, à la lisière des champs, et où tu m'as supplié de te donner une vie humaine, j'ai su que ma quête, ma vie de vampire, ta vie de vampire, tout ce que j'avais fait pour toi, touchait à sa fin.

– J'ai eu tort de te supplier, de te manipuler de la sorte.

Rhode rit, mais il avait le souffle court.

– Tu es ainsi faite.

Je contemplai le bandage qui entourait son poignet, puis ses paupières cernées de noir. À cet instant, je me sentis envahie par le remords. Dans mon état humain, je ne pouvais pas imaginer une seconde de soudoyer Rhode ou de le menacer de suicide. Avant, pourtant, cela me venait facilement. Facilement, parce que la souffrance inhérente à la vie des vampires nous interdisait toute pensée rationnelle.

– Je t'en prie, parle-moi du rituel.

Rhode déroula son bandage blanc, tour après tour, jusqu'à la peau nue. Là, à l'intérieur de son poignet, on distinguait deux petits trous : des traces de dents. Les traces de *mes* dents. Celle de gauche était un peu plus grosse que celle de droite : j'avais toujours détesté l'asymétrie de mes morsures. J'aurais reconnu ma trace n'importe où.

– Le plus important, c'est l'intention. Le succès du sacrifice – car c'est bien un sacrifice – dépend entièrement du vampire qui exécute le rituel. Comme je te l'ai dit, cela prend deux jours.

Rhode se leva. Il faisait toujours les cent pas quand il avait quelque chose de difficile à me dire. Un jour, au XVIe siècle, je lui avais demandé pourquoi. « Pour ne pas avoir à te regarder dans les yeux », m'avait-il répondu.

– L'intention, c'est ce qui fait échouer la plupart des vampires, poursuivit-il. Il faut vraiment vouloir que l'autre vive. Et il faut vraiment vouloir mourir. Ce doit être l'acte le plus altruiste que l'on ait jamais commis. Comme tu le sais, une telle générosité est presque impossible pour un vampire dans son état normal.

– Qui t'a appris tout cela ?

– Quand je suis parti pendant toutes ces années, je me suis rendu en France. J'ai cherché...

– Suleen.

Soudain, j'eus beaucoup de mal à respirer. *Rhode avait rencontré Suleen... en personne.*

– Oui. Il sortait de cinquante-cinq ans d'hibernation. Quand je lui ai parlé de toi et que je lui ai expliqué mon projet, il m'a encouragé d'un compliment. Il m'a dit que j'étais peut-être le seul vampire doté de suffisamment d'âme pour y arriver.

Je haussai les sourcils, stupéfaite et admirative. Cela avait dû être un moment incroyable dans la vie de Rhode. J'aurais voulu être là pour voir sa réaction quand Suleen lui avait dit quelque chose d'aussi important.

J'imaginais Suleen. Il était originaire des Indes, ou du moins l'avait été dans le passé – quand, je n'en avais aucune idée. Il est le plus vieux vampire en existence. Rien, dans la grande machination de la vie, ne peut ni ne pourra jamais ébranler son âme. Suleen n'est pas importuné par la mort, pas plus qu'il ne désire revenir à la vie. Tout ce qu'il veut, c'est être là assez longtemps pour assister à la fin du monde.

– Il y a encore quelques règles, m'expliqua Rhode. Le vampire qui exécute le rituel doit avoir au moins cinq cents ans. Suleen m'a vaguement parlé de l'alchimie propre aux vampires à partir de cet âge. C'est un élément crucial. Mais surtout, il répétait sans cesse : « L'intention, Rhode. Tout est dans l'intention. » La volonté et le désir de renoncer à son existence pour permettre à un autre vampire de vivre. Les vampires sont égoïstes, Lenah. C'est dans leur nature. Il fallait que je trouve cette volonté en moi.

– Tu t'es sacrifié ? m'enquis-je, le souffle court.

Impossible de relever la tête. Rhode garda le silence. Il attendait, et je lui en voulus pour cela. Finalement, je cédai et soutins son regard.

– Le rituel exigeait que je te donne tout mon sang. Après deux jours, tu t'es réveillée, plus ou moins, et tu as mordu en moi. J'ai dû te laisser boire jusqu'au bout, enfin presque. Mais l'important, c'était l'intention, l'alchimie de mon sang et de mon amour pour toi.

– Je n'aurais jamais accepté ces conditions, si j'avais su.

À ma grande surprise, l'expression stoïque de Rhode se mua en sourire. Un vrai sourire heureux, d'une oreille à l'autre.

– C'est justement pour cela que je l'ai fait pendant que tu étais affaiblie, en pleine hibernation.

Je me levai. C'était à mon tour de marcher de long en large.

– Bien, où est Vicken ?

Je m'efforçais de raisonner en vampire. De reconstituer le puzzle, pièce par pièce. J'avais dormi cent ans.

– Il vit chez toi, à Hathersage, avec le reste du cercle. Je crois savoir qu'il attend ton retour.

– Tu l'as revu depuis que je suis entrée en hibernation ?

– Il est trop jeune pour que je converse avec lui aussi souvent qu'il le voudrait. Son énergie me fatigue. Cependant, les fois où ils m'ont hébergé, il s'est montré respectueux. Il est combatif. Excellent à l'épée. Je comprends pourquoi tu l'aimais.

Mes joues s'échauffèrent, ce qui m'étonna. Ensuite, je me rendis compte que j'éprouvais de la gêne. Discrètement, je regardai ses doigts qui serraient le bras du fauteuil. Ils étaient fripés, ridés, comme si tout fluide en lui avait été pompé.

– Je ne t'en veux pas d'en aimer un autre, me dit-il.

– Tu crois peut-être que Vicken m'aime ? Qu'il m'aime comme je t'aime ?

Rhode secoua la tête.

– Vicken aime ton apparence et ton goût pour le sang bien épais, bien coagulé. Moi, j'aime ton âme. Je t'aime comme partenaire dans ma longue quête sur cette terre. Tu es – enfin tu étais – le vampire le plus farouche que j'aie jamais connu. Je t'aime pour cela.

J'étais incapable de réagir. Je pensai à Hathersage, aux champs, à Rhode coiffé de son haut-de-forme, aux biches paissant dans le lointain.

– Vicken viendra à ma recherche. Comme tu le sais, il est lié à moi. Et quand il me trouvera, il me détruira. C'est précisément dans ce but que j'ai créé le cercle. Pour traquer, capturer, éliminer.

– Et c'est précisément pourquoi j'ai choisi cet endroit.

Mes yeux exploraient l'appartement.

– Oui. Où sommes-nous ?

– Dans ta nouvelle école.

Je tournai vivement la tête vers lui.

– Tu comptes me faire aller en cours ?

– Comprends-moi bien, c'est crucial.

Malgré sa faiblesse, Rhode se leva pour me dominer de toute sa taille. Il me regarda avec une intensité si passionnée que j'aurais dû être terrifiée.

– Vicken ira au cimetière pour te déterrer. Je lui ai promis ton retour pour la dernière nuit de la Nuit Rouge. La fête prend fin le 31 octobre.

– Donc, le 31 au soir, il trouvera un cercueil vide. Fin de l'histoire.

– Ce n'est pas si simple. La fin octobre viendra vite. Tu étais un vampire, Lenah. L'un des plus anciens de ta race.

– Je sais ce que j'étais.

– Alors ne fais pas comme si tu avais besoin que je t'explique la gravité de la situation ! éclata-t-il sans cesser de déambuler de long en large, très lentement.

Je me tus. Rhode reprit quelque peu contenance avant de reprendre la parole, à voix très basse.

– Quand Vicken aura ouvert la tombe et trouvé un cercueil vide, il fouillera la terre entière pour te retrouver. Tu l'as dit toi-même, la magie qui lie le cercle l'exige. C'est toi qui l'as voulu. Il s'épuisera, comme tout le cercle, jusqu'à te localiser et te ramener au bercail.

– Je ne m'étais pas imaginée dans cette situation.

– Oui, eh bien par chance, pour l'instant, la magie qui te protège te donne encore droit à quelques petits privilèges. Ta vue de vampire, et tes perceptions extra-sensorielles.

– Ah bon, je les ai donc toujours ? dis-je en me levant.

Je jetai un nouveau regard circulaire dans la pièce. Oui, Rhode avait dit vrai : je voyais tous les ornements, jusqu'au moindre nœud dans le bois du parquet, et la perfection de la peinture qui couvrait les murs.

– Plus tu te fondras dans l'existence humaine, plus ces avantages se perdront.

Comment comprendre que je n'étais plus un vampire mais que je conservais quelques prérogatives propres à l'espèce ? Pouvais-je par exemple m'exposer au soleil ? Allais-je de nouveau avaler de la nourriture ? Ces pensées tournoyaient dans ma tête et je tapai du pied, exaspérée. Rhode posa ses mains sur mes joues, et leur froideur me fit sursauter. Ma crise de nerfs se calma sur-le-champ.

– Tu dois te fondre dans la vie humaine, Lenah. Tu dois aller en cours et redevenir une jeune fille de seize ans.

J'avais beau vouloir pleurer, je n'y parvins pas sur le moment : j'étais trop abasourdie. Les vampires ne savent pas pleurer. Il n'y a rien de naturel chez eux. Pas de larmes, pas d'eau – rien que du sang et de la magie noire. Les larmes qui roulent sur les joues d'un être normal sont remplacées, chez eux, par une douleur acide et cuisante qui dévore leurs canaux lacrymaux.

J'aurais voulu partir en courant ou me retourner comme un gant, n'importe quoi pour atténuer cette brûlure dans mes entrailles. Je serrai les poings et tâchai de calmer mon anxiété en inspirant à fond, mais mon souffle resta coincé dans ma gorge. Mon regard tomba sur une photo posée sur un bureau. Elle était abîmée et ne datait visiblement pas d'hier ; pourtant, je posais dessus. 1910, dernière nuit de la Nuit Rouge. Sur la photo, Rhode et moi étions enlacés par la taille, hanche contre hanche, sur la terrasse derrière mon château. Rhode portait son costume noir et son chapeau haut de forme, et moi une robe du soir. Mes longs cheveux châtains étaient réunis dans une tresse qui retombait sur mon sein gauche. Nous transcendions la figure humaine. Nous étions beaux à faire peur.

Je levai les yeux vers Rhode.

– Comment faire ? Comment me cacher ?

– Oh, à mon avis, ce sera plus facile que tu ne le crois. Tu n'as jamais eu seize ans. Je t'en ai privée avant que tu ne puisses le vivre.

Il se rapprocha de moi et m'embrassa sur le front.

– Pourquoi fais-tu tout cela pour moi ?

Il s'éloigna et l'air se déplaça pour combler l'espace entre nous.

– Tu veux toujours tout savoir... observa-t-il d'un air songeur.

Je secouai la tête pour indiquer que je ne comprenais pas, et que je ne comprendrais jamais, son geste envers moi. Il reprit la parole.

– C'est que, vois-tu, au cours de toutes mes aventures, jamais je n'ai trouvé personne que j'aimais plus que toi. Personne.

– Mais je suis en train de te perdre.

Ma voix se brisa sur les derniers mots. Rhode me serra contre lui, pressant ma joue contre son torse. Je restai là un moment, pour laisser mes battements de cœur résonner en écho entre nos deux corps.

– Et tu crois que Vicken ne me retrouvera pas ?

– Je crois que même dans ses rêves les plus fous, il ne pourrait pas comprendre ce que j'ai fait. Il faudra les efforts de tout le cercle rien que pour nous suivre jusqu'ici, et je crois avoir fait de mon mieux pour leur cacher où nous sommes. Et puis, pourquoi irait-il imaginer que tu puisses être humaine ?

Je me dégageai pour contempler de nouveau la photo de nous deux.

– Quand vas-tu mourir ?

Me détournant de la photo, je me rassis sur le canapé. Je tirai mes genoux vers ma poitrine et serrai les bras autour de mes mollets.

– Au matin.

Nous restâmes ensemble et je le contemplai intensément le plus longtemps possible. Il me raconta les changements de la société. Les voitures, la télévision, la science, des guerres que ni lui ni moi, avec notre mentalité de vampires, ne pouvions comprendre. Il m'expliqua que les humains accordaient une importance extrême aux détails matériels. J'allais dorénavant pouvoir être malade. Il m'avait inscrite dans l'un des meilleurs internats de Nouvelle-Angleterre : le lycée Wickham, dans la petite ville de Lovers Bay. Il m'informa de la présence d'un médecin à quelques bâtiments de chez moi. Il me supplia d'achever mes études et de devenir une femme, toutes choses dont il m'avait privée jusqu'alors.

Nous parlâmes longuement, et sans même m'en apercevoir, je m'endormis. Mon dernier souvenir de lui, ce sont ses yeux plongés dans les miens. Je crois bien qu'il m'embrassa sur les lèvres, mais cela aussi me fit l'effet d'un rêve.

À mon réveil, les stores étaient baissés et tout le salon était plongé dans la pénombre. Des chiffres rouges brillaient dans le noir. Une horloge digitale m'informait qu'il était huit heures du matin. Je gisais toujours sur le canapé, et Rhode n'était plus dans le fauteuil en face de moi. Je me levai d'un seul coup. Mes muscles étaient raides : je trébuchai et me retins à un bras du fauteuil.

– Rhode ?

Mais je savais déjà.

– Non... murmurai-je.

Je tournai en rond. Il n'y avait que quatre pièces : une chambre, une salle de bains, un salon et une cuisine. Le salon donnait sur un balcon. Les rideaux étaient tirés, mais ils flottaient dans le courant d'air. Derrière, la porte-fenêtre était ouverte. Je sortis sur le balcon. Je plaçai une main en visière au-dessus de mes yeux. Ma vue s'adapta instantanément et je le cherchai, portée par l'espoir, un bref instant seulement.

Rhode avait disparu. De ma vie. De mon existence.

Je trouvai la bague en onyx par terre, au milieu du dallage. En m'approchant, je me rendis compte qu'elle reposait sur un petit tas de poussière scintillante. On aurait dit du sable mêlé à du mica ou à de minuscules diamants. Mon Rhode, mon compagnon depuis près de six cents ans, affaibli par la transformation et le sacrifice de soi, s'était évaporé dans le soleil. Je plongeai le pouce et l'index dans ses cendres. Elles étaient froides et rugueuses. J'y repêchai la bague et fis glisser le métal lisse sur ma peau neuve, ma peau sensible.

J'étais seule.

Chapitre 3

Le chagrin est une émotion que les vampires n'ignorent pas entièrement ; mais il leur fait plutôt l'effet d'un glissement, ou d'un changement dans la direction du vent. C'est une palpitation muette, un rappel parasite des douleurs emboîtées à l'infini qui définissent l'univers vampirique.

Ce que je vivais était tout à fait différent.

Au matin de la mort de Rhode, je versai les cendres étincelantes dans une urne que je posai sur le bureau. Rhode avait rapporté mon coffret à bijoux d'Hathersage : je n'eus aucun mal à y trouver un vieux flacon de sang pour le remplir d'un peu de ses cendres. Je l'accrochai à une chaînette que je passai à mon cou.

En me détournant du bureau, je trouvai une lettre sur la table basse. J'ouvris l'enveloppe à l'aide d'un coupe-papier en argent et me mis à lire. Il était presque midi quand je relevai la tête. La lettre contenait des instructions concernant ma nouvelle vie, les usages du XXIe siècle et ce que je devais faire de mes journées en attendant la rentrée. Le début m'informait que je devrais commencer par une nourriture simple, mon corps n'étant pas habitué à ingérer et à digérer. Je posai la lettre sur mes genoux, puis la repris. Je ne pouvais m'empêcher de relire sans cesse le dernier paragraphe :

Tout cela en valait-il la peine ? Nous avons eu nos moments de grâce, n'est-ce pas ? Tu es libérée de la souffrance involontaire. Trouve la paix dans ma mort. Verse des larmes. Tu n'as plus que la liberté. Si Vicken et ton cercle reviennent, tu sauras que faire. N'oublie jamais, Lenah.
Honni soit qui mal y pense. Courage,
Rhode

Une sensation de manque me tenaillait. Au plus profond de moi, là où je ne pouvais la combler. Pour tenter de me distraire, j'observai le campus. De mon balcon, j'avais vue sur un bâtiment de pierre nommé *Foyer des élèves*. Sur la droite, juste derrière, un autre édifice flanqué d'une haute tour. La diversion ne fonctionna pas : mon regard retourna se poser sur les papiers que Rhode m'avait laissés.

Une chose était certaine : ses économies excédaient largement le nécessaire pour survivre dans la société actuelle. Le problème ? Je ne pouvais pas y toucher. Quant à mon propre argent, il était resté sous le contrôle de Vicken et du cercle. Je ne pouvais accéder ni à l'un ni à l'autre, car mes poursuivants m'auraient immédiatement localisée. J'ignorais le fonctionnement précis des banques et des « virements », mais comme me l'expliquait Rhode dans sa lettre, je ne devais traiter qu'en liquide, sauf cas d'extrême urgence. Il m'en avait laissé un plein coffre.

Ses instructions étaient claires. Je devais travailler et éviter de dépenser ses fonds. « Tu pourrais en avoir besoin un jour », tels étaient ses mots exacts. « L'immersion est le secret de la survie », précisait aussi sa lettre. L'idée de ce que Vicken risquait de faire en me voyant, moi, son ancienne amante, son ancienne reine, dans cet état vulnérable, m'envoyait des frissons dans l'échine. Vicken, comme tous les vampires, avait le goût de la tragédie, le désir des larmes, du sang et du meurtre. La plupart des vampires n'ont qu'un souhait : infliger à autrui la douleur qui les hante constamment, la déverser dans l'autre. En dépit de mes hésitations, j'imaginais facilement le scénario. Ce que Vicken pourrait me faire, en tant qu'humaine... Je secouai brièvement la tête pour chasser cette pensée.

J'allais me plonger dans le mode d'emploi d'un ordinateur portable lorsqu'un coup frappé à la porte m'arracha à ma méditation. Un pull noir, tout simple, qui avait appartenu à Rhode, pendait à un bras du fauteuil. Je le passai par-dessus mon débardeur avant de m'enfoncer dans les profondeurs de l'appartement.

– Révèle-toi ! ordonnai-je à la porte fermée.

– Euh... me répondit timidement une voix masculine.

– Ah, pardon, je voulais dire : qui est-ce ?

Doucement, Lenah. Après tout, je ne présidais plus un cercle de vampires.

45

– Une livraison de voiture pour Lenah Beaudonte.

J'ouvris d'un coup.

– Une voiture ?!

Le garçon qui se tenait derrière la porte était grand, mince et vêtu d'une chemise portant l'inscription « Grand Car Service ». Derrière lui, le couloir mal éclairé était couvert d'un papier peint à rayures verticales ponctuées de décorations nautiques : voiliers, ancres de marine.

– Je ne suis là que pour la livraison, précisa le garçon mince avec à peu près autant d'enthousiasme que s'il était venu m'annoncer le décès prématuré d'un proche.

Après avoir pris sur la table basse une paire de lunettes très très noires (je supposai que Rhode les avait laissées pour moi) et un chapeau noir à large bord, je le suivis dans l'escalier. Arrivée en bas, j'hésitai sur le pas de la porte. Dehors, les oiseaux gazouillaient et les voix des élèves s'élevaient de partout. L'allée cimentée qui traversait la pelouse était écrasée de soleil. En allait-il de la sensibilité au soleil comme de ma vue vampirique ? Était-elle encore active ?

Les rayons du soleil neutralisent le sortilège qui scelle l'existence des vampires, même si leurs dangers s'amoindrissent avec le temps. À mesure que l'on avance en âge, la résistance se renforce. Cependant, il paraît que la mort par ensoleillement est insoutenable. On dit que c'est la pire des souffrances, comme si l'on était écartelé et carbonisé sans perdre connaissance un seul instant. Jamais, à aucune époque, je n'étais sortie dans la lumière sans protection.

Je passai un orteil prudent par la porte, et m'exposai au soleil jusqu'au genou. Puis je rentrai immédiatement ma jambe et marquai une pause. Je me contorsionnai pour vérifier l'arrière de mon mollet. Ainsi que mon tibia. Aucune rougeur. Aucune brûlure.

– Z'allez vous décider à sortir, ou bien ? fit une voix sur ma droite.

La gardienne, une femme courtaude à grosses lunettes, m'observait. Quelle drôle de façon de parler ! « Z'allez... » Intéressant, comme elle formulait sa phrase. Et puis ce « Ou bien ? » Ou bien quoi ? J'attendis qu'elle ajoute autre chose, mais elle se contenta de me fixer du regard. Cachée derrière mes lunettes noires, j'observai le livreur à la dérobée. Lui aussi me contemplait d'un air interrogateur, depuis l'allée ensoleillée. J'étais chaussée de fines sandales, vêtue du pull noir trop grand et d'un short. Prête. J'inspirai un grand coup, et je sortis.

La première chose que je sentis fut la chaleur de l'été. Quelle merveille ! Être au soleil, c'était comme prendre un bain auprès d'un feu ronflant, comme une vague de sueur et de joie me submergeant des pieds à la tête. Je soufflai, immensément soulagée.

Le campus du lycée Wickham était gigantesque. L'architecture était ancienne à première vue, mais les bâtiments de pierre et de brique rouge étaient dotés de façades ultramodernes en verre et en acier. De vastes prairies verdoyantes les séparaient, et des allées sinueuses serpentaient en tous sens. Au loin, derrière des branches feuillues agitées par le vent, une chapelle de style colonial, blanche et pimpante, étincelait sous le soleil matinal.

Mon bâtiment était le plus proche du portail d'entrée de l'internat. C'était aussi celui qui disposait de la plus grande pelouse. Juste derrière la grille, plusieurs jeunes filles étaient étendues sur une couverture, en plein soleil. Elles semblaient ne porter que leurs sous-vêtements ; mais en les observant bien, je compris que ces tenues étaient conçues pour cette activité. Pour moi, c'était une curiosité : je n'avais jamais vu personne prendre un bain de soleil.

Je les regardai appliquer une lotion blanche sur leur peau, tirer sur les coins de leur couverture et se rallonger.

– C'est celle-là, me signala le livreur.

Derrière les filles, il m'indiquait le parking adjacent à la pelouse. Dans la première rangée trônait une automobile bleu ciel. Ma voiture. J'aurais été bien incapable d'en nommer la marque ou le modèle à l'époque, mais la simple idée d'en posséder une était déjà fantastique.

– Tes parents sont sympas, me fit observer le garçon.

Je faisais un pas vers la voiture lorsqu'un groupe d'élèves de mon âge (si on peut dire) passa en courant et en désignant quelque chose au loin. L'une des filles criait à une bande d'élèves qui traînaient sur ses talons :

– 13 h 54 ! Magnez-vous ! Ça commence dans six minutes.

– Que se passe-t-il ? demandai-je au livreur.

– Les frères Enos. Une famille de casse-cou. Tous les ans, au moment du premier week-end de septembre, ils disputent une course de bateaux dans le port, juste devant la plage privée de Wickham. C'est la troisième année qu'ils le font, depuis que le plus jeune Enos a eu ses quatorze ans.

Je signai le reçu, pris les clés et décidai que je m'occuperais plus tard d'apprendre à conduire. J'avais envie d'assister à la course.

Je laissai les élèves pressés me dépasser ; je n'étais pas encore prête à me mêler à la foule. Les allées de Wickham étaient plantées de chênes vénérables. Même avec mon grand chapeau et mes lunettes, je faisais tout mon possible pour marcher à l'ombre. Des deux côtés, je voyais des bâtiments semblables au mien, avec de larges portes en verre et de grandes baies vitrées. Certains affichaient, sur leur pelouse, des pancartes indiquant en rouge leur nom et leur fonction. Tout était assez majestueux, à vrai dire. La plupart des élèves bifurquaient au bout de l'allée, passaient derrière une serre (qui piquait ma curiosité), et descendaient un escalier pour gagner une plage.

C'était donc cela, l'océan en plein jour. J'avais passé tant de nuits à regarder la lune tracer sa route laiteuse au-dessus de l'eau... J'avais souhaité tant de fois qu'il s'agît du soleil ! Même si je pouvais, sur la fin, endurer la lumière du jour, jamais je ne me serais aventurée sur une plage. Ce n'est pas que les vampires soient totalement opposés aux éléments naturels. Mais l'océan, le soleil, et toute la joie associée à la plage dans la journée, ce n'était vraiment pas pour moi. Ce n'aurait été qu'une nouvelle source de tourment.

L'air sentait le sel, la terre et le frais. Les mille reflets du soleil sur l'eau me donnaient envie de toucher la lumière, de la manipuler entre mes doigts. C'était aussi beau que ce que j'éprouvais : du bonheur. Sur la plage de Wickham, des rochers de formes variées parsemaient le sable blond. Les vagues ne faisaient pas plus de deux pieds de haut et venaient rouler paresseusement sur la grève. Une cinquantaine de personnes étaient réunies là.

Rhode avait dit vrai : ma vue vampirique fonctionnait à la perfection. Un coup d'œil rapide m'apprit que les spectateurs étaient précisément au nombre de soixante-treize. En outre, le sable se composait de milliers de couleurs : corail, jaunes, bruns, et des centaines de nuances de gris. Des parasols bleu foncé étaient empilés contre la digue qui séparait la plage du campus. Je distinguais jusqu'aux fibres en plastique de leurs pieds et aux fils qui composaient la toile. Une jetée en bois s'avançait dans l'eau sur une vingtaine de mètres.

Devant nous, au milieu de la baie, se trouvait une île. Plutôt désolée : de grands chênes, une grève sablonneuse, et rien d'autre.

Tournant le dos à la mer, je me rapprochai du mur. Il n'était pas trop haut : moins de deux mètres, en tout cas. Je posai un pied dans un trou entre les pierres, et je grimpai sans difficulté. Je m'assis en tailleur au sommet. Je portais encore mes lunettes noires, et me sentais un peu protégée par une branche de chêne qui me faisait de l'ombre. Je m'appuyai sur mes mains pour contempler l'océan.

En regardant l'île, et les branches agitées par le vent, je fus saisie par une impression soudaine... la certitude absolue d'être épiée. Mes pensées volèrent immédiatement vers Vicken, même si c'était impossible, ou presque. À présent, Vicken avait cent soixante ans. À cet âge, la plupart des vampires sont incapables de supporter ne serait-ce qu'une pièce aux volets fermés dans la journée. Vicken, toutefois, était différent : il pouvait rester au soleil depuis le plus jeune âge. Mais de toute manière, il me croyait en pleine hibernation. Il n'avait aucune raison de me chercher à Wickham.

Cependant, même s'il me devait son existence, il était et avait toujours été le vampire le plus évolué à ma connaissance. Je l'avoue, je fus soulagée en regardant vers la droite et en n'y trouvant qu'une bande de filles qui m'observaient fixement, à quelques pas de l'eau. Elles me dévisageaient ouvertement, ce qui m'étonna. J'avais des amies vampires, mais jamais elles ne m'auraient toisée comme si quelque chose n'allait pas dans mon apparence. L'une des filles était très jolie. Plus grande que moi, avec de longs cheveux blonds. C'était celle qui me défiait le plus effrontément.

– Je peux m'asseoir à côté de toi ?

Un garçon, un Asiatique, se tenait sur le sable. Son blue-jean avait une déchirure verticale qui dévoilait entièrement sa cuisse droite. Il portait deux sandales de couleur différente – l'une rouge, l'autre jaune – et une chemise. Ses traits trahissaient des origines japonaises. Je m'adressai donc à lui dans sa langue maternelle.

– *Pourquoi veux-tu t'asseoir près de moi ?*

Il pinça les lèvres, haussa les sourcils, passa une main dans ses cheveux noirs ébouriffés.

– Je ne parle pas le japonais, me répondit-il en anglais. Mais mes parents, oui.

– Étrange. Un Japonais qui ne parle qu'anglais ?

Je retirai mes lunettes noires pour faciliter la communication. Le garçon, lui, posa une main sur le mur sans cesser de m'observer.

– Et toi, où as-tu appris le japonais ?

– Je connais beaucoup de langues.

J'établis une connexion en fixant sans relâche ses iris bruns. Les vampires se servent du regard pour déchiffrer les intentions d'autrui. Si l'autre ne baisse pas les yeux, c'est qu'on peut lui faire confiance. Cela ne fonctionne pas à tout coup : il était arrivé que l'on me mente quand même. Quand je découvrais la trahison, j'égorgeais d'un coup de dents et sans le moindre état d'âme. Mais ce garçon-là avait une aura blanche et une âme innocente.

– Ah oui ? Combien ?

– Vingt-cinq, répondis-je en toute franchise.

Il éclata de rire. De toute évidence, il ne me croyait pas. Mais, voyant que je ne disais rien et que mon regard ne déviait pas, il se figea et en resta bouche bée.

– Tu devrais bosser pour la CIA, dis donc. Bon, moi, c'est Tony.

Et il me tendit sa main. En la serrant, j'en profitai pour jeter un coup d'œil à l'intérieur de son poignet. Les veines saillaient juste comme il fallait : il aurait fait une proie facile.

– Lenah Beaudonte.

– Beaudonte, répéta-t-il en détachant les syllabes. Classe. Alors, je peux ?

Il indiquait la place libre à côté de moi sur le mur.

– Pourquoi ?

Je ne me voulais pas méchante ni agressive. Cela m'intéressait sincèrement de savoir pourquoi ce garçon d'apparence normale souhaitait se joindre à une personne telle que moi.

– Euh... parce que les autres me pompent l'air, ça te va ?

Il hocha le menton en direction des jolies filles qui me regardaient toujours. Elles s'étaient rapprochées les unes des autres et me jetaient des coups d'œil furtifs. Pour toute réponse, je ricanai. Son honnêteté me plaisait. L'usage du mot « pomper » dans un contexte non vampirique, aussi.

La communication, en ce siècle, était fascinante. Très décontractée, pas du tout guindée comme j'en avais l'habitude au début du XXe siècle. Comme bien des fois dans le passé, j'allais devoir m'adapter. Il y avait des siècles que je prêtais une oreille attentive aux mouvements des lèvres et aux ondulations des langues. Je restais à l'écart, j'étudiais, je traduisais, parfois dans de nombreux idiomes pour trouver le meilleur moyen de me fondre dans la masse. Comprendre comment parlaient les gens me permettait de me mêler à la société sans me faire remarquer... c'était plus facile pour tuer.

Tony m'arracha à ces pensées en se hissant auprès de moi. Il s'assit et laissa pendre ses jambes le long du mur. Ses talons rebondissaient contre les pierres. Nous n'échangeâmes pas une parole pendant un moment, et ce silence était plaisant ; de plus, ce répit me permit de le détailler. Il était un peu plus grand que moi, et râblé, comme un lutteur. De près, je voyais le fin réseau des veines qui sillonnaient son cou. Mais ce n'était pas le plus intéressant. Il avait au moins dix anneaux à chaque oreille ! Certains étaient si larges qu'ils avaient distendu ses lobes, au point que je voyais à travers le trou.

– Et toi, alors, que fais-tu là toute seule ? voulut-il savoir.

Je me reculai vivement et rechaussai mes lunettes noires. Je pris un instant pour réfléchir : comment allais-je m'exprimer ? Je repensai au phrasé du livreur de voitures, ainsi qu'à la décontraction qui perçait sous les paroles de Tony : les deux étaient assez faciles à saisir. Jusqu'à présent, le vocabulaire était simple, et la formulation, pas spécialement ampoulée. Apparemment, tout le monde parlait ainsi : on ne faisait pas de manières. *J'y arriverai*, pensai-je. J'avais encore des références culturelles contemporaines à intégrer, mais ce serait vite fait. Je soufflai un bon coup en souriant.

– Quelque chose me dit que la plupart de ces gens me pomperaient l'air, à moi aussi.

Tony me retourna mon sourire.

– Quel âge as-tu ?

– Seize ans, depuis hier. (Était-ce un mensonge ?)

– Cool ! Bon anniversaire ! (Son sourire s'élargit et ses yeux brillèrent avec plus d'ardeur.) Moi pareil, seize ans aussi. Donc, tu es en première, c'est ça ?

Je me remémorai les paperasses que j'avais vues ce matin. Je me souvenais d'un formulaire indiquant que j'étais, effectivement, en première. J'acquiesçai en silence. Nous restâmes encore un moment à écouter ce qui se passait autour de nous. Plusieurs élèves discutaient de la rentrée, et je me concentrai sur le langage de l'époque.

« Je vais juste pas lui parler cette année. »

« Justin Enos ? C'est le mec le plus canon du campus, tu déconnes ou quoi ? »

« Mais qu'est-ce qu'elle a, celle-là, avec ses lunettes et son chapeau ? Elle se la pète star incognito, ou quoi ? »

Puis les bavardages se modifièrent du tout au tout. Quelques personnes pointèrent le doigt en direction du port. Je jetai encore un coup d'œil discret à la grande blonde qui me dévisageait. Elle détourna la tête et se mit à sautiller sur place. Je suivis son regard. Après tout, c'était la raison de ma présence : assister à une course de bateaux. Pas subir les œillades indiscrètes d'une blonde qui, en temps normal, m'aurait fait à peine un petit casse-croûte.

– Ça y est ! s'écria Tony. Les voilà !

Je vis deux bateaux arriver de directions opposées dans le port. C'étaient des embarcations étranges, taillées dans un métal blanc, à proue très pointue. Des flammes rouges étaient peintes sur les flancs de l'une, des flammes bleues sur l'autre. De mon temps, tous les bateaux étaient en bois. Ça, c'était du nouveau. Rhode avait eu beau me parler rapidement des voitures et des moteurs, jamais je ne me serais attendue au puissant rugissement qui s'élevait de ces machines. Il résonnait jusqu'à la plage et me vrillait les tympans.

– Que font-ils ? demandai-je.

Les bateaux vrombissaient toujours aux deux extrémités du port. Ils se rapprochaient à toute allure dans d'énormes gerbes d'eau.

– Ils vont faire deux fois le tour de l'île. Le premier rentré au port a gagné. Il y a deux ans, ils ont réduit la jetée en miettes.

– Quel est le prix pour le gagnant ?

– Le respect, me répondit Tony.

Les embarcations étaient si rapides que je ne voyais pas qui était au volant. *C'est sûrement une mauvaise plaisanterie*, pensai-je. Elles fonçaient tout droit l'une sur l'autre. Sur la plage, une fille poussa un cri strident. Puis, en un clin d'œil, alors qu'ils n'étaient plus qu'à quelques centimètres l'un de l'autre, les bateaux changèrent de direction. Des éclaboussures fusèrent. J'aperçus le ventre arrondi du bolide aux flammes bleues. Ils s'éloignaient de la plage pour contourner l'île chacun par un côté.

Tous les spectateurs braillaient, s'époumonaient et hululaient si fort que le bruit me cassait les oreilles. Tous s'étaient levés et sautaient sur place en agitant les bras. Tous, sauf Tony et moi. Certains scandaient le prénom « Justin », d'autres « Curtis ».

Les bateaux réapparurent et repassèrent devant l'île. Je retins mon souffle, car ils se croisèrent de nouveau à un cheveu. Leurs étraves s'effleurèrent. Un haut-le-corps général souleva la foule tandis que déjà les embarcations disparaissaient une nouvelle fois derrière l'île.

– Et ça les amuse ? demandai-je.

L'adrénaline qui se déversait dans ma poitrine me donnait des palpitations.

– Oh, ça, ce n'est rien. Toute la famille est dingue. Ils cherchent le frisson.

– Ils sont frères, c'est ça ? (Un souvenir de mon cercle surgit dans mon esprit.) Ils doivent être proches. Se faire confiance.

Tony ne me répondit pas, mais de toute manière je n'écoutais plus. Dans ma tête, Heath, Gavin, Song et Vicken étaient assis au coin du feu. Nous étions chez moi, à Hathersage, dans les années 1890. Rhode était encore loin, fâché contre moi, quelque part en Europe, et ma confrérie m'entourait. Assis sur des chaises de bois noir, ses membres faisaient cercle autour de ma personne. Chacune de ces chaises était sculptée selon leur personnalité. Celle de Gavin était ornée d'une multitude d'épées, car il était fin bretteur. Celle de Vicken était couverte de globes et de trophées antiques. Il était le stratège. Ma préférée était celle de Heath, gravée de mots en latin. Celle de Song était remarquable, car ses seuls ornements étaient des idéogrammes chinois. La mienne était d'un merveilleux bois lisse, et ne portait qu'une inscription. La devise de notre cercle, mon idée lyrique lardée de malice et de peine : « Honni soit qui mal y pense ».

J'étais vêtue d'une longue robe violet foncé. Nous étions pris d'un fou rire, pour une raison oubliée. Je me souvins que derrière nous un paysan évanoui était enchaîné au mur. Je le réservais pour mon dîner.

– Les revoilà !

Je clignai des yeux pour revenir à l'instant présent. Tony tordait le cou pour mieux voir.

– Ouah, c'est serré ! s'exclama-t-il.

Les moteurs étaient poussés au maximum. Les puissantes hélices propulsaient les bateaux vers le quai, si vite que, d'instinct, j'eus un mouvement de recul. Mais puisque Tony ne bougeait pas, je me tins tranquille. Le bateau rouge et le bleu étaient au coude à coude. Les étraves effilées fonçaient vers la jetée de bois.

– Ils vont se rentrer dedans ! m'écriai-je.

– Peut-être, répondit Tony d'un air détaché.

– Mais ils vont mourir !

J'étais mi-horrifiée, mi-euphorique.

Ils étaient si proches de la côte, à présent, que même sans mes pouvoirs je distinguais un grand blond au volant du bateau à flammes bleues, tandis que le rouge était manœuvré par un blondinet grassouillet. Je zoomai sur le rouge. Le gros garçon portait un pendentif en argent. Il avait des anneaux d'argent aux oreilles. Une cicatrice au-dessus de la lèvre, à gauche. Soudain, à la dernière seconde, l'embarcation conduite par le grand pivota à quatre-vingt-dix degrés pour se ranger contre la jetée. Le pilote avait manœuvré son bateau si rapidement qu'une immense vague s'était soulevée pour retomber en éclaboussant les spectateurs du premier rang.

Une puissante clameur s'éleva du public, et tout le monde partit en courant vers la jetée. Pendant ce temps, le gros garçon et un autre, le même en plus petit, amarraient leur bateau. Le gagnant, le grand blond, était déjà à quai. Les moteurs de son embarcation se turent, puis on entendit un « plouf ». Il nageait vers le rivage.

Tony se pencha vers moi pour me montrer le plus petit des frères.

– Lui, c'est Roy Enos. Il est en troisième.

Puis il désigna le grassouillet.

– Celui-là, c'est Curtis Enos. En terminale. Le rigolo de la promo.

Il était bien plus rond que les autres. Son ventre mou débordait de son short de bain.

Enfin, le grand blond, magnifique avec son mètre quatre-vingt-dix, sortit de l'océan en jetant des éclaboussures. Il était même plus grand que Rhode. Jamais je n'avais jamais vu une telle stature.

– Et ça, c'est Justin Enos, grommela Tony. Il est en première, comme nous.

Justin avait un visage long, les pommettes saillantes, les yeux vert clair. Son torse était massif, ses épaules larges. C'étaient ses épaules qui m'hypnotisaient : grandes, carrées, bâties pour tout faire : construire un immeuble, traverser la Manche à la nage, m'enlever dans les airs. Chacun des garçons présents sur cette plage l'enviait. Chacune des filles salivait en le voyant.

– Alors, tu le détestes ?

Je tournai la tête vers Tony pour jouir du sentiment de jalousie – juste un peu.

Il me sourit en retour.

– Comme tous les garçons à Wickham.

Sans ajouter un mot, je sautai du mur et remontai les marches qui menaient au campus. La course était terminée et j'avais envie de relire la lettre de Rhode.

Tony me rappela.

– Ben alors, tu t'en vas comme ça ?

Je me retournai. Il était encore perché sur le mur.

– Je rentre.

– Ça se fait de dire au revoir avant.

Je redescendis vers lui et il vint me rejoindre.

– Je ne suis pas douée pour la politesse, lui expliquai-je.

– Mais d'où viens-tu... commença Tony.

Une voix venue de la plage l'interrompit.

– Je voulais monter jusqu'à cent trente, mais je n'ai même pas eu besoin ! J'ai à peine dépassé les quatre-vingt-dix.

Tony et moi étions côte à côte au pied des marches. Impossible de détacher nos yeux de Justin. Celui-ci prit un sac de sport que lui présentait un autre garçon de son âge, fit quelques pas dans notre direction, puis s'arrêta au niveau des filles qui m'avaient reluquée. Il hissa le sac sur son épaule (ses biceps étaient impressionnants), et passa une main dans le dos de la blonde spectaculaire. Avec un sourire radieux, la fille s'accrocha un instant à son bras puis s'éloigna en ondulant des hanches.

Justin se rapprochait des marches. En nous voyant, Tony et moi, il s'arrêta. Il me regarda bien en face, l'air pas du tout frappé de stupeur, mais plutôt comme s'il avait trouvé quelque chose par terre et voulait l'inspecter, l'observer au microscope et l'étudier sous toutes les coutures. Mes yeux glissèrent vers Tony avant de se reposer sur Justin. Il me dévisageait toujours, mais à présent il souriait. Ses lèvres étaient pulpeuses, avec une moue adorable. Je ne savais pas quoi dire. Heureusement, Tony prit la parole.

– Quoi de neuf, Enos ?

Justin attendait peut-être que je me joigne à la bande des filles, mais je restai sur place. La grande blonde ne me quittait pas des yeux ; ses fines narines étaient dilatées, ses hautes pommettes rougies. C'était donc à cela que ressemblait la jalousie chez une jeune mortelle ? Merveilleux ! C'était plus fort que moi, sa colère et sa peine me rendaient triomphante. C'était une réaction instinctive. En tant que vampire, j'avais toujours adoré la douleur chez les autres, car elle atténuait la mienne. Mais à présent, j'étais humaine : sitôt que je perçus sa souffrance, mon euphorie s'envola. Ce désir de faire mal, d'infliger de la peine... disparu. À la place, je me concentrai sur les yeux verts de Justin, qui détaillaient mon chapeau, mes lunettes noires, et moi. J'avais conscience que mon aura vampirique avait le pouvoir d'envoûter les humains, de les ensorceler de telle sorte qu'ils croient avoir trouvé l'amour ou la paix. Justin Enos m'aimait-il contre toute raison ? Était-ce l'un des « effets secondaires » que je conservais malgré la transformation ? Je le contemplais, impatiente d'entendre ce qu'il allait me dire. Enfin, il se décida à parler.

– La prochaine fois que tu sortiras de chez toi, n'oublie pas de mettre un pantalon !

Et avec un clin d'œil, il partit dans l'escalier.

Je baissai les yeux. Le pull trop long de Rhode donnait l'impression que je ne portais rien en bas. Les filles s'éloignèrent en jacassant, surtout la blonde. Elle me transperça de ses prunelles noisette. Une brûlure gagna ma poitrine. Je connaissais bien la colère. Cette émotion m'avait hantée toute ma vie. Mais ceci, oserais-je croire que c'était de la gêne ? Personne n'avait jamais eu l'audace de me placer dans une situation embarrassante.

Je m'engageai rapidement dans l'allée qui menait chez moi. Tout ce que je voulais, c'était me retrouver dans ma chambre, fermer la porte et dormir. Je voulais Vicken, je voulais Heath, je voulais l'atmosphère familière d'une pièce plongée dans le noir.

– Eh, attends !

Je poursuivis ma route.

– Lenah !

Là, je m'arrêtai. C'était la première fois, en plusieurs siècles, qu'un simple mortel s'adressait à moi par mon prénom. Tony remontait de la plage au pas de course.

– « Au revoir », tout ça, tu te rappelles ? me dit-il une fois qu'il m'eut rattrapée.

Je croisai les bras. Mes joues étaient brûlantes.

– Je déteste ces filles.

– Tout le monde les déteste. Allez, viens. Allons faire quelque chose.

Chapitre 4

« Faire quelque chose » ? Qu'est-ce que ça voulait dire, au juste ?

– Quelle heure est-il, trois heures ? Le foyer est ouvert. Tu as déjà tes livres ? me demanda Tony. Moi j'y vais, si tu veux venir...

Que de questions ! Si j'avais déjà mes livres ?

– Non. Je ne les ai pas encore achetés.

Tony me raccompagna jusqu'à mon bâtiment – dénommé Seeker Hall – pour que je passe prendre le porte-monnaie que m'avait laissé Rhode. Il me fallait aussi les notices d'information, pour savoir quels manuels scolaires je devais acheter. La rentrée avait lieu dans trois jours. Rhode m'avait laissé quelques vête-ments modernes, pour la plupart hideux (et courts, et moulants, et décolletés), mais j'enfilai un jean en me promettant d'aller faire du shopping aussitôt que je saurais conduire.

En ressortant, j'aperçus la voiture bleue sur le par-king. Tony m'attendait sur l'un des bancs de bois qui faisaient face à l'entrée, les mains derrière la tête, les jambes étendues devant lui. Il se leva à mon approche.

– C'est la mienne, dis-je en lui montrant l'auto.

– Wouah ! (Je vis qu'il admirait le lustre de la carrosserie.) T'as du bol, dis donc ! Tu vas pouvoir sortir du campus, aller au restau, au centre commercial, à Boston...

– Tu crois que tu pourrais m'apprendre à conduire ?

Il s'arrêta net.

– Tu ne sais pas ?

Je fis non de la tête. Il me sourit.

– Tes parents t'ont payé une super-voiture mais pas le permis ? Et moi qui trouvais les miens bizarres ! D'accord, Lenah. Bientôt. Dès que possible.

– Génial.

En quittant Seeker Hall, je me retournai et cherchai des yeux mon balcon, ma porte-fenêtre encore ouverte. Je me demandai fugacement si des cendres de Rhode voletaient encore sur le dallage.

– Tu as faim ? s'enquit Tony.

J'eus une pensée nostalgique pour mon thé, à la maison, et pour les flocons d'avoine que j'étais censée absorber prudemment dans un premier temps. Je pensai aussi à ma promesse à Rhode. Aucune envie d'aller voir un médecin dès mes premiers jours de vie humaine.

– Un peu, répondis-je en remarquant dans mon estomac cette curieuse sensation de gêne, de tiraillement, qui indiquait la nécessité de manger.

Le foyer était un édifice construit comme tous les autres, en pierre, avec de larges portes en verre à poignées argentées. Mais son plan était particulier : la salle centrale, circulaire, desservait cinq ou six couloirs qui menaient chacun à une pièce rectangulaire. Lorsque Tony ouvrit la porte, les odeurs les plus incroyables vinrent frapper mes narines. Je n'avais rien senti de tel depuis l'époque où ma mère faisait la cuisine, au xve siècle.

La zone circulaire était une cafétéria. On y trouvait cinq comptoirs où les élèves pouvaient choisir ce qu'ils voulaient. Chacun différait des autres. Au centre, sous une verrière également ronde, se trouvaient les tables en Formica.

– On peut manger tout ce qu'on veut ? demandai-je.

Il y avait un comptoir de cuisine italienne, un pour les hamburgers, un pour les pizzas, un pour la nourriture végétarienne et les salades, et un pour les sandwichs. Derrière chacun se tenait un élève ou un employé en tablier blanc. J'ouvrais des yeux comme des soucoupes.

– Cassons la graine, on ira chercher les bouquins après, me proposa Tony.

Et juste au moment où la porte allait se refermer derrière nous, il ajouta :

– On dirait que tu n'as jamais mangé de ta vie.

Hamburgers. Frites. Haricots verts. Citron pressé. Chocolat. Pizza à l'ananas. Steak bleu. Comment choisir ? Je me décidai pour un fade bouillon de poule.

– Tu crois qu'on a des cours en commun ? me demanda Tony.

C'était plus fort que moi, je ne pouvais pas m'empêcher de le regarder broyer sa viande. Le sang du steak qu'il était en train de manger, mêlé à sa salive, s'étalait sur ses dents.

– Tu me fixes, me fit remarquer Tony en avalant.

– Il y a du sang qui sort de ce steak. Tu as ça dans ta bouche.

Il hocha la tête.

– Plus c'est saignant, plus c'est bon. J'adore le steak bleu.

En tant que vampire, je n'avais jamais apprécié le sang animal ; je n'étais donc pas attirée par celui qu'il avait en bouche. Mais le plus étrange, c'est que je ne sentais pas son odeur. Je reniflai deux ou trois fois, en essayant de percevoir l'arôme de rouille que j'avais tant aimé. Je flairai encore, mais trop de senteurs différentes venaient frapper mes narines : parfum, bouillon de poule, soda. L'odorat des vampires se limitait au sang, à la chair et à la chaleur corporelle. Parfois, exceptionnellement, je parvenais à humer une herbe ou une fleur, mais cela se raréfiait avec le temps. Si on brûlait quelque chose, par exemple une rose ou un corps, son parfum s'attardait un bref instant avant de se dissiper avec la fumée. Mais le sang animal, je le repérais à des kilomètres, même si j'en détestais le goût. À la vérité, c'était son impureté que je haïssais. Elle nuisait à mon statut de vampire le plus pur et le plus puissant de l'histoire récente.

En guise de dessert, Tony insista pour que je prenne une glace. La nourriture était si nouvelle, si artificielle...

elle paraissait facile à préparer. Moi qui avais fourni tant de travail, tant d'efforts dans le verger de ma famille, à l'époque où j'étais encore mortelle ! Même au xve siècle, trouver à manger était plus facile que trouver du sang. Au cours de ma vie de vampire, j'avais toujours dû déployer des trésors de persuasion pour attirer les gens chez moi ou dans les ruelles avant de leur pomper le sang et de les laisser pour morts.

– Je vais prendre trois boules de Rocky Road avec des granulés arc-en-ciel, commanda Tony.

En le regardant manger sa glace, j'eus envie de lui révéler ma condition de vampire. Il attaquait la masse crémeuse avec appétit, et savourait délicatement chaque bouchée. Je fus envahie par une bouffée d'affection pour lui. Pour ma part, je me débarrassai de ma boule de sorbet fraise en quatre cuillerées, et sans appétit.

Mon passé d'immortelle était un secret logé dans mon cœur. J'étais tentée de le révéler à Tony afin que quelqu'un me comprenne vraiment, lise dans mon âme. Les vampires sont hantés par la peine, la nostalgie et la colère. Tous les chagrins du monde pèsent sur leurs épaules. Ce sont des victimes du tourment, sans évasion possible.

L'amour, curieusement, est leur seul répit dans ce fatras de malheurs. Mais il y a un prix à payer : lorsqu'il tombe amoureux, le vampire est prisonnier à jamais de cet amour. Il aimera l'autre pour l'éternité, quoi qu'il arrive. Il peut connaître des amours successives, mais chaque fois, c'est une partie de son âme qui lui est arrachée. Pour ma part, j'avais aimé deux fois. Rhode, d'abord, puis Vicken. Deux sentiments différents. Mon amour pour Vicken était moins entier que mon amour pour Rhode. Mais dans les deux cas, j'étais liée, irrémédiablement. L'amour vampirique est un douloureux manque, une faim dévorante, et chacun pouvait m'aimer tant et plus, ce ne serait jamais assez. Quoi que l'on fasse, quoi que l'on dise, c'est dans la nature des vampires d'être fondamentalement insatisfaits. C'est en proie à ce tourment que je m'éveillais chaque jour.

Je posai mon bol de glace en entendant des plateaux claquer sur la table qui jouxtait la mienne. L'un des frères Enos s'assit, avec quelques amis à lui. C'était le plus jeune, Roy, accompagné d'élèves qui semblaient avoir quelques années de moins que Tony. Il n'arrêtait pas de me regarder, puis de chuchoter à l'oreille de ses copains.

– T'as une touche, observa Tony en léchant sa cuillère.

– Une touche ?

Nous nous levâmes et jetâmes nos couverts avant de nous diriger vers la librairie, et Tony clarifia son propos.

– Tous les garçons te matent.

– Et c'est bien ?

– Je suppose, si tu cherches quelqu'un pour sortir avec toi.

Je fus incapable de répondre, n'étant jamais sortie avec un garçon. Du moins, pas dans le sens où les humains l'entendent.

– Ça te dit de voir la tour des arts avant de rentrer ? me proposa Tony. J'y passe tout mon temps. Elle est collée au bâtiment Hopper. Hopper, comme le peintre, tu vois ? Au rez-de-chaussée, il y a la salle de gym, des salons, des salles d'étude et des salles de télé. Tout le monde y va. Tu verras, quand tu auras quelque chose à faire, il y aura toujours quelqu'un pour te dire : « Va à Hopper. »

Je jetais sans cesse des regards dans mon sac, pour admirer les achats faits à la librairie du foyer. Une fois dehors, Tony m'indiqua un édifice, à gauche, derrière le foyer. C'était le grand bâtiment de pierre que j'avais déjà vu. Une tour de style médiéval flanquait en effet l'entrée. Elle faisait face au nord, vers le portail, mais je savais que si je montais au sommet, je verrais tout le campus.

Nous traversâmes une longue pelouse, sur laquelle la plupart des élèves étaient en train de pique-niquer. Tony me tint la porte du bâtiment Hopper. Une fois dans le hall, on pouvait soit continuer tout droit, soit monter dans la tour. Un escalier en colimaçon s'ouvrait juste à côté de la porte. J'y suivis Tony.

– Wickham est très différent de tout ce que j'ai connu, dis-je en m'accrochant à la rampe. Il y a du monde partout.

Tony me jeta un regard par-dessus son épaule et sourit.

– J'aime bien ton accent britannique.

Je ne répondis pas, mais un picotement me parcourut la poitrine et je compris que le compliment me faisait plaisir.

Au dernier étage, nous pénétrâmes dans l'atelier.

– Comme je te le disais, si tu me cherches, c'est ici que tu me trouveras la plupart du temps, me répéta-t-il en posant son sac par terre.

De petites fenêtres étroites, façon meurtrières, s'alignaient sur les murailles arrondies. On voyait un peu partout des chevalets, mais vides, l'année scolaire n'ayant pas encore commencé. Des masques en papier mâché étaient suspendus par des fils au plafond. Certains représentaient des taureaux cornus, d'autres des visages humains. Pinceaux et fusains reposaient dans des boîtes en métal ou en plastique, et dix tables à dessin étaient disposées en rond, chacune avec ses éclaboussures de peinture. La pièce contenait une vibration, elle fleurait bon les promesses et la créativité. Je voyais... non, je *sentais* qu'on y avait passé des moments merveilleux. Si j'avais encore été vampire, cela m'aurait fait enrager.

C'est bizarre, pensai-je.

– Je ne suis plus spectatrice du bonheur, dis-je en passant la main sur un chevalet.

– Quoi ?

– Rien, rien.

Je me retournai pour le regarder.

– Tu te plais, à Wickham ? me demanda-t-il alors.

Puis, après un silence, il ajouta :

– Je suis boursier en art.

– Qu'est-ce que ça veut dire ?

J'examinais un tableau : un vase de fleurs posé devant une fenêtre.

72

– Que je suis trop pauvre pour payer ma scolarité ici, alors on m'accueille gratuitement à condition que je produise des œuvres de qualité. Et toi ?

– Je ne suis pas boursière.

J'observais attentivement Tony pour voir si cela avait une importance pour lui. Il haussa les épaules.

– Cool. Promets-moi juste que tu n'es pas une de ces filles richissimes qui ne sortent qu'avec les joueurs de crosse[1] ou de football américain, ceux qui ont des bagnoles de luxe.

Je ne comprenais même pas la moitié de ce qu'il racontait.

– Je crois que je peux te le promettre, hasardai-je.

– Je suis logé dans le bâtiment Quartz. On est passés devant en venant ici. Je suis obligé de cohabiter avec tous les super-sportifs !

– Justin Enos ? demandai-je avec un fin sourire.

– Ouais, souffla Tony en levant les yeux au ciel.

Mais dans ma tête, Justin surgissait de l'océan, bronzé, sublime.

– Bah, ne t'en fais pas, je ne compte pas faire comme toutes ces filles qui lui tournent autour, si c'est ce qui t'inquiète.

– Tu sais, sa copine, Tracy Sutton ? Elle et ses deux meilleures amies forment une sorte de groupe. Elles se surnomment elles-mêmes « le Trio ».

---

1. Sport traditionnel très apprécié dans la bonne société huppée de Nouvelle-Angleterre (N. D. T).

– Le Trio ?

– Eh ouais, c'est aussi idiot que ça en a l'air. Chacune sort avec un des frères Enos, et ils se retrouvent dans les dortoirs, c'est hyperpénible. Ils sont toujours fourrés ensemble, et ils s'arrangent pour que tout le monde ait envie de s'arracher les yeux.

– De leur arracher les yeux, tu veux dire ?

– Non, de se les arracher à soi.

Je commençai par rire, mais je ne savais que trop bien ce qu'il voulait dire. Mes doigts effleurèrent les poils raides et secs des pinceaux et ma vision se brouilla. Je connaissais ce sentiment... oui, trop bien.

– C'était tout moi, ça, dans mon ancienne école. (Je levai les yeux vers Tony, qui m'écoutait poliment.) Je n'étais pas un membre du groupe : *j'étais* le groupe. (Je secouai la tête rapidement, pour en chasser ces idées sombres.) Bref. Je ne serai plus comme ça.

– Je pourrais te peindre, un de ces jours ? s'enquit Tony sans transition.

Voilà qui était nouveau.

– Me peindre... moi ?

J'avais fait faire mon portrait aux alentours de 1700, mais rien depuis : uniquement des photos.

Il s'adossa à l'étagère qui longeait toute la circonférence de la pièce. L'une des étroites fenêtres se trouvait juste au-dessus de sa tête. Dehors, je vis les nuages s'assombrir.

– Mais oui, toi. Les portraits, c'est un peu mon truc. Et je suis doué, tu sais ! L'an prochain, je vais tenter d'entrer à la Rhode Island School of Design.

Tony était un Japonais très mignon, mais le visage de Song, un vampire de mon cercle, se superposait au sien. En tout, nous étions cinq dans le cercle. Song était le plus jeune après Vicken. Il avait dix-huit ans quand j'avais fait de lui un vampire. C'était un guerrier chinois, que j'avais découvert au XVIIIe siècle. En le voyant de l'autre côté d'une pièce bondée, j'avais décidé de le séduire. Quand je désignais quelqu'un pour mon cercle, je fondais mon choix sur la discrétion du candidat, son endurance et sa capacité à donner la mort. Song était le pratiquant des arts martiaux le plus meurtrier de Chine. Je l'avais choisi pour ne jamais avoir à me soucier de ma protection.

Je me focalisai à nouveau sur les pommettes hautes et la peau lisse de Tony. Derrière lui, la pluie commençait à tomber sur un rythme monotone. Même du sommet de la tour, je flairais la terre mouillée, non pas grâce à une quelconque perception vampirique, mais parce qu'il y avait bien longtemps que mon odorat n'avait rien perçu d'autre que le sang et la chaleur des corps.

– Et en plus, reprit Tony qui pensait toujours à son portrait, tu as un physique original. Et ça me plaît. Je ne suis pas très moutonnier.

– Moi non plus, je ne pense pas. Je suis une repentie, lui confiai-je.

Il me rendit mon sourire complice.

– Cool, conclut-il en croisant les bras.

– Il faut que j'y aille.

Je me dirigeai vers la porte, mais me retournai vers Tony au dernier moment.

– Et c'est oui pour poser. Ce sera un échange de bons procédés. Tu m'apprends à conduire, je te sers de modèle.

Tony me sourit de nouveau, et cette fois, je remarquai l'extrême blancheur de ses dents. C'était un indice clair de santé et de bonne alimentation. Son sang avait sans doute un goût riche et doux.

– Marché conclu.

Je redescendis les marches en colimaçon.

– Merde, merde, merde ! s'exclama Tony en me dépassant dans l'escalier.

– Où vas-tu ?

– Je viens de remarquer qu'il pleuvait ! J'ai laissé ma fenêtre ouverte.

Il dévalait les marches deux par deux, et son sac de livres ballottait dangereusement en l'air. Ses sandales résonnèrent jusqu'à ce qu'il soit arrivé tout en bas. Puis j'entendis des pas pressés et une porte qui s'ouvrait.

Au niveau du premier étage, une fenêtre pareille à celles de l'atelier offrait malgré son étroitesse une vue parfaite sur les pelouses et le foyer des élèves. Je posai mon sac sur une marche et appuyai ma paume contre les pierres fraîches du mur. Approchant mon visage de la vitre, je contemplai les gouttes de pluie qui s'écrasaient sur le ciment des allées, au-dessous de moi. Puis une idée me frappa : je n'étais pas restée sous la pluie, je ne l'avais pas laissée couler sur ma peau, depuis 1418.

La dernière fois que j'avais senti des gouttes sur moi, c'était la nuit où j'avais perdu la boucle d'oreille de ma mère dans notre verger. La nuit où j'avais rencontré Rhode. La nuit où j'étais tombée amoureuse, au premier regard.

La nuit où j'étais morte.

Hampstead, Angleterre. Verger de pommiers. 1418.

Il pleuvait à verse sur la maison de mon père. Nous habitions une belle bâtisse à un étage, derrière un monastère entouré de terres. Les moines vivaient un peu plus loin, séparés de chez nous par deux grands prés couverts de pommiers. Mon père était un enfant trouvé que les moines avaient élevé depuis l'enfance. Ils lui avaient tout appris sur la culture des pommes.

La nuit était avancée et la pluie tambourinait doucement sur le toit. Confortablement installée dans un fauteuil à bascule, je contemplais le verger familial. La maison était plongée dans le silence, malgré le petit crépitement de la pluie et les ronflements de mon père. Les braises rougeoyaient encore dans l'âtre et j'avais les pieds bien au chaud. C'était le début de l'automne, et les températures étaient anormalement élevées pour la saison. Bien que nous ne fussions que début septembre, ma famille commençait déjà à souffler. Nous avions expédié notre première récolte de pommes – une variété très recherchée – à la famille royale des Médicis, en Italie.

Je portais une chemise de nuit blanche. À l'époque, ces chemises étaient flottantes et légères. Tout mon corps de quinze ans était visible. Mes cheveux étaient longs et bruns ; ils pendaient en tresse lâche sur mon sein pour s'arrêter dans la région de mon nombril.

Derrière la fenêtre mouillée, les alignements de pommiers s'enfonçaient dans la nuit et quelque part sur la droite, au loin, je devinais la minuscule lueur orangée d'une chandelle derrière les fenêtres du monastère. Je me balançais dans le fauteuil en regardant paresseusement la pluie tomber. Je portai une main à mes oreilles pour en retirer les boucles que ma mère m'avait prêtées ce matin-là. En touchant mes lobes, je me rendis compte qu'il en manquait une. Je me levai d'un bond. Le dernier endroit où je les avais portées... où était-ce ? Mon père m'avait complimentée sur leur éclat au soleil, dans... *dans la dernière rangée d'arbres du verger !*

Sans plus réfléchir, je sortis en trombe. Je courus entre les pommiers et tombai à genoux. Je parcourus tout le dernier rang à quatre pattes. Je me fichais de l'heure qu'il était, ou du fait que ma chemise serait souillée par la terre grasse. Je ne pouvais me résoudre à imaginer l'expression de ma mère si je lui annonçais que j'avais perdu une de ses boucles d'oreilles préférées. Elle me caresserait la joue, me dirait que ce n'était qu'un bijou, et masquerait sa déception. Le visage trempé de pluie, je parcourais la rangée en scrutant le sol lorsqu'une paire de bottes noires à boucles d'argent

78

apparut dans mon champ de vision. Elles n'avaient pas les talons auxquels nous sommes habitués dans le monde moderne. Ces bottes-là étaient plates, taillées dans un cuir épais, hautes jusqu'au genou. Mon regard monta le long de la jambe, le long du corps, jusqu'aux yeux bleus les plus perçants que j'eusse jamais vus et que je verrais jamais. Ils étaient encadrés par des sourcils noirs qui mettaient en valeur la mâchoire virile et le nez fin de leur propriétaire.

– On cherche l'aventure ? me demanda-t-il tranquillement, comme en passant.

Rhode Lewin s'accroupit sur ses talons. Il avait les cheveux en bataille à l'époque. Comme toujours, sa bouche était fière et ses sourcils froncés. J'avais presque seize ans, je n'avais jamais quitté le verger de mes parents, et le plus bel homme du monde se tenait devant moi. Du moins avait-il l'air d'un homme, mais c'était peut-être un adolescent. Peut-être même avait-il mon âge. Quelque chose, dans son regard, me disait que ce garçon, malgré ses joues lisses et son expression juvénile, était bien plus mûr que moi. Comme s'il avait vu le vaste monde et connaissait ses multiples secrets. Rhode était tout de noir vêtu, ce qui faisait ressortir la couleur de ses iris dans la nuit impénétrable.

J'en tombai à la renverse. La terre était mouillée, et moi j'étais trempée. La boue émit des bruits de succion sous mes talons quand je m'appuyai au sol pour m'éloigner de l'inconnu.

– Vous êtes sur une propriété privée, balbutiai-je.

Rhode se releva, posa les mains sur ses hanches, tourna la tête à droite et à gauche.

– Ça alors, dit-il en affectant d'ignorer où il se trouvait.

Je me rejetai en arrière, appuyée sur mes paumes, et levai la tête vers lui.

– Que voulez-vous ?

Il se rapprocha, jusqu'à un pied de moi, et me tendit la main. Je remarquai la bague en onyx qu'il portait au majeur. Elle était différente de toutes les pierres que j'avais déjà vues. Noire, unie, terne, sans la moindre étincelle de lumière. Il ouvrit les doigts et, au centre de sa paume, je découvris la boucle d'oreille de ma mère. Je contemplai le bijou, puis les yeux de Rhode. Son sourire éveilla immédiatement un sentiment inconnu en moi. Un chatouillis du côté du cœur.

Je me relevai vivement, sans cesser de scruter l'homme qui me faisait face. La pluie clapotait sur le sol mouillé. Je tendis la main vers la boucle d'oreille, les doigts tremblants. J'allais toucher l'or lorsque j'eus la certitude qu'il refermerait ses doigts autour des miens. L'averse tombait sur sa main, sur moi, et sa paume était glissante. Je saisis la boucle d'un geste vif du poignet, et laissai retomber ma main le long de mon corps.

– Merci, soufflai-je avant de me retourner vers ma maison.

Au loin, je discernais le contour plat de la toiture, même dans cette nuit noire et pluvieuse.

– Il faut que je rentre. Et vous devriez faire de même, ajoutai-je en m'éloignant de lui.

Rhode, posant une main sur mon épaule, me retourna vers lui.

– Je t'observe depuis un moment, me dit-il.

– Je ne vous ai jamais vu.

Je relevai le menton d'un air de défi. Je n'avais pas conscience de lui présenter mon cou.

– Le problème, pour toi... c'est que je suis tombé amoureux, reprit Rhode sur le ton de la confession.

– Vous ne pouvez pas m'aimer, protestai-je sottement. Vous ne me connaissez pas.

– Ah non ? Je t'ai vue prendre soin du verger de ton père. Je t'ai vue tresser tes cheveux par la fenêtre de ta chambre. Je sais que quand tu marches, tu rayonnes, lumineuse comme la flamme d'une chandelle. Je sais depuis un moment déjà que j'ai besoin de toi auprès de moi. Je te connais, Lenah. Je te connais jusqu'au dernier souffle.

– Moi, je ne vous aime pas, objectai-je sans savoir du tout pourquoi.

Ma poitrine palpitait à chaque respiration.

– Allons, me répondit Rhode en inclinant la tête sur le côté. Vraiment ?

Si, je l'aimais. J'aimais sa rudesse contredite par une peau sans défaut et absolument lisse. Il aurait pu me raconter qu'il avait vaincu un dragon les mains liées derrière le dos, je l'aurais cru. Peut-être était-ce l'attraction spécifique aux vampires. J'ignorais, à ce moment-là, ce qu'était Rhode, mais plus le temps passe, plus je suis certaine d'être tombée sous son charme à cet instant même.

Rhode me toisa de la tête aux pieds, et je me rendis compte qu'il voyait mon corps à travers ma chemise de nuit. Il fit glisser un de ses doigts sur ma gorge, le passa entre mes seins et s'arrêta à mon nombril. Je frissonnai. Soudain, il passa une main autour de ma taille et m'attira contre lui. Tous ses gestes étaient fluides, comme chorégraphiés. Le claquement de nos corps mouillés et le contact de sa main sur mon front lorsqu'il en chassa une mèche de cheveux... Il gémit en plongeant ses yeux dans les miens. Et à cet instant précis, Rhode enfonça ses dents dans mon cou, si prestement que je ne perçus même pas le petit craquement de ma peau cédant sous ses crocs.

Sur la vitre de cette meurtrière de la tour des arts, la pluie glissait en arabesques. Le campus était détrempé et, revenue à l'instant présent, je vis que les élèves couraient se mettre à l'abri en sautant par-dessus les flaques. Ils étaient des dizaines dehors. Mais ceux qui se trouvaient le plus près de moi, deux filles et un garçon de mon âge ou à peu près, souriaient, les mains au-dessus de la tête. Le garçon prit une des filles par la taille, et ils partirent s'abriter dans le bâtiment Quartz. Me reculant de la fenêtre, je m'enfonçai dans l'ombre de l'escalier pour contempler l'intérieur de mon poignet.

Dans les moments de passion, Rhode plongeait ses crocs dans ma peau.

– Juste pour goûter, disait-il.

J'avais l'impression que ses lèvres touchaient mon oreille. Sa voix me parlait tout bas dans le noir. Je souris et frottai inconsciemment mon poignet. J'avais mal dans la poitrine, mes muscles étaient encore endoloris par la transformation, et j'avais envie de donner des coups de poing dans le mur jusqu'à faire saigner mes jointures.

– Oooh...

Mes genoux cédèrent sous mon poids, et je m'assis sur une marche.

C'était donc cela, le chagrin.

C'était étrange de voir à quel point cette émotion m'affectait, dans mon existence humaine. Le chagrin humain n'était pas atténué par les autres douleurs liées à l'état de vampire. Quand j'étais vampire, la peine était noyée par la présence de toutes les tristesses imaginables. Je respirai à fond, jusqu'à ce que l'adrénaline qui circulait dans mon ventre et mes poumons se retire. Allais-je pleurer ? Je portai la main à mes joues, mais elles étaient sèches.

Je continuai ma descente et sortis. Dès que je m'éloignai du bâtiment, je sentis la pluie tomber sur ma tête. En peu de temps, mes bras étaient trempés, et le pull de Rhode avec. Je voyais à peine devant moi et j'avançais aveuglément sur l'herbe en direction d'une allée. Je me frottai les paupières.

On cherche l'aventure ?

Le problème, vois-tu, c'est que je suis tombé amoureux...

Je m'arrêtai au beau milieu de la pelouse. J'envoyai promener mes sandales et posai mon sac de livres par terre. J'écartai les bras et laissai la pluie couler sur moi. Je ne pensais plus qu'au visage de ma mère, au rire de mon père, aux yeux bleus de Rhode et au confort de mon cercle.

La volonté et le désir de renoncer à son existence pour permettre à l'autre de vivre.

Tout est dans l'intention, Lenah.

De minuscules gouttelettes venaient frapper mon visage et je les sentais rouler sur mes joues. Un frisson parcourut tout mon corps. Si j'avais été vampire, je n'aurais rien senti d'autre que des tapotements sur moi, comme si j'étais engourdie. J'aurais su, intellectuellement, que j'étais mouillée, mais n'aurais rien ressenti. Cette fois, je levai mes mains plus haut et fermai mes paupières pour laisser la pluie s'écouler entre mes doigts et le long de mes bras. L'eau transperçait mon jean et je finis par être trempée comme une soupe. Je crispai mes orteils dans la boue et inspirai à fond.

Une voix masculine m'apostropha de loin.

– Ça te prend souvent ?

J'essuyai mes yeux du dos de la main. Au dernier étage d'un bâtiment, en face de moi, Justin Enos me souriait par une fenêtre ouverte. Sans m'en rendre compte, je m'étais retrouvée juste à côté du dortoir des

84

garçons, le bâtiment Quartz. Il me fallut une seconde pour trouver une réplique.

– Peut-être.

– Content de voir que tu as retrouvé ton pantalon, me lança-t-il en posant un bras sur l'appui de la fenêtre. Qu'est-ce que tu fais ?

– À ton avis ?

La chair de poule s'étendait sur mes bras. Je remarquai deux ou trois garçons qui m'observaient aussi, à d'autres fenêtres.

– Ça ne m'a pas l'air bien raisonnable.

– Ça ne vaut pas une course de bateaux à une vitesse meurtrière, mais ça fait du bien quand même.

Je souris et un roulement de tonnerre gronda dans le ciel noir. Je ne cillai pas. Justin arborait un sourire narquois.

– OK. Pigé.

Il referma la fenêtre. L'avais-je vexé ? Je coulai un regard discret derrière moi. Le foyer se trouvait à une trentaine de mètres. Puis je tournai de nouveau la tête vers le bâtiment Quartz. Une arche de pierre encadrait une allée sombre qui menait à l'entrée. Au bout d'une minute, Justin franchit cette arche, torse nu, vêtu d'un short de sport estampillé WICKHAM en lettres blanches. Pieds nus, il me rejoignit au milieu de la pelouse.

Les bras le long du corps, je levai le menton vers le ciel. Justin me sourit, puis m'imita. La pluie clapotait dans l'allée et tambourinait légèrement sur l'herbe, autour de nous.

– Décidément, ça ne vaut pas la course de bateaux, commenta-t-il au bout d'un moment.

Je rouvris les yeux. Son torse était couvert de gouttelettes. Nous lançâmes un sourire au ciel, puis l'un à l'autre, et dans l'instant j'oubliai que j'avais presque six cents ans de plus que lui.

– Comment t'appelles-tu ? me demanda-t-il.

Ses iris verts étaient abrités par de longs cils mouillés.

– Lenah Beaudonte.

Il me tendit une main tout aussi mouillée.

– Justin Enos.

Nous échangeâmes une poignée de main, un peu plus longue que la normale. Ses paumes étaient calleuses, mais le dos de ses mains était doux. Il me lâcha le premier.

– Merci, Lenah Beaudonte, dit-il en laissant retomber son bras avant que j'aie pu jeter un coup d'œil à l'intérieur de son poignet.

Nous restâmes les yeux dans les yeux et je soutins son regard. Je m'efforçais de déchiffrer l'émotion nouvelle qui envahissait mon corps. C'était... étrange. Ce garçon n'était pas Rhode, mais il... *comptait* pour moi. J'observai la courbe de sa lèvre supérieure, la manière dont elle descendait en pente douce vers une lèvre inférieure fière et pleine. Il avait le nez fin et les yeux verts, mais plus écartés que ceux de Rhode. Ils étaient mis en valeur par des sourcils blond foncé. Leur teinte était très différente du bleu de ceux de Rhode. Mon Rhode. Disparu à jamais.

– Tu as l'air très triste, constata-t-il, m'arrachant à mes pensées.

Je ne m'attendais pas à cela.

– Tu trouves ?

Il releva la tête pour se faire doucher par la pluie.

– Tu l'es ?

J'acquiesçai en silence.

– Un peu.

– Tes parents te manquent ?

Cette fois, je fis signe que non.

– Mon frère.

C'était ce que je trouvais de plus proche de la vérité. « Petit ami » n'allait pas. « Amant », non plus. « Âme sœur » était un peu grandiloquent à mon goût.

– Qu'est-ce qui pourrait te remonter le moral ? (Il me souriait presque, à présent. Un sourire de travers.) À part rester sous la pluie, je veux dire.

Il a envie de m'aider, voilà la pensée qui me traversa l'esprit. Heureusement que la nuit tombait : il ne pouvait pas me voir rougir.

– Je ne sais pas trop.

– Il va falloir que je trouve quelque chose, alors.

Je percevais son énergie. Elle était malicieuse, mais lui était inoffensif. Cette combinaison me plaisait.

Il tourna les talons pour se diriger vers son bâtiment. Avant de disparaître, il m'admira avec un air de satisfaction décontractée et ajouta :

– À plus, à la réunion de rentrée.

Je ramassai mon sac de livres et repris la direction de Seeker Hall. Une fois dans l'allée, je me retournai. Justin était resté sous l'arche, l'épaule appuyée contre les pierres, les pieds croisés. La pluie tombait toujours lorsque nos yeux se trouvèrent entre les gouttes. Alors il sourit brièvement, puis fit volte-face et s'enfonça dans l'allée obscure.

Chapitre 5

Biiip ! Biiip ! J'écrasai mon réveil du plat de la main. Samedi matin, test d'orientation. Comme je n'avais, disons... refait surface que très récemment, j'étais obligée de passer ces tests. La veille au soir, j'avais lu le mode d'emploi de divers appareils électroniques, tripoté des boutons et des cadrans. Tout avait fonctionné, et je m'étais réveillée à sept heures, à temps pour me préparer et rejoindre Hopper à pied. Il s'avérait que Tony avait raison. Vu mon itinéraire pendant les premiers jours avant la rentrée, tout ce que j'avais besoin de faire avait lieu dans ce bâtiment.

Mon sac à dos sur l'épaule, j'y pénétrai et m'engageai dans le couloir du rez-de-chaussée. Au passage, je notai plusieurs affiches vantant les différents clubs du lycée. L'une, en particulier, proclamait : CLUB DE BIOLOGIE – ÇA VA SAIGNER ! Je souris, mais j'avais envie de le raconter à Rhode. Je me demandai même si j'avais bien lu.

Je gagnai le bureau de la directrice, au bout du couloir. MRS WILLIAMS, pouvait-on lire en or et en relief sur la porte vitrée. J'ouvris : elle était déjà debout à m'attendre.

– Venez avec moi, Miss Beaudonte, me dit-elle avec un geste en direction du corridor.

Je la suivis.

On me fit passer cinq tests. Oui, cinq ! La directrice elle-même resta regarder par-dessus mon épaule pendant que je répondais aux questions de japonais. Elle n'arrivait pas à croire que je savais parler et écrire toutes les langues proposées à Wickham. Dans ce monde, le monde humain contemporain, il y a des horloges partout. Les mortels vivent au rythme de leur tic-tac. Les vampires, eux, passent des jours, des semaines entières sans dormir. Ils ne sont pas réellement en vie. Ils en ont l'apparence, mais leur corps n'abrite ni circulation, ni cœur battant, ni organes reproducteurs actifs. Leur poitrine ne se soulève pas, car l'oxygène ne court pas avec leur sang dans leurs veines. Auparavant, quand je voulais fuir la souffrance et la terreur, je rêvais de respirer. Si j'avais senti l'air s'engouffrer dans le fond de ma gorge, j'aurais pu imaginer être en vie. Mais cela ne m'arrivait jamais. Il n'y avait qu'un manque perpétuel, un rappel constant du fait que je ne ressentais rien, que j'étais éteinte, exclue du monde des vivants. Être vampire relève d'une très ancienne magie. Plus rien n'existe... rien d'autre que l'esprit.

J'avais sillonné la terre entière plus d'une fois et maîtrisé bien des langues, dont quelques-unes étaient mortes entre-temps. Heath, l'un des membres de mon cercle, avait appris le latin tout seul en trois mois, et une fois cela fait, il ne parlait plus que dans cette langue. Il était grand, blond et solidement bâti, comme un nageur. Il était si beau que les femmes ne voyaient jamais rien venir quand il leur susurrait des mots doux en latin avant de leur arracher la gorge.

Un parfum capiteux me ramena à l'instant présent. Mrs Williams regagna son bureau. Je pris place dans un fauteuil club en cuir marron, face à la secrétaire.

J'entendis la directrice s'entretenir à voix basse avec une collègue, une vieille dame guindée qui tenait une planchette écritoire.

– Que faire ? Elle est au-dessus du niveau dans toutes les matières.

– Je cherche un job, hasardai-je.

Autant mettre mon grain de sel tout de suite. D'ailleurs, j'avais promis à Rhode de travailler.

– Quels sont vos points forts, à part les langues étrangères ?

– Que diriez-vous de la bibliothèque ? suggéra alors la collègue guindée à Mrs Williams.

Elles parlaient de moi comme si je n'étais pas là. Une bouffée de rage m'envahit, qui me surprit au début. Je les aurais bien tuées toutes les deux, même si quelque chose me disait que ce ne serait pas une bonne idée. Dans ma vie de vampire, je les aurais saignées à blanc, rien que pour soulager la colère qui m'affligeait perpétuellement. L'espace d'un instant, je m'imaginai appuyant sur les bras du fauteuil, me levant, et prenant la tête de Mrs Williams entre mes paumes. Un geste sec

91

du poignet m'aurait suffi pour lui briser le cou, lui sucer le sang et l'anéantir. Mais je me contentai de lever la tête avec un faible sourire.

– La bibliothèque, excellente idée, confirma Mrs Williams en prenant une liasse de formulaires dans un tiroir de son bureau.

La bibliothèque ? Cela me convenait, a priori. Je me figurais déjà des journées entières passées parmi les livres, lorsqu'un petit miracle se produisit : ma colère s'envola. Elle s'éloigna doucement tandis que des images de livres, de pages et de réconfort m'entraient dans la tête. Pendant que les deux femmes continuaient de parler, je compris que j'étais en train de ressentir des émotions simultanées. Éprouver de la joie, de l'espoir et de la colère en même temps ? Cela suffisait à dissoudre ma rage instantanément. Je relevai la tête : l'administratrice guindée me tendait un stylo. Tout bien réfléchi, je ne les aurais pas saignées, même si j'avais été vampire. De toute manière, je détestais le goût du sang des plus de trente ans.

31 octobre 1602. Hathersage, Angleterre.

Le salon était désert. Un divan de cuir faisait face à un feu vif et craquant. Les murs étaient ornés de tableaux et de quelques portraits du Christ – pour rire. Des bavardages, des voix, des phrases incohérentes résonnaient dans le corridor. Je passai l'ongle long de mon index sur le dossier du canapé. Mon ongle était si effilé qu'il arrachait des fibres minuscules à la peau tendue. Le feu grondait. La cheminée mesurait plus de cinq pieds de haut et quatre de large, et son manteau était en onyx noir. Je passai devant d'un pas léger. On était en l'an 1602, au crépuscule du règne de la reine Élisabeth Ire. Je portais des robes taillées dans la soie de Perse la plus fine et des corsets qui m'écrasaient les seins à un point tel que je me demandais comment les humaines, qui devaient respirer, survivaient à une telle pression.

Tournant et balançant mes hanches, j'empruntai d'un pas dansant un long corridor uniquement éclairé par des appliques figurant deux mains tendues, paume en l'air. Dans les paumes étaient plantées des chandelles presque entièrement consumées. La cire tombait en grosses gouttes sur le sol. La traîne de ma robe les étalait sur le parquet en opulents zigzags à mesure que j'avançais vers une porte, au bout du couloir. Je glissai un coup d'œil derrière moi : la grande cheminée jetait des rais de lumière orangée dans le corridor sombre et soulignait ma silhouette d'un liseré couleur mandarine. Je marquai une pause derrière la porte pour écouter. J'entendais de la musique d'orchestre et des rires. Je l'ignorais encore, mais cette nuit-là, la nuit du 31 octobre 1602, était la dernière de la toute première Nuit Rouge.

J'agrippai la poignée, qui représentait une dague pointée vers le sol. J'ouvris. Des salutations respectueuses résonnèrent à mes oreilles. Par terre, au centre de la salle, une femme corpulente était assise sur ses talons. Elle portait une robe de laine blanche qui la couvrait jusqu'à la poitrine, et un bonnet également blanc. Ses cheveux blonds lui retombaient sur le visage, et elle bredouillait quelque chose en hollandais. Je songeai qu'elle devait être la servante d'un invité, car je ne la reconnaissais pas. Elle qui ne pouvait déjà pas se douter que son maître était un vampire, voilà qu'elle se retrouvait chez moi, la pauvre !

La salle de bal était superbe, soit dit en passant. Le derrière rebondi de cette bonniche était posé sur l'un des plus beaux parquets d'Angleterre. De grandes torches étaient accrochées haut sur les quatre colonnes de pierre qui soutenaient le plafond. Leurs flammes illuminaient la piste de danse, des musiciens jouaient dans un coin, et deux cents vampires faisaient cercle autour de la grosse femme.

Rhode s'adossa à une colonne en m'observant, le sourire aux lèvres, les bras croisés. Son costume était simple : hauts-de-chausse noirs, souliers à fine semelle d'un noir uni, sans talons. Les vêtements de l'époque étaient coupés dans des étoffes très riches, et les vampires adoraient étaler leur fortune. Rhode portait un pourpoint de lin noir fermé par un large ruban noir. Les muscles de ses bras se dessinaient sous les manches serrées de la veste. Apparemment, il venait de se nourrir, car il y avait longtemps que je n'avais vu ses dents si blanches.

Languide, je fis le tour du cercle de vampires, par l'intérieur. Je gardai les yeux fixés sur Rhode jusqu'à mon retour à la porte de la salle de bal, par laquelle on apercevait le long couloir et la danse des reflets de la cheminée.

La femme assise au milieu de la salle jetait sans cesse des regards vers le corridor. Je ressentis, comme toujours grâce à mes perceptions vampiriques, ce qu'elle voulait. Elle voulait prendre la poudre d'escampette.

– Sais-tu pourquoi tu es ici ? lui demandai-je en hollandais.

Je la contournais très lentement, les mains derrière le dos. Elle se redressa et fit non de la tête.

– Sais-tu qui je suis ?

De nouveau, elle secoua la tête.

– Je veux... je veux partir, dit-elle d'une voix tremblante. Mon père et ma mère...

Je levai l'index et le posai contre mes lèvres. Des images de ma vie humaine défilèrent dans ma tête. La maison de mes parents. La terre détrempée. Une boucle d'oreille au creux d'une paume. Je me concentrai sur les traits de la servante. Ses candides yeux bleus, leur forme ronde, les courts cils blonds. Je cessai de lui tourner autour pour la toiser de toute ma hauteur.

– Tu sais, dis-je avec un sourire.

Juste avant la mise à mort, les crocs des vampires s'abaissent. Au départ, ils ont l'aspect de dents normales, mais au moment de tuer, tel un animal, le vampire les dénude. Je sentis les miens descendre, comme des lames se dépliant lentement. Je me baissai pour l'observer attentivement.

95

– Vois comme tu es mise. Tu vas avoir un goût infect, lui murmurai-je à l'oreille.

Je me reculai et plongeai de nouveau mes yeux dans les siens.

– Je ne veux pas me laisser souiller par quelqu'un comme toi.

Je me redressai. Un instant, le soulagement détendit ses traits.

Je la dépassai. Les courts talons de mes chaussures de cuir noir cliquetaient sur le parquet. La traîne de ma robe ondulait derrière moi tel un serpent. Je jetai un long regard à Rhode, puis je souris. Pas un bruit dans la salle de bal. Les musiciens avaient cessé de jouer. J'étais à mi-chemin du corridor lorsque je levai la main droite, ployai le poignet et claquai des doigts.

Deux cents vampires s'abattirent sur la femme. Je souris sans discontinuer jusqu'à ma chambre.

La bibliothèque de Wickham était un chef-d'œuvre d'architecture néogothique. J'en franchis les doubles portes et observai les fauteuils moelleux, les innombrables rayonnages et les élèves parcourant les piles de livres. Le plafond était orné de caissons octogonaux taillés dans un bois noir.

– Votre travail, Miss Beaudonte, consiste à rester assise à ce bureau. Quand on viendra vous demander des renseignements, vous répondrez de votre mieux. Au pire, vous pourrez toujours orienter les gens vers une bibliothécaire.

L'employée qui me faisait visiter les lieux était une grande femme aux yeux de chat et au nez fin.

Ces humains contemporains étaient terriblement mal informés. J'étais un ancien vampire qui venait de s'éveiller d'un sommeil de cent ans. Et on s'attendait à ce que j'oriente les autres ?

– Vous serez payée tous les vendredis. J'aurai votre emploi du temps à la fin de votre service, à dix-neuf heures. Mrs Williams a aussi suggéré que vous donniez des cours de soutien en langues à des élèves, puisque vous êtes si qualifiée. Je vous imprimerai une annonce que vous pourrez afficher sur les divers panneaux d'information du foyer.

Dès qu'elle eut tourné les talons, je m'effondrai dans un fauteuil, derrière le comptoir semi-circulaire du bureau des renseignements. Je ne risquais pas de m'ennuyer au lycée Wickham. J'avais devant moi un ordinateur, lequel m'aveuglait de sa lumière bleutée. Il y avait aussi toutes sortes d'appareils que je n'avais jamais vus de ma vie : agrafeuses, stylos à bille, trombones, imprimantes, prises électriques. « Clavier », « disque dur », « moteur de recherche » : ce n'étaient que quelques-uns des mots que je devais apprendre par centaines pour m'intégrer – et vite. Si je voulais me fondre dans Wickham ou, comme l'aurait dit Rhode, « redevenir une jeune fille », j'allais devoir me surpasser. Cette société était particulièrement complexe.

Un coup d'œil à l'horloge m'apprit qu'il me restait deux heures à tirer. Je décidai alors de partir en exploration. J'arpentai les allées l'une après l'autre, m'enfonçai entre les rayonnages, admirant la splendeur des lieux. En tournant dans la dernière rangée de livres, j'entendis un rire féminin résonner tout près de moi. C'était une sorte de gloussement vibrant qui montait du fond du ventre et rebondissait sous les côtes. De la joie à l'état pur. J'eus envie de voir de qui émanait cette merveilleuse émotion. Je me dressai sur la pointe des pieds et coulai un regard prudent par-dessus les livres. Des salles d'étude vitrées s'alignaient parallèlement au rayonnage. Chacune de ces petites pièces doublées d'un molleton épais était meublée d'un canapé bleu et d'un bureau.

L'étagère de livres était une bonne cachette parce que je pouvais vivement baisser la tête en cas de besoin. Je jetai un nouveau coup d'œil par-dessus et continuai d'avancer vers la source du rire.

Je m'arrêtai net à l'instant où je compris de qui il s'agissait : Tracy Sutton, la copine de Justin. Ils se tenaient dans la toute dernière salle d'étude. Justin était vautré dans un gros fauteuil, Tracy sur ses genoux. Curtis et Roy étaient assis sur des chaises à côté d'eux. Tracy émit de nouveau ce son joyeux. J'étais frappée de voir avec quelle facilité les humains riaient à cet âge. Avec quelle facilité ils exprimaient leur bonheur. J'avais oublié ce que c'était. Justin était grand, très grand, si bien que Tracy paraissait minuscule contre lui. Si j'avais été à sa place, mes jambes n'auraient pas touché le sol.

Tracy se leva et lança quelques mots que je n'entendis pas. Debout à côté d'elle, les deux autres membres du Trio, Kate et Claudia, tirèrent sur la ceinture de leurs jeans pour montrer leurs hanches. Je me haussai encore davantage pour mieux voir. Elles portaient des sous-vêtements assortis imitant le pelage du léopard. Claudia prit Kate par les épaules et Tracy se rassit sur les genoux de Justin. Je ne pouvais m'empêcher de les épier. Leur bonheur me fascinait.

J'étais particulièrement attirée par Justin. Il avait une... aura. Je ne trouve pas d'autre mot pour exprimer sa force vitale. L'image de son torse dégoulinant de pluie me vint fugacement à l'esprit. Et le contour de ses lèvres lorsqu'il m'avait parlé. Surtout quand il m'avait demandé si j'étais triste. J'avais envie qu'il me parle encore.

– J'ai trop la flemme d'aller à la réunion, dit Tracy avant d'embrasser Justin sur la joue.

Elle était face à moi. Je réprimai un cri et baissai la tête. Je ne voulais pas être vue. Du moins pas de ce groupe. Je regardai par le trou entre l'étagère et le haut des livres. Justin Enos avait suscité en moi une réaction *humaine*. Les palpitations de mon cœur, la manière dont mon souffle tressautait dans ma poitrine... Aurais-je ressenti la même chose face à Rhode ? Vicken, s'il était redevenu humain, aurait-il frémi de la sorte en me voyant ?

Justin entoura Tracy de ses bras et posa les mains sur ses cuisses. Alors que je l'observais, par une coïncidence horrible et chaotique, il voulut héler un de ses frères, puis se ravisa, fronça les sourcils et se tut. Son sourire s'envola et il tourna la tête de telle manière que je ne vis plus simplement son profil mais toute sa bouche. Puis le bout de son nez, puis ses yeux. Qui regardaient droit dans les miens.

– Miss Beaudonte.

Je fis volte-face. La bibliothécaire au minois de chat se tenait devant moi. Elle portait un grand carton noir rempli de fins boîtiers en plastique.

– Veuillez aller ranger ces CD par ordre alphabétique en salle d'écoute.

– En salle d'écoute ?

Je me demandais ce que pouvait bien être une salle d'écoute. Le monde avait-il changé à tel point que les gens allaient désormais s'asseoir dans une salle... simplement pour *écouter* ?

La bibliothécaire me tendit le carton et m'indiqua le bout de l'allée. Voyant que je ne bougeais pas, elle soupira.

– Par ici...

Je lui emboîtai le pas. Elle traînait les pieds en marchant, comme si ses hanches et son derrière étaient trop lourds pour elle. Du temps où j'étais vampire, j'aurais pu l'occire en moins de dix secondes. Elle me lança un coup d'œil et me fit signe d'accélérer. Je décidai de ne plus penser à sa lenteur ni à mon habileté à attirer mes proies.

Je regardai brièvement dans le carton. Les fins boîtiers portaient des noms ; j'en connaissais certains. J'en

pris un, sur lequel il était écrit : « Georg Friedrich Haendel ». Qu'est-ce que c'était que ça ? Haendel était musi-
cien, compositeur... quel pouvait être le rapport avec
ces boîtes ? J'ouvris celle que je tenais en main. L'illustration représentait un inconnu coiffé d'une perruque
blanche, comme j'en avais vu des milliers aux XVIIIe et
XIXe siècles. La perruque rebiquait en rouleaux des deux
côtés du visage et était nouée en queue-de-cheval dans
le dos. Le bonhomme brandissait une baguette de chef
d'orchestre au-dessus d'un orchestre au complet.

C'est seulement lorsque le tic-tac des talons de la
bibliothécaire se tut que je compris que nous étions
arrivées devant la salle d'écoute. Justin et ses amis
étaient restés à l'autre bout du couloir. La femme ouvrit
une porte noire percée d'une petite vitre. Elle m'invita
à entrer. Les murs étaient couverts d'un épais tissu gris,
très dense mais doux au toucher. J'effleurai ce capiton-
nage du bout des doigts. Face à moi, une haute machine
noire occupait toute la cloison. La femme m'indiqua un
mur d'étagères.

– Vous les classez là-dessus, par ordre alphabétique
du nom de famille.

Le mur était couvert de boîtiers pareils à ceux que
je portais dans le carton.

– Pourriez-vous me montrer comment fonctionne
cette machine ? demandai-je.

Je parlais de la monstrueuse tour noire qui s'élevait
à droite des étagères. Devant, trois ordinateurs étaient
posés sur un comptoir.

– Quel CD voulez-vous écouter ?

Je pris celui qui était marqué « Opéras de Haendel » en grandes arabesques blanches. La dernière fois que j'avais assisté à un opéra, c'était vers 1740, à Paris. Je secouai la tête : je ne me souvenais que trop bien de ce soir-là. Et ce n'était pas un souvenir sur lequel j'avais envie de m'attarder, seule dans une pièce avec une inconnue.

Elle appuya sur un bouton et un petit tiroir s'ouvrit tout seul. Je sentis mes yeux s'écarquiller. Les machines de cette époque étaient si faciles à utiliser ! Un simple geste, et la magie opérait.

Elle ouvrit le boîtier et en sortit un disque aux reflets irisés.

– Vous posez le CD dans le tiroir, vous appuyez sur PLAY, et voilà. Vous pouvez monter le volume jusqu'à dix, personne n'entendra. La pièce est insonorisée. Les mélomanes écoutent leurs CD à un volume déraisonnable.

Elle tourna un gros bouton jusqu'à la position « dix » et ferma la porte derrière elle, me laissant dans le silence... juste un instant.

Je plongeais la main dans le carton de CD, prête à les aligner dans l'ordre, lorsque la musique se mit à rugir. Je fis un bond et m'éloignai de la machine.

L'aria était *Se pietà* de Haendel. Le son se déplaçait dans la pièce, passant en vagues sur les murs capitonnés et le sol tapissé. Puis il entra en moi. Le grincement des cordes tendues à l'extrême, les vibrations des violoncelles circulaient dans mon corps comme du sang.

Les violons... Il y en avait beaucoup, je ne distinguais pas combien. Je sentais presque l'archet frotter contre les cordes. Mes lèvres s'entrouvrirent et je soufflai très lentement. Les violoncelles reprirent : leur plainte grave et mélancolique me donna la chair de poule. Tendant la main en avant, je touchai les tout petits trous d'où sortait la musique. Je sentis les vibrations sonores de la machine.

Comment était-ce possible ? Depuis le temps, les humains avaient enfin réussi à mettre en boîte toute la musique qu'ils voulaient ? Ils pouvaient la conserver quelque part pour l'écouter à volonté ?

Je portai une main à ma poitrine, et au même moment une femme se mit à chanter. Sa voix se répandait en cascade, s'élevait avec les violons et suivait les harmonies du violoncelle. C'était plus fort que moi : lentement, je m'agenouillai et fermai les yeux. C'était d'une beauté que je n'aurais pas pu concevoir avant ce moment : de la musique que je pouvais enfin ressentir, de tout mon corps, de toute mon âme.

En 1740, l'opéra était un loisir prisé, mais il fallait se déplacer pour y assister. À présent, c'était l'orchestre qui se déplaçait jusqu'à la salle d'écoute du lycée privé Wickham. Je serrai les paupières encore plus fort et laissai la musique me traverser. Comme quand on souffle sur une peau nue, ma nuque se hérissa. Je sentis deux mains se poser sur mes épaules. Je ne rouvris pas les yeux.

– As-tu déjà appris l'italien ? murmura une voix à mon oreille.

Sauf que cette voix était dans ma tête. Je me remémorais la dernière fois que j'avais entendu ce morceau : en 1740, à Paris, avec Rhode.

– Tu n'es pas vraiment là, répondis-je tout bas.

– Je ne t'ai pas dit ? Partout où tu iras, j'irai.

Mais je savais que j'étais seule dans cette salle d'écoute, en un siècle dont j'ignorais tout... avec pour seule compagnie le fantôme de Rhode.

– Qu'est-ce que tu fais ? demanda une voix qui, clairement, n'était pas la sienne.

Je rouvris les yeux d'un coup. Tournai lentement la tête. Justin Enos tenait la porte ouverte, et le Trio passait dans son dos en m'observant par la vitre. Réalisant soudain que j'étais à genoux, je sautai sur mes pieds.

– J'écoute ! dis-je en criant pour être entendue.

Justin fit un geste vers la machine.

– Je peux ?

J'acquiesçai en me demandant ce qu'il fabriquait là. Je tripotais distraitement les CD. Il baissa le volume, jusqu'à ce que l'aria ne soit plus qu'un chuchotis.

– Pourquoi es-tu venu ici ?

– J'ai eu envie de savoir ce que tu écoutais, parce qu'à voir ta tête par la vitre, on aurait dit que tu souffrais le martyre. Mais ce n'était que du classique.

– Ce n'est pas « que » de la musique classique.

Il afficha une mine perplexe et, de nouveau, je détournai la tête pour examiner les boîtiers.

Mais je ne pus m'empêcher de la relever vers lui.

Sa chemise était boutonnée un bouton trop bas – juste assez pour me laisser entrevoir le creux entre ses pectoraux. Un profond ravin de peau bronzée. J'avais envie de le caresser. Ce n'était qu'un simple bouton défait, comme un oubli, comme s'il avait l'habitude de s'habiller à la hâte.

Il suivit mon regard, baissa le nez vers sa chemise et se reboutonna aussitôt. Déçue, je pris un disque dans le carton.

– On aurait dit que tu n'avais jamais entendu de musique.

– C'est vrai. Pas comme ça.

Je reportai mon attention sur le nom inscrit sur le CD que j'avais à la main. Madonna, une compositrice dont je n'avais jamais entendu parler. Je rangeai consciencieusement le boîtier dans la section des M.

– Tu n'avais jamais entendu de musique sur une chaîne hi-fi ?

– Pas exactement, non.

– Et tu as choisi de l'opéra ?

Je relevai la tête : l'expression de Justin était un mélange d'étonnement admiratif et d'incompréhension totale. Peut-être me trouvait-il bizarre, mais à cet instant, je le sentis : il était envoûté. Par-dessus son épaule, je vis un de ses frères passer la tête dans la salle. C'était le plus grand, celui qui avait des anneaux dans l'oreille. Derrière lui, les filles du Trio ricanaient entre elles, en se couvrant la bouche et en se détournant quand je croisais leur regard.

105

– Il faut que je m'en aille, dis-je en posant les derniers CD n'importe comment au bout de l'étagère.

Lorsque je passai devant Justin, mes épaules frôlèrent son bras. Il était chaud, comme s'il venait de prendre le soleil. Je m'éloignai du groupe sans me retourner. Même si tout le monde riait à mes dépens, je sentais encore vibrer la voix de la soprano au fond de ma poitrine – tout près de mon cœur.

Chapitre 6

C'est la rentrée, aujourd'hui. Comment m'habiller ?
Il n'y avait pas d'uniforme à Wickham. J'allais donc
devoir choisir au hasard. Bien que l'on fût en septembre, il faisait encore très chaud. Un jean et un
débardeur noir, voilà qui paraissait sage. Pas de couleurs originales qui risquaient d'être passées de mode.
Tout simple. Tony m'avait promis de venir me chercher
devant chez moi pour m'emmener à la réunion
d'accueil. *L'union fait la force*, avais-je pensé après mon
fiasco avec Justin dans la salle d'écoute.

Il ne me restait que quelques minutes avant l'heure
du rendez-vous. Je me rendis à la cuisine. C'était une
niche étroite équipée de modestes placards en bois et
de petits plans de travail. Rhode l'avait bourrée de cas-
seroles, de couverts et d'ustensiles variés. Mais le plus
important était posé sur le comptoir, à côté de l'évier.

Des boîtes rondes en métal noir soigneusement empi-
lées contre le mur. Elles contenaient des épices et des
fleurs séchées. La plus petite était étiquetée « Pissenlit ».
Bien sûr, me dis-je. Cette fleur, une fois sèche, n'est pas
plus grande qu'une piécette ; on dit qu'il faut toujours

en avoir sur soi, que cela porte bonheur. Si je devais me fondre dans la vie humaine comme Rhode me l'avait demandé, j'allais avoir besoin de toute la chance possible. En plus, c'était comme si j'avais une pendule greffée dans le cerveau. Pendant les moments de silence où les distractions de cette nouvelle époque se retiraient au loin, j'entendais les secondes s'égrener. Chaque tic-tac me rapprochait un peu plus de la dernière nuit de la Nuit Rouge. Je secouai la tête pour me débarrasser de ces pensées, empochai une fleur de pissenlit et m'emparai d'un bouquet de romarin lié par un ruban.

J'enfonçai une punaise dans la porte et y suspendis le romarin. Cela afin de ne jamais oublier d'où je venais, chaque fois que je regagnerais mon appartement, le lieu sûr que j'appellerais « chez moi ». Ni tout le chemin qu'il me restait à parcourir.

Mon sac sur l'épaule, je fermai à clé derrière moi. En sortant du bâtiment, je trouvai Tony sur la pelouse, couché sur le dos, les mains derrière la tête, en plein bain de soleil matinal. Je tirai mon grand chapeau noir sur ma tête. Tony portait encore son jean déchiré, avec une ceinture ornée de pointes métalliques.

– Tu n'as pas peur des coups de soleil ? lui demandai-je en chaussant mes lunettes noires.

Il se leva d'un bond.

– Dis donc, la gardienne m'a dit que tu vivais dans l'ancien logement du professeur Bennett ?

– Si c'est l'appartement du dernier étage, elle a raison.

– « L'appartement du dernier étage », répéta-t-il en exagérant mon accent britannique.

Puis il battit deux fois des paupières, l'air ahuri.

– Le professeur Bennett est mort en juillet, me précisa-t-il.

Il m'observait, ses lèvres fines toujours entrouvertes. Il attendait ma réaction. Comme rien ne venait, il continua.

– On ne sait toujours pas comment il est mort, à part qu'il avait deux trous dans la gorge. Du coup, tous les soi-disant médiums et les cinglés de la ville crient au vampire.

Je levai les yeux au ciel… Rhode !

– Et alors ? Quel rapport avec le fait que j'emménage ici ?

– On est en septembre. Ce type est mort il y a deux mois. Ça ne te fait pas flipper, même un peu ?

Je haussai les épaules.

– Bah, non. La mort ne m'a jamais vraiment dérangée.

– Curieusement, ça ne m'étonne pas, Lenah. (Il passa un bras autour de mes épaules.) Les vampires non plus, je suppose.

– Tu y crois, toi ?

– Tout est possible.

Non, Tony, pensai-je. *Pas tout. Il existe des choses, des choses dangereuses.* Il était possible que d'autres vampires vivent à Lovers Bay, même si je n'en avais jamais entendu parler dans cette région du monde. En général, les vampires sont au courant des évolutions des autres, je veux dire au sens géographique, et de toute manière, s'il y en avait eu, qu'aurais-je pu y faire ?

– Et toi ? me demanda-t-il. Tu y crois ?

– Pourquoi pas ?

Tony me serra contre lui, si bien que mon épaule gauche toucha sa cage thoracique et que je perçus la chaleur de son corps. Cette proximité soudaine me fit saliver. Lorsqu'on est vampire, une forme particulière de salivation se produit. Les crocs s'abaissent, et à ce moment-là, on éprouve un besoin instinctif de mordre. Je me dégageai en faisant semblant de chercher quelque chose dans mon sac à dos.

Les battements de mon cœur résonnaient en moi et je pressai la main contre ma poitrine, comme si cela pouvait les apaiser. Je sortis un prospectus du fond de mon sac et fis semblant de le lire. Était-ce la chaleur de Tony qui me faisait saliver ? Avais-je soif de son sang ? Je me concentrai sur des herbes de la pelouse et déglutis pour m'assurer que la salive était tarie.

Puis je relevai les yeux vers Tony. Il s'était avancé de quelques pas devant moi sur l'allée et je ne pus que remarquer sa démarche : de longues enjambées légèrement sautillantes. Ses pieds étaient un peu trop grands pour son corps. Il portait des bottes noires ce jour-là, mais elles n'étaient pas exactement identiques. Je n'étais pas sûre que ce fût perceptible à une vue normale, mais leurs coutures étaient légèrement différentes.

– Tu viens ? On va être en retard à la réunion.

Non, décidai-je fermement. Je ne voulais absolument pas de son sang.

Je le rattrapai au petit trot. Lorsque j'arrivai à sa hauteur, il me sourit. Son humeur légère me facilitait la tâche pour dissimuler mes instincts vampiriques. Il ne semblait pas se formaliser quand je me comportais bizarrement. Je passai la langue sur mes dents avant de parler. Il fallait que je sois sûre...

– Tu es originaire de Lovers Bay ? lui demandai-je en m'efforçant d'oublier mon trouble.

– Eh ouais, soupira Tony. Mes parents habitent juste à la limite, dans un quartier très, euh... intéressant.

– Intéressant ?

– Bon, en deux mots : tu aurais la trouille rien qu'en regardant dans la rue.

Je ris sous cape. *Tu parles !*

– Alors, comment as-tu fait pour te trouver un grand appartement comme ça ? voulut-il savoir. Tout le monde est logé dans des piaules standard, à part toi.

– Mon père l'a loué pour les deux années que je vais passer ici.

– Eh bé ! répliqua Tony en haussant les sourcils.

Il m'entraînait avec aisance dans les allées qui menaient à Hopper. Tout en suivant leur trajectoire sinueuse, j'observai ses traits à la dérobée. Il arborait un sourire joyeux et détendu. Tony avait bon caractère, et je percevais son énergie. Les vampires sont sensibles à l'énergie humaine et comprennent les intentions de ceux qui les entourent. Jamais de sa vie Tony n'avait fait de mal à personne, contrairement à moi, et jamais il n'avait connu la terreur. J'avais envie de le protéger de toutes les manières possibles et, avant même que je m'en rende compte, ma main se tendit vers la sienne. Je la laissai retomber comme si de rien n'était. Heureusement, il ne remarqua rien.

Partout devant les bâtiments, dans les allées, sur les pelouses, des élèves se jetaient au cou les uns des autres, poussaient des exclamations de joie et se photographiaient avec leur téléphone.

Tony fit semblant de me prendre en photo.

– Oh mon Dieu ! minauda-t-il en portant une main à son cœur. Il me faut absolument une photo de toi, parce que, genre, ça fait cinq minutes que je ne t'ai pas vue ! *Cheese !*

Je posai une main sur ma hanche et le gratifiai d'un vrai sourire. Il fit la moue.

– Tu peux poser mieux que ça !

– Comment ?

Je ne savais pas trop quel genre de pose était acceptable à cette époque.

– Laisse tomber, me répondit-il en riant.

Il attrapa ma main et reprit son chemin. Je me laissai tracter, et ses doigts serrés autour des miens m'arrachèrent un sourire. Ils n'avaient pas d'âge, ces doigts. Ils étaient maculés de peinture. Ils étaient lisses, sans usure, et je pris conscience que Rhode était la dernière personne à m'avoir tenue ainsi. Je lâchai la main de Tony.

112

– J'ai passé deux mois en Suisse ! glapit une fille plus jeune, à côté de nous, en serrant sa copine contre elle. Qu'est-ce que tu as blondi !

Tony me regarda du coin de l'œil en se retenant de rire.

Ma perception extrasensorielle fonctionnait un peu comme un signal radio : elle me faisait des rapports réguliers sur les émotions des individus qui m'entouraient. Il y en avait beaucoup : excitation, impatience, timidité, angoisse... la liste était longue.

Notre itinéraire passait devant le dortoir Quartz. Je ne pus me retenir de jeter un regard vers la fenêtre de Justin. Pas de lumière, mais elle était ouverte et une tasse de café fumait sur le rebord.

Tout en marchant du même pas que Tony, j'observais compulsivement les élèves entre eux. J'étais censée être du même monde : je devais me comporter comme une des leurs. Ils portaient des chevalières avec de grosses pierres, de coûteux bijoux en argent, des montres en or et des accessoires de toutes sortes. Beaucoup de filles avaient les cheveux attachés avec des barrettes compliquées en écaille. Peut-être pourrais-je en trouver une à la boutique de vêtements. J'avais failli oublier la promesse que Tony m'avait faite de m'apprendre à conduire. Entre mon job et ma fascination pour les modes d'emploi, je ne lui en avais pas reparlé.

– J'ai trouvé du boulot ! lui annonçai-je pendant que nous faisions la queue pour entrer à Hopper.

– Ça explique samedi. Je suis passé te voir à Seeker Hall. Tu devais être au travail. Où ça ?

– À la bibliothèque.

– Tu ne vas pas t'ennuyer. Moi, je travaille sur l'album. Ça compte plus ou moins dans ma moyenne.

– L'album ? Qu'est-ce que c'est que ça ?

Nous étions dans l'ombre du bâtiment. Je relevai mes cheveux et les attachai à l'aide d'une barrette noire.

Tony me lança un regard consterné, qui s'évanouit aussitôt.

– Tu ne sais pas ce que c'est que l'album ? Mais enfin, c'est ce livre qu'on publie à la fin de chaque année scolaire. On prend des photos toute l'année, on note tout ce qui se passe, et on réunit tout ça dans l'album. En souvenir, tu comprends ? Pour se rappeler ce qui s'est passé.

– Et c'est toi qui prends les photos ?

Il confirma d'un hochement de tête.

– J'aurais dû couvrir la réunion d'accueil. Tout le monde est sur son trente et un. Mais c'est trop barbant.

– C'est pour ça que tu as mis ta plus belle ceinture cloutée ? le taquinai-je.

Il dégaina un appareil photo, si vite que je ne compris même pas ce qui se passait. Puis un éclair m'aveugla. Je poussai un cri tellement strident que j'en eus mal à la gorge. Ce fut une exclamation brève et rapide, mais suffisante pour que tous les élèves présents dans la queue se retournent pour me dévisager. Tony était écroulé de rire.

– Houlà ! Je devrais te faire peur plus souvent.

– T'es dingue ou quoi ? Ça ne se fait pas, d'envoyer une lumière pareille dans les yeux. Ça peut faire mal.

114

Il posa une main sur mon épaule.

– Lenah, ce n'est qu'un flash d'appareil photo. Tu préférais peut-être le faux, mais celui-ci ne te fera aucun mal, je te le garantis.

Bon, pensai-je. *Apprendre à contrôler ça.*

La file d'attente commença à avancer.

– Merci de m'avoir accompagnée, lui dis-je.

– Pas besoin de me remercier. Ça me plaît. Tous les garçons du campus te trouvent sexy, alors ça me donne du prestige. Je vais te suivre jusqu'en classe, jusqu'à ton dortoir, jusqu'en ville, ajouta-t-il avec un sourire au moment ou nous passions la porte.

Le cœur serré, je piquai du nez et ne vis plus que ce que j'avais sous les pieds : d'abord de l'herbe, puis le dallage du hall de Hopper.

Partout où tu iras, j'irai... ces paroles résonnaient dans ma tête.

Je traversai avec Tony un océan d'élèves, même si je n'étais pas leur semblable – du moins je n'en avais pas l'impression. J'étais incapable de sautiller sur place, de distribuer les baisers ou de dire aux autres une chose qui ne les ferait pas partir en courant, verts de trouille. Et là, dans la lente file d'attente pour entrer dans l'auditorium, le souvenir de l'opéra me submergea.

Paris, 1740. Opéra. L'entracte.

Je mouchai les chandelles entre mes doigts, puis j'attendis dans le noir. Dans l'ombre des sièges de

115

velours et des balustrades dorées, un couple pénétra dans la loge. Je les tuai tous les deux avant que le moindre cri ne leur ait échappé. C'était la première fois que j'assassinais dans un lieu public. C'était un couple très raffiné de la famille royale, et leur sang était doux, étonnamment nourrissant. J'utilisai leurs corps comme tabourets de pieds pendant le premier et le second acte de l'opéra : *Jules César*, mon préféré.

Une ligne de sang coulait le long de ma robe de soie pour aller tacher mes chaussures couleur mandarine, mais j'attendais autre chose : le soulagement. C'était ce qui se produisait après un assassinat. La souffrance de l'âme connaissait un répit instantané mais bref. Je me carrai dans le confortable fauteuil et posai mes pieds sur le torse du jeune homme que je venais de faire passer de vie à trépas. Cela allait venir, sûrement, d'un instant à l'autre...

Une nouvelle goutte écarlate roula et resta suspendue aux perles blanches cousues le long de mon ourlet. La robe elle-même était d'un rouge profond, taillée dans la plus belle soie de Paris. Je patientais, indifférente aux bavardages du public qui attendait le dernier acte. Je me rendis compte qu'une longue goutte de sang me tombait du menton lorsqu'elle alla éclabousser mon décolleté.

J'avais la sensation qu'une main invisible appuyait sur chaque centimètre carré de mon être. Mes épaules et mes bras étaient tendus, durs comme pierre. J'attendais... j'attendais le répit, et j'attendais encore. Je soupirai, par habitude, et contemplai la paume immobile de la jeune femme couchée à mes pieds. *Il en ira toujours ainsi*, pensai-je, et par pur dépit, j'envoyai un coup de pied dans cette main. Elle aurait aussi bien pu rester en vie : la folle douleur qui courait dans mes veines ne s'apaiserait jamais. Ce serait toujours la tempête, jamais une brise légère.

Le rideau se leva et je fermai les yeux en attendant d'être submergée par les ténèbres et par la musique. Dans l'obscurité de mes pensées, je serais en lieu sûr. Le seul lieu où je savais pouvoir aller pour oublier, ne fût-ce qu'un instant, ce que j'étais devenue. L'orchestre commença à jouer et je laissai les violons susciter des couleurs paisibles : des blancs, des bleus, et toute une symphonie de nuances. Les notes virevoltaient dans ma tête. Je voyais les fibres ivoirines des archets aller et venir sur les cordes.

La voix de la cantatrice monta de la scène pour emplir la salle. Elle entonna son aria, *Se pietà*. Elle chantait sur une octave étonnamment aiguë, mais cette beauté ne suscitait en moi aucune réaction physique. L'attitude collective de l'assistance m'apprenait que ce n'était pas une soliste comme les autres : elle était capable d'émouvoir les gens dans leur corps, dans leur âme. Pour moi, l'aria éteignait les lumières. Elle étouffait l'étincelle pour me laisser sombrer dans la musique.

J'agrippai mon fauteuil lorsque je perçus un mouvement et qu'une paire de mains me caressa doucement les épaules. Puis les lèvres de Rhode furent contre mon oreille. Il s'assit derrière moi.

– As-tu déjà appris l'italien ? me murmura-t-il.

Je secouai la tête cependant que mes lèvres s'entrouvraient.

– Dommage.

Son menton était presque sur mon épaule.

– Que dit-elle ? demandai-je à voix basse.

– Qu'elle est Cléopâtre... et que son rêve grandiose s'effondre autour d'elle.

L'amour de Rhode me traversa des épaules aux pieds, et je regrettai de ne pas pouvoir frissonner. L'émotion amoureuse, chez les vampires, se traduit exactement ainsi : c'est une réaction, une satisfaction, un soulagement. Tuer mes victimes pour boire leur sang ne fonctionnait plus. L'amour que nous partagions, Rhode et moi, était tout ce qu'il me restait.

– Elle pense que son amour est mort, me glissa-t-il à l'oreille.

J'ouvris les yeux. Rhode me fixait du regard, avec ce visage rude dont les traits ne s'adoucissaient que pour moi. Il était venu s'asseoir à mes côtés. La cantatrice, en costume égyptien, leva les mains sur les côtés et s'agenouilla devant les feux de la rampe.

– La chasse ne me fait plus d'effet, constatai-je.

Autour de Rhode et de moi, la voix montait crescendo avec l'orchestre. C'était d'une splendeur étourdissante. Je notai l'émotion croissante du public, l'unité de ce bonheur collectif. J'avais mal.

– La musique m'apaise, dis-je encore. Mais je sais que je m'oublierai encore. La sauvagerie prédomine, la douleur revient et l'envie de faire mal prend le dessus... toujours. Comment fais-tu pour le supporter ? Je suis à la limite.

– Toi, rétorqua-t-il calmement, simplement.

Il prit ma main dans les siennes et porta mes doigts à sa bouche. Il restait du sang sous mes ongles... il le lécha.

– Il me suffit de penser à toi.

– Comment fais-tu ?

– Nous avons droit à très peu, Lenah. Je concentre mon énergie non sur la douleur mais sur ce que je peux faire pour l'éviter.

– Alors je suis ta distraction ?

Il rapprocha son visage du mien.

– Toi... Tu es mon seul espoir.

Je scrutai ses traits harmonieux. Ses yeux fouillaient les miens, guettant une réaction. Je posai une main sur sa joue.

– Je n'en peux plus. Je le sais, maintenant. Aucune quantité de sang ni de violence n'allégera la perte que je vis chaque jour. Je voudrais passer mes doigts sur une peau et la *sentir*. Je voudrais dormir, me réveiller, rire avec les autres. (Je désignai le couple mort.) Cela ne me suffit plus.

De nouveau, Rhode porta mes doigts à ses lèvres. Il baissa les paupières pour laisser l'aria nous envelopper.

– Partons, me dit-il soudain.

Il se leva.

– Où ?

– N'importe où.

Son regard se vrilla dans ce qui aurait été mon âme, si j'en avais eu une.

– Partout où tu iras, j'irai.

Nous sortîmes de la loge en laissant derrière nous la seule trace de notre présence : un carnage.

– Par ici, Lenah, me dit Tony.

Reprenant mes esprits, je tournai la tête vers la porte de l'auditorium. Une fois à l'intérieur, je compris pourquoi Rhode m'avait inscrite à Wickham. C'était, et de loin, l'école la plus élégante que j'eusse jamais vue. L'auditorium rivalisait de splendeur avec les plus belles maisons que j'avais fréquentées au cours des cinq derniers siècles. Les murs et le plafond étaient modernes. Chez moi, à Hathersage, rien n'était métallique : tout était en pierre et en bois. Wickham n'était pas ainsi. C'était le genre d'endroit où les lumières sont encastrées dans des vitraux, et où elles changent d'intensité sur une simple poussée du doigt. Les sièges se déployaient en éventail autour d'une estrade centrale. Les marches qui y menaient étaient couvertes d'un tapis rouge et équipées d'un éclairage discret permettant de se repérer dans le noir.

– Cette salle de réunion est réservée aux premières et aux terminales, m'expliqua Tony en gravissant les marches.

Les élèves se retrouvaient et formaient des groupes serrés.

– Assieds-toi là.

Il m'indiqua une section à gauche de l'auditorium. Tous les élèves déjà assis là-bas étaient vêtus comme lui. Certains arboraient une couleur de cheveux surprenante, et un grand avait la bouche et le sourcil percés. Gavin, l'un des vampires de mon cercle, raffolait des pointes et des lames. Il aurait adoré cette mode du piercing. Ou plutôt, il devait l'adorer en ce moment même.

Je ne vis pas Justin. Je dois avouer que j'espérais le trouver. En revanche, je repérai son horrible copine, Tracy Sutton, et ses deux amies, assises de l'autre côté de l'allée centrale. Toutes trois, étroitement serrées ensemble, bavardaient tout bas. Tracy leva la tête et m'aperçut. Je détournai les yeux, pris un siège et posai mon sac à mes pieds.

C'était plus fort que moi. Je me retournai pour lire sur ses lèvres. Elle se pencha vers la plus petite des blondes et dit :

– La nouvelle est arrivée avec l'espèce d'artiste, là.

La petite blonde tourna la tête, et je regardai ailleurs juste à temps.

– Elle est jolie.

Tracy balaya ce commentaire d'un rire moqueur.

– Si tu le dis. Elle est plus blanche que moi en plein mois de novembre, et qu'est-ce que c'est que ce tatouage sur son épaule ? Tu vas encore me dire qu'elle n'est pas givrée ?

Zut, zut, zut. J'eus envie de me frapper le front du plat de la main. Quelle idiote ! J'avais complètement oublié mon tatouage. J'ai une phrase tatouée sur l'épaule gauche. Comme tous les membres de mon cercle, et eux seulement.

Honni soit qui mal y pense.

Je serrai les lèvres et jetai un regard circulaire dans la salle. Que faire ? Comment allais-je expliquer cette phrase à tous ceux qui la verraient ? Surtout au Trio. Je m'enfonçai dans mon siège pour la dissimuler. Je détachai mes cheveux, tout en sachant que quand je marcherais ou bougerais, tout le monde pourrait la voir. Les bretelles de mon débardeur étaient très fines. C'était un mauvais choix, mais je n'avais pas le temps de courir me changer.

Je détestais savoir lire sur les lèvres. Je détestais ma vue de vampire. J'aurais voulu être en pull.

Tony dut s'apercevoir que je regardais les filles, car il se pencha vers moi.

– Une bande de pétasses.

– Redis-moi pourquoi elles s'appellent le Trio ?

– Parce qu'elles sont inséparables, toutes les trois. Tracy Sutton, Claudia Hawthorne et Kate Pierson. Riches, adulées et dangereuses. Kate est demi-pensionnaire. Elle vit à Chatham avec ses parents.

– En quoi peuvent-elles bien être dangereuses ?

Au moment où je prononçais ces mots, je compris ce qu'avait voulu dire Rhode ce soir-là dans les champs, et ce que voulait dire Tony à présent. Ces filles étaient belles sans le moindre effort. Elles rejetaient leurs cheveux en arrière avec aisance, d'un geste insouciant de la main. Elles étaient dangereuses parce qu'elles croyaient que tout leur pouvoir résidait dans leur beauté.

Mrs Williams interrompit mon examen du Trio.

– Chers élèves, chers professeurs, asseyez-vous, je vous prie, dit-elle dans un micro.

Les bavardages se tarirent, il y eut un mouvement général et en quelques instants, tout le monde fut assis. Je ne voyais toujours pas Justin.

– Bon retour à Wickham. Ce matin, comme chaque année, j'ai le plaisir de vous accueillir pour une nouvelle année scolaire. Quel est mon souhait ? Que vous profitiez de la meilleure éducation possible. Que vous développiez non seulement vos connaissances, mais aussi votre personnalité de jeunes adultes. Vous êtes les meilleurs représentants de l'avenir de ce pays. Et en tant qu'élèves de première et de terminale, vous montrez l'exemple au reste du lycée privé Wickham.

– Et bla, et bla, et bla-bla-bla... me souffla Tony à l'oreille.

Ma poitrine s'échauffa. J'étais heureuse de l'avoir à mes côtés.

– Avant de découvrir l'emploi du temps que vous attendez tous avec impatience, j'ai des nouvelles préliminaires à vous annoncer. Nous n'avons accepté que quatre nouveaux élèves dans les classes supérieures cette année. Les nouveaux, voulez-vous bien monter sur l'estrade ? Lenah Beaudonte, Anne McKiernan, Monika Wilcox et Lois Raiken.

Une pierre me tomba dans l'estomac. Cela ne me disait rien de bon.

Sur ma gauche, trois élèves se levèrent et commencèrent à descendre les longues allées. Je regardai Tony, les yeux écarquillés, la mâchoire tombante. Il avait la main devant sa bouche. Ses larges épaules tressautaient. Je voyais qu'il avait les joues rouges : il riait sous cape. S'il avait su ce que signifiait mon tatouage... quand je serais debout, tout le monde le verrait. Tout le monde me poserait la question.

Je me levai. *Faites que je ne tombe pas*, priai-je. *Pitié, faites que je ne me casse pas la figure.* Je descendis, en sandales, un pied après l'autre. Je retirai mon chapeau, dont je broyai le large bord dans ma main droite. Lentement mais sûrement, je m'approchai de Mrs Williams. Je veillais à ne rien regarder d'autre que les marches devant moi. J'entendais déjà des chuchotements. Le tatouage n'était pas gros, mais la calligraphie était particulière. C'était l'écriture de Rhode, gravée dans ma peau avec de l'encre, du sang, la suie d'une bougie et une petite épingle.

Mrs Williams se poussa pour nous faire de la place. Les trois autres élèves se rangèrent face au public, et je fis de même. Puis je sentis une main sur mon épaule.

– Passe donc en premier, Lenah. Parle-leur un peu de toi, me glissa-t-elle à l'oreille.

124

Je m'approchai du micro. Je devinai que je devais parler dedans, comme j'avais vu Mrs Williams le faire. Cela exagérait sa voix et j'avais déjà une prononciation fluide, sans accroc.

Les élèves m'observaient de tous leurs yeux. Des centaines d'yeux de mortels, rivés sur moi, attendant de moi une parole qui me situerait dans leur univers.

– Je m'appelle Lenah Beaudonte, et c'est vraiment galère d'être sur cette estrade.

Il y eut une éruption de rire. Je sentais que l'on riait avec moi, pas contre moi. Mes mains agrippèrent les bords du pupitre. Je cherchai Tony, qui leva le pouce. C'est alors que je repérai Justin Enos, assis juste derrière mon siège. Mon cœur fit une embardée et je dus regarder ailleurs. Lui aussi avait remarqué le tatouage. Forcément. En tout cas, il était magnifique. Délicieux, même. Il était bronzé, d'une couleur qui ne pouvait venir que du soleil. L'espace d'un instant, je me demandai combien il serait chaud au toucher.

– Je viens d'une petite ville en Angleterre, pour ceux qui n'auraient pas reconnu l'accent. J'ai seize ans, et... je crois que c'est tout pour l'instant.

Je regagnai mon siège, exposant cette fois mon tatouage aux professeurs. En remontant l'allée, je ne quittai pas Justin des yeux. Ses lèvres exprimaient clairement ses pensées. Je me sentais comme un hybride, mi-bête mi-humaine, car il m'était facile de lire en lui. Il soutint mon regard, avec un petit sourire. Il n'avait nul besoin de me parler sous la pluie. Il n'avait nul besoin de dire quoi que ce fût tout haut, car il disait tout avec ses yeux.

Je te veux.

Chapitre 7

Dès la fin de la réunion, tout le monde se dirigea vers les sorties. Je ne voulais pas me jeter sur Justin : Tony et moi nous levâmes sans nous presser, et je me retournai l'air de rien. Mais Justin n'était plus là. Je n'aimais pas me retrouver dans cette position. N'était-il pas censé me suivre ? Ce n'était pas à moi de me poser des questions sur lui, d'espérer qu'il serait derrière moi. C'était très contrariant.

Une fois dans le couloir, je remontai mon sac à dos de manière à cacher mon tatouage.

– Hypercool, ce tatouage, claironna Tony, confirmant mes craintes.

– Bah, c'est rien.

– Tu veux rire ? Un tatouage pareil, ce n'est pas rien. Quand est-ce que tu l'as fait faire ? Par qui ?

– Un artiste à Londres.

En prononçant ces mots, je fus propulsée dans le passé. J'étais à Hathersage, couchée sur le ventre, par terre dans le salon. Sous mon corps, un tapis écarlate que Rhode avait rapporté de Perse au XVIe siècle. Un feu rugissait dans l'énorme cheminée. J'étais nue jusqu'à la taille, mais seul mon dos était visible. Rhode, à genoux, gravait l'inscription sur mon épaule.

Autour de Tony et moi, les élèves erraient dans les couloirs, des dossiers marqués « Wickham » sous le bras. Ils devaient être une centaine rien que dans le bâtiment Hopper. Cette scène me rappela un palais vénitien pendant le carnaval : des centaines de Vénitiens costumés tenant des masques devant leur visage. Lions, plumes, gemmes étincelantes et coupes renversées par terre. Comme en ce moment, c'était désarmant d'être entourée de tant d'inconnus. Je ne reconnaissais aucun visage, juste des regards qui croisaient le mien. Bon, en 1605, dans ma confusion, j'avais tué le doge Marino parce qu'il s'entêtait à me poursuivre dans tout le palais. Je l'avais égorgé d'un coup de dents, et j'étais bien rassasiée avant que l'aube fût levée sur les canaux de Venise. Je l'avais énormément regretté le lendemain, car sans le savoir j'avais occis mon hôte. Mais que vouliez-vous que je fasse ? Il n'arrêtait pas de me coller en me répétant que j'étais belle. Et en plus, je m'ennuyais.

Une voix m'arracha à ces réminiscences :

– Je vous jure, elle était à genoux, en train de chialer !

Tracy rejeta ses cheveux derrière son épaule. Elle s'adressait au Trio et à Justin, qui l'entouraient en bas d'un escalier. Quelques filles que je ne connaissais pas étaient également présentes. Tracy donna une tape sur l'épaule de Justin.

– Là-dessus, poursuivit-elle, Justin se pointe, et il lui sort un truc du genre : « Qu'est-ce que t'as ? »

– Alors ? s'enquit l'une des inconnues tout en sirotant son soda.

Tracy lança un regard à Justin, qui se contenta de hausser les épaules.

– Elle a *menti*. Elle lui a raconté qu'elle n'avait jamais entendu de musique sur une chaîne hi-fi.

Justin leva la tête, me vit, et m'adressa un regard poli – étonné, même. Mes joues chauffèrent et je perçus un mouvement dans ma poitrine : j'avais envie de hurler contre Tracy et de la renverser par terre. Mais je soupirai et me tournai vers Tony, qui m'envoya un sourire d'excuse.

– Le cours d'anglais a lieu là-haut, me dit-il en désignant un escalier. Je monte avec toi, si tu veux.

Mon rapport de force avec Tracy n'était pas à prendre à la légère : il importait que je monte seule.

– Non, ça ira, déclinai-je d'un ton néanmoins reconnaissant.

Je jetai un coup d'œil en arrière vers le groupe, qui gravissait les marches. Heureusement, je n'allais pas devoir passer devant alors qu'on venait de parler de moi ainsi.

– À ce soir. On dîne ?

Je fis oui de la tête et commençai à monter.

– N'oublie pas ! me cria Tony.

Je me retournai. « Des pétasses », articula-t-il silencieusement.

Je ris et poursuivis mon chemin.

Anglais, niveau avancé. D'après ce que l'on m'avait dit lors du test du samedi matin, j'avais obtenu un score « supérieur à celui du major de l'an dernier ».

À l'étage, les portes étaient en acajou et le sol pavé de dalles luisantes. Poussant un battant marqué « 205 » en chiffres noirs, je pénétrai dans ma salle d'anglais. C'était un amphithéâtre avec un tableau noir au centre. L'homme qui se tenait devant le tableau devait être Mr Lynn, notre professeur. Il n'était pas grand, plutôt fluet, et dégarni, avec une petite tonsure ronde.

La plupart des élèves étaient en train de s'asseoir. Je ne vis personne de ma connaissance, à part Tracy. Je choisis une place aussi éloignée d'elle que possible. En me déplaçant, je notai à ses côtés un dos dont je connaissais la courbe. Un dos large et musclé, caché sous une chemise noire. Justin. Je m'installai sans un regard pour eux.

Le professeur cessa d'écrire au tableau pour se tourner vers la classe.

– Kate Chopin. *L'Éveil*. 1899. Quelqu'un peut-il me dire si c'est un roman d'amour, un roman policier ? De quel genre relève-t-il ?

Mr Lynn me toisa. *Bien, on entre tout de suite dans le vif du sujet*, songeai-je.

Je n'eus aucune réaction. Je préférai sortir le livre de mon sac. C'était une édition de poche, toute neuve, que j'avais achetée avec Tony à la bibliothèque.

– Personne ? insista le prof.

De nouveau, pas de réponse.

130

– Qu'en pense la nouvelle ?

Il consulta sa liste d'inscrits. J'étais sûre de ce qui allait se passer, car heureusement j'avais conservé ma capacité vampirique à déchiffrer les émotions des autres. Je savais, d'instinct, que Lynn voulait me défier. Il s'approcha de mon bureau et croisa les bras.

– Avez-vous lu les cinquante premières pages ? Vous avez dû recevoir le programme des lectures d'été.

Je fis oui de la tête. Je n'avais évidemment rien reçu pendant mon hibernation six pieds sous terre, mais je préférais m'abstenir de mentionner ce détail.

– Dites-nous donc ce que vous en pensez, Miss Lenah... (nouveau coup d'œil à sa liste) Lenah Beaudonte. Qu'avez-vous spontanément pensé de *L'Éveil* ?

Je ne cillai pas.

– Que voulez-vous savoir ?

Il comptait faire un exemple, me mater d'entrée de jeu ; c'était une lutte de pouvoir. Après l'incident au pied de l'escalier avec Tracy, j'étais sûre de gagner. Mon regard était mauvais, le sien ne pardonnait rien. S'il avait été transformé en vampire, le professeur Lynn aurait été terrifiant.

– Je vous ai demandé votre avis sur *L'Éveil*. Les cinquante premières pages. N'importe quel aspect.

Son petit ton prétentieux était écœurant. *Encore un échantillon de la nature humaine*, me dis-je.

Justin pouffa de rire. C'était la première fois que je me trouvais dans une salle de classe, et je détestais déjà cela. Tracy lui faisait du genou, et ma réaction tétanisée les faisait sourire. Je leur lançai une œillade avant de me retourner vers le professeur.

– Bon, je ne suis pas une fille qui aime être contrôlée. Le personnage principal, Edna Pontellier, a été contrôlé toute sa vie. C'est ça, le livre. L'héroïne s'oppose aux restrictions sociales qui la freinent. Elle se sent prise au piège. Maintenant, si vous me demandiez vraiment mon avis au lieu d'attendre impatiemment mon échec, je vous dirais que je trouve ce livre épouvantable.

Un silence. Puis des rires étouffés.

– É-pou-van-table ! me singea Tracy à l'oreille de Justin.

– Vous déduisez tout cela des cinquante premières pages ? s'étonna Lynn.

– J'avais déjà lu ce livre, monsieur.

Là, plus personne ne rit. Je m'enfonçai dans mon siège et croisai mes jambes, mes longues cannes de serin. Le professeur regagna son bureau, puis se retourna vers moi.

– Vous aviez lu *L'Éveil* ?

J'ai une édition originale chez moi à Hathersage, pauvre abruti.

– Oui, monsieur. Trois fois.

Une heure plus tard, c'est avec soulagement que je jetai mes livres d'anglais dans mon sac. Après avoir cherché Justin en vain dans la salle, je gagnai la porte.

– Miss Beaudonte ?

Je fis volte-face. Lynn me tendait une feuille sur laquelle il avait griffonné quelque chose. Remontant mon sac sur mon épaule, je me rapprochai du bureau pour aller la chercher.

– Puisque vous connaissez si bien *L'Éveil*, contrairement au reste de la classe, je vais vous donner un peu plus de devoirs écrits qu'aux autres. Ce n'est pas juste, Lenah. Votre expérience littéraire vous donne un avantage.

J'acquiesçai en silence, alors qu'intérieurement je me donnais des gifles. J'aurais facilement pu prétendre n'avoir jamais lu le livre, au lieu de faire la maligne. Cela ne me paraissait pas très juste, à moi. Mais que dire ? Jusqu'à ces jours-ci, je n'avais jamais connu grand-chose à la justice.

Jamais je ne souillerais mes entrailles avec ce que tu es.

Ma propre voix me revenait aux oreilles. Je respirai à fond, fermai les yeux, et une vague de soulagement me submergea. Dans mon état humain, je n'étais plus sujette à une telle méchanceté. Du moins, pas encore. C'est avec cette idée en tête que je passai la porte.

– Tu la trouves belle, était en train de dire Tracy d'un ton accusateur.

Je m'arrêtai net.

– Mais non, répondit Justin.

Je savais qu'il mentait. Je savais reconnaître un mensonge. Personne ne savait mentir mieux que moi.

– Mais si. Je sais qu'elle te plaît. Tu n'as pas arrêté de la mater pendant le cours.

– Lynn la mettait sur le gril.

– C'est une garce, conclut Tracy. Et il paraît qu'elle sort avec Tony Sasaki.

– C'est ça, mais oui, c'est une traînée. On peut y aller, maintenant ?

– Elle vient à peine d'arriver au campus, elle se balade avec ses lunettes noires et elle ne parle à personne à part Tony. Complètement barge, ajouta Tracy.

La chaleur tournoyait et enflait dans mon cœur. Ces sentiments humains, ces *hormones* qui bouillonnaient sous ma peau... c'était très pénible. Je passai ma langue sur mes dents, m'attendant à sentir mes canines s'abaisser. J'attendis... pas de crocs. Je soupirai.

– On pourrait parler d'autre chose ? râla Justin. J'ai entraînement.

Je serrai les dents, chaussai mes lunettes noires, et sortis comme une flèche en passant exprès entre eux. Justin cilla et réprima une exclamation sourde... à peine audible, mais je l'entendis quand même.

Je dévalai les marches quatre à quatre et parcourus le long couloir à toute allure. Juste avant de sortir sur la pelouse, je regardai à gauche. J'étais pile devant l'escalier de la tour des arts. Ma colère avait tellement enflé que, l'espace d'un instant horrible, j'eus envie de redevenir vampire. D'avoir la puissance de mon cercle avec moi, pour terroriser Tracy et Justin, l'un comme l'autre.

Mais au lieu de cela, je montai retrouver Tony.

Vingt minutes plus tard, je faisais les cent pas tout en surveillant l'horloge.

– Je ne comprends pas. C'est quoi, leur problème ?

134

Tony et moi étions seuls dans l'atelier, et c'était tant mieux car je pouvais dire tout ce qui me passait par la tête sans me censurer. Je ne me souciais même plus de mon tatouage. Il me restait un quart d'heure avant mon prochain cours : histoire. À présent que j'étais soumise au temps, ces fichues horloges, montres et pendules étaient partout, à se moquer de moi. Avant, je ne pensais jamais à l'heure qu'il était. J'avais tout mon temps.

J'avais l'éternité devant moi.

– J'avais déjà entendu de la musique. Mais pas comme ça, c'est tout. Pas dans une *salle d'écoute*.

Ni sur une chaîne hi-fi, ajoutai-je en mon for intérieur, mais je choisis sagement de taire cette précision.

Tony faisait des croquis de moi, et je lui rappelai qu'il ne m'avait pas encore appris à conduire.

– Samedi, me dit-il en montant le son de la radio posée à côté de lui. Samedi, on pourra sillonner tout Lovers Bay au volant.

– Ils se prennent pour qui, à la fin ? m'indignais-je toujours. Traînée, non mais ! Moi qui n'ai même pas encore couché !

(Bon d'accord, pas au sens humain.)

– Tracy Sutton et Justin Enos sont ensemble, tu sais, me rappela Tony, caché derrière son carnet de croquis. Tracy Sutton est une vipère. Justin Enos est un gosse de riches qui, par hasard, est bon élève, en plus. Ils vont te détester. Tu es intelligente, et tu viens de les battre à leur propre jeu.

Il me considéra les yeux mi-clos, puis se remit à dessiner fiévreusement. La radio diffusait à présent une musique différente, pleine de battements graves et de sons rythmés répétitifs.

– Tu rougis ! Tu devrais peut-être te mettre en colère plus souvent... Ça aide pour le portrait, dit Tony en s'emparant d'un crayon couleur pêche.

Je me frottai les joues tout en marchant vers la fenêtre. Des élèves entraient et sortaient des nombreux bâtiments. La position des ombres sur l'herbe m'indiquait qu'il était près de onze heures. Les vampires ne savent pas lire l'heure d'après les ombres de manière innée. C'est un talent né de la nécessité : plus d'un a été réduit en cendres à cause d'un mauvais calcul.

Sur un terrain derrière le bâtiment Quartz, des garçons couraient de long en large en se frappant à la tête avec une sorte de longue épuisette. Chacun portait, au dos de son maillot, un gros numéro et son nom de famille. Deux des frères Enos s'adonnaient à cette activité grotesque. Il s'agissait de Justin et de Curtis, son grand frère.

– Que font-ils ? demandai-je en les désignant.

Tony se leva, crayon en main, en hochant la tête au rythme de la musique. Il s'approcha de la fenêtre.

– Ils jouent à la crosse. C'est une religion, à Wickham.

– Ah bon ? Qu'est-ce que c'est ?

Tony éclata de rire, et je vis que j'étais un peu trop honnête pour mon bien.

– Quand tu seras à la bibliothèque, je t'en prie, cherche la définition. Si tu ne sais pas ce que c'est que la crosse, tu vas avoir des problèmes, ici. Pas avec moi, bien sûr ! Mais avec les crétins qui adorent cette idiotie.

– Crosse. Compris. (J'allai ramasser mes affaires près de la porte.) Mais tu sais, ajoutai-je en me retournant vers lui, j'en ai déjà, des problèmes. Rien que pour aujourd'hui, je suis une traînée, une Mademoiselle Je-sais-tout et un thon.

Tony se rassit pour mieux m'observer. Puis il estompa quelque chose dans son carnet avec ses doigts, et se remit à dessiner.

– Un thon, certainement pas, dit-il en choisissant un fusain.

Chapitre 8

La sonnerie de 15 h 30 mit fin à mon dernier cours de la journée. En sortant, je rechaussai mes lunettes noires et me coiffai de mon grand chapeau, après quoi je m'engageai sur la belle pelouse qui s'étirait jusqu'au bâtiment Quartz. J'allais travailler à la bibliothèque.

Au lieu de ruminer le fait que Justin Enos m'avait traitée de traînée, je tâchai de consacrer mes pensées à mon nouveau job, à l'existence qui m'attendait, et au nombre de journées que prendrait ma transition vers une vie de *vivante*. Si je me languissais de virevolter dans les salons de mon château à Hathersage ? D'arpenter les ruelles de Londres et d'autres villes du monde, en tuant et en faisant souffrir des innocents sur mon passage ? Pas du tout. En revanche, les visages de mon cercle me manquaient terriblement. Ces hommes que je connaissais depuis des siècles. Ces hommes que j'avais entraînés à devenir des assassins. Mes frères.

À présent que j'étais humaine, il me fallait penser à la date et à l'heure. Nous étions le 7 septembre. Plus que cinquante-quatre jours avant la dernière nuit de la Nuit Rouge. Cinquante-quatre jours avant que Vicken s'attende à mon éveil. Cinquante-quatre jours avant le début de la traque.

Une fois que j'eus pris mon poste au bureau des renseignements, je sortis le devoir du professeur Lynn. « Dissertation : décrivez l'une des formes que prend l'éveil d'Edna dans *L'Éveil* de Kate Chopin. Utilisez des exemples PRÉCIS. » Rien de bien compliqué, à première vue. En fait, j'avais du temps. Je devais travailler de seize à dix-huit heures. Je me lançai dans une petite recherche sur l'art de rédiger une dissertation. Je trouvai des livres au département des usuels et je jetais déjà quelques idées au brouillon lorsqu'une voix m'apostropha.

– Je peux te parler ?

Je levai la tête. Justin Enos se tenait devant moi.

– Non.

Je me replongeai dans mon plan. Pour être franche, j'étais incapable de le regarder. Ses yeux et sa bouche étaient d'une beauté insoutenable. Il portait encore sa tenue de sport et ses baskets boueuses. J'avais envie de plonger les doigts dans ses épaisses mèches blondes, bouclées et collées par la transpiration ici et là. Il avait les joues rougies par l'effort, et des perles de sueur s'accrochaient dans ses favoris.

– J'ai au moins neuf cents choses à te dire, tenta-t-il de m'expliquer.

Pourquoi ses lèvres formaient-elles si naturellement cette moue adorable ?

Je ramassai quelques livres et m'enfonçai dans le labyrinthe des rayonnages.

– Je tiens à m'excuser, insista-t-il en m'emboîtant le pas.

Je remis un ouvrage à sa place sur une étagère et poursuivis mon chemin. Je tenais absolument à ranger les quatre livres que j'avais en main.

– C'était idiot, ce qu'a dit Tracy, et je n'aurais pas dû...

– Ne te donne pas cette peine, OK ? Tu fais ça avec tout le monde ? Rester sous la pluie et demander aux filles pourquoi elles sont tristes ? Tout ça pour te moquer d'elles ensuite ? Pourquoi t'excuser ?

Justin s'arrêta.

– Tracy est jalouse, c'est tout. Tu ne méritais pas ça.

Tu ne méritais pas ça...

La phrase me retentissait aux oreilles, m'envoyait des vibrations à travers le crâne et résonnait en écho dans mon âme. Je posai le dernier livre au hasard. Puis je pivotai vers Justin et croisai les bras.

– Tu sais ce que je ne comprends pas chez les gens ?

Il secoua négativement la tête et plissa le front : il était sincèrement curieux de l'apprendre.

– C'est qu'ils se réjouissent de la tristesse des autres. Qu'ils aient authentiquement envie de faire mal. Je ne veux plus jamais redevenir ainsi, et je ne fréquente plus ce genre de personnes.

Ma gêne se révéla dans un soupir.

– Mais je ne suis pas ce genre de personnes, protesta Justin, même si son regard montrait qu'il était désarçonné.

À cet instant, j'entrevis du coin de l'œil de grosses lettres dorées. En tournant la tête, j'avisai la reliure d'un livre intitulé *Histoire de l'ordre de la Jarretière*. Je le pris sous mon bras. Justin se déplaça pour me barrer le passage. Son torse se soulevait sous son tee-shirt moulant.

– T'es vraiment pas ordinaire. Je veux dire, ta manière de parler... C'est...

– British ?

– Non. J'aime bien écouter ce que tu as à dire. Tu es intelligente.

J'ignore si c'est lui qui fit un pas vers moi ou l'inverse, mais nous nous retrouvâmes tout près l'un de l'autre, les lèvres de Justin à quelques centimètres des miennes. Il avait une odeur douce, une odeur de peau tiède. Je savais que son cœur palpitait et que son sang circulait plus rapidement que la normale. J'aurais voulu stopper ces idées vampiriques, si calculées, mais comme on dit, les vieilles habitudes ont la vie dure.

– Assez intelligente pour garder mes distances avec toi, murmurai-je en contemplant ses lèvres.

Il se pencha en avant et juste au moment où je pensais qu'il allait m'embrasser, il saisit le livre sous mon bras. Je retins mon souffle. Une senteur d'herbe fraîche était incrustée dans sa peau. Il était dangereusement proche de ma bouche. L'instinct de mordre. J'attendais la descente de mes crocs. J'entrouvris les lèvres, découvrant très légèrement mes dents. Au moment où il se recula, je frissonnai et exhalai, secouai rapidement la tête et refermai ma bouche.

– Pourquoi tu lis ça ? me demanda-t-il en retournant le livre entre ses mains.

– Pour mon cours d'histoire, mentis-je.

– Alors, je peux me rattraper ?

Il me rendit l'ouvrage. Sa main droite se posa sur la pile, la gauche resta derrière son dos.

– Te rattraper de quoi ?

– Tracy. Et moi. D'avoir mal parlé de toi tout à l'heure.

Ses pommettes rosirent.

– Comment ferais-tu ?

– Ah, te voilà ! s'exclama une voix stridente.

Justin fit volte-face. Tracy et les deux autres filles du Trio étaient au bout de l'allée. Tracy avait une main posée sur la hanche. On voyait clairement que toutes les trois avaient coordonné leurs tenues : elles portaient des leggings de couleur différente qui moulaient leurs corps menus, et des débardeurs également assortis.

Je me sentais comme une géante mal fagotée.

– Curtis m'a dit qu'il t'avait vu venir à la bibli, expliqua Tracy en prenant Justin par la taille.

Je me détournai de lui et regagnai mon bureau comme si la conversation n'avait jamais eu lieu. Pas question d'avoir le moindre contact avec Tracy. Je ne serais pas – oserai-je le dire ? – l'inférieure. Les deux autres, qui étaient restées en retrait, me toisaient. L'une d'elles, Claudia, la plus petite, sourit à mon approche.

– Joli tatouage.

Elle se tourna vers sa copine, Kate, et échangea avec elle un regard entendu.

– On peut le voir de près ?

Lorsque Claudia s'approcha de moi, je me penchai vers elle et lui glissai à l'oreille :

– Tu as quelque chose entre les dents.

Elle n'avait rien du tout, mais elle sortit précipitamment un miroir de poche pour vérifier. Je jetai un coup d'œil à Justin : ses deux mains étaient à présent occupées par les hanches de Tracy.

Ce soir-là, je dînai avec Tony. Je terminai mon entrée : blanc de poulet aux herbes. Je ne pouvais pas m'arrêter de sourire en mangeant. J'avais tant de goûts dans la bouche ! La saveur boisée du thym, l'arôme tranchant de l'origan... Et bien sûr, le sucre.

À la fin du repas, je lui racontai la scène avec Claudia à la bibliothèque. Tony rit à gorge déployée. Il portait une casquette à l'envers et le même tee-shirt blanc que le matin – à ceci près que maintenant, il était couvert de taches de peinture.

– C'est génial ! Quelle garce, cette Claudia Hawthorne !

Pendant qu'il suçotait un os de poulet, je vis Justin pénétrer dans la cafétéria, Tracy au bras. Ils se séparèrent en entrant, et le Trio se dirigea vers le bar à salades. Les filles ondulaient des hanches et, bien qu'elles soient simplement en jean et tee-shirt, je regrettai de ne pas m'être changée. Tony suivit mon regard.

– Justin ! Garde-nous une place ! cria Tracy en lui envoyant un baiser.

Claudia et Kate attrapèrent leur amie chacune par un bras, et toutes trois se rangèrent dans la file d'attente. Je tendis l'oreille pour espionner leur conversation.

– Il fait une fixette sur la plongée, disait Tracy.

– Remarque, c'est vrai qu'il fait encore une chaleur à crever, observa Claudia en repoussant ses cheveux derrière son épaule.

– Oui mais quand même, on est en septembre !

Kate prit une assiette.

– Il y a une semaine, on était encore en août, Tracy.

Je vis Justin balayer des yeux la pièce ronde. Il passa les tables en revue et, lorsqu'il me repéra, me fit un petit sourire. Son expression était joyeuse et ouverte. Il vint tout droit vers notre table.

– Qu'est-ce que tu as fait à ce pauvre garçon ? me demanda Tony, la bouche pleine de poulet.

Je remarquai que ses doigts étaient tachés de fusain.

– Comment ça, qu'est-ce que je lui ai fait ?

– Il arrive.

Je n'eus que le temps de hausser les épaules. Une seconde plus tard, Justin était à nos côtés.

– Quoi de neuf, Sasaki ? demanda-t-il à Tony en le saluant du menton.

145

Tony lui retourna son salut. Justin posa les deux mains à plat sur la table.

– Je peux te parler ? me demanda-t-il.

– Ça n'est pas déjà fait ? Dans la bibliothèque ?

– Si, mais j'ai quelque chose à te demander.

Ses yeux se posèrent brièvement sur Tony avant de revenir vers moi. Tony n'en vit rien, car c'était moi qu'il regardait.

– Tout ce que tu veux me demander, tu peux me le demander devant Tony.

Ce dernier me sourit, mais la bouche fermée, car il mangeait encore. À le voir, je sus que j'avais fait quelque chose de bien.

– Comme tu veux. Je n'ai pas pu te le demander tout à l'heure. Je suis vraiment très gêné de ce que j'ai dit. Tu veux venir faire de la plongée avec nous samedi ?

Son attitude était calme, mais légèrement tendue. L'expression « Il fait une fixette sur la plongée » me revint en tête et je pensai à la manière dont Claudia avait rejeté ses cheveux derrière son épaule.

– Toute une journée avec toi et tes chouettes copines ? Non merci.

Tony pouffa et piqua du nez dans son assiette pour dissimuler son hilarité. Je n'avais aucune idée de ce que pouvait être la « plongée », mais comme d'habitude, je décidai qu'il valait mieux le cacher. Je notai également que, depuis le bar à salades, Tracy n'arrêtait pas de me surveiller. Justin, lui, m'observait sans ciller.

– Mes frères viennent avec nous : tu ne seras pas coincée juste avec Tracy et moi, ajouta-t-il.

J'étudiai son expression en pensant aux émotions complexes que peut exprimer un regard humain. La manière dont des yeux peuvent vous transpercer et signifier quelque chose de très personnel – comme le faisaient ceux de Justin en ce moment même : il me parlait sans prononcer une parole. Mais il me cachait aussi des choses, je le sentais. Il affectait un air détaché, mais il éprouvait quelque chose de bien plus important à l'intérieur. Ma capacité à déchiffrer les émotions et les intentions d'autrui fonctionnait toujours à merveille, et je m'en félicitais.

– Je viens si Tony est invité, dis-je en pointant le menton.

Tony, qui grignotait allègrement sa salade, cessa immédiatement de mastiquer. Les commissures de ses lèvres retombèrent et il attrapa une serviette en papier.

– Super ! Rendez-vous sur le parking de Seeker Hall, samedi, treize heures.

Une fois Justin parti rejoindre Tracy, Tony déglutit avant de se tourner vers moi, incrédule.

– Bon, Lenah. Ça doit être la première fois depuis la classe de quatrième que Justin m'adresse la parole. Je déteste ces gens-là. De toutes les fibres de mon être. Chaque fois que je sais qu'ils vont quelque part, je n'y vais pas. Exprès, tu vois ?

– Pense à tout ce que tu verras en faisant de la plongée. Tout ce que tu pourras dessiner.

147

Tony battit des paupières, comprenant soudain. Il posa sa fourchette.

– Attends une minute. Tu crois que sur le bateau, Tracy aura un bikini vraiment mini mini ?

Donc, pour faire de la plongée, on allait en bateau. Intéressant.

– Mais oui, répondis-je en me penchant vers lui. Tu auras toutes sortes de modèles, ajoutai-je avec un sourire enjôleur.

Tony pivota discrètement vers le bar à salades.

– Ça pourrait être pas mal. Je pourrais les mater toute la journée en prétendant que c'est pour l'amour de l'art.

J'éclatai de rire. Un vrai rire, venu des tripes.

C'était la nuit que je me sentais le mieux. Mon souffle était tranquille et régulier. Mes paupières battaient moins souvent : j'avais plus de facilité à me détendre. Mais les minutes passaient trop vite ; mon nouveau corps humain avait besoin de dormir davantage que ce que j'aurais voulu. Ce soir-là, j'étais sur le canapé, les pieds remontés sous mes cuisses. La lumière blanche d'une chandelle oscillait sur la couverture du livre sur l'ordre de la Jarretière, lequel était posé, fermé, sur la table basse.

Je me penchai pour soulever la lourde reliure du bout de l'index. La page de titre annonçait : *Une histoire complète*. Je commençai à feuilleter le gros volume, page par page.

Je posai le livre sur mes genoux et passai un doigt sur le cuir épais. Le titre se détachait en relief, doré à l'or fin. Sans même savoir ce que je faisais, je me rendis directement au chapitre intitulé « 1348 : L'origine ». Là, sous les noms des membres fondateurs de l'ordre, on voyait un grossier portrait d'homme. Et sous la gravure, son nom : Rhode Lewin. Le chevalier anglais qui avait juré fidélité au roi Édouard III. Je retrouvais ses traits fins et sa mâchoire carrée. La gravure ne rendait pas justice au vampire que j'avais eu l'honneur de connaître. Je caressai l'illustration, mais mes doigts ne rencontrèrent que la surface lisse de la page.

Je tournai la tête vers le bureau. Deux photos étaient posées dessus. L'une était un daguerréotype : une image brillante comme un miroir, une plaque métallique à la surface argentée, pas plus grande qu'un petit portrait. Elle me représentait au milieu de mon cercle, mais ce n'était pas celle-là qui m'intéressait. Je contemplai alors la photo de Rhode et moi. Plus particulièrement, l'éclat éthéré de Rhode, la lueur souveraine qui brillait dans ses yeux et, bien sûr, le sourire narquois. Mon cœur se serra et je respirai à fond. Puis je me levai et entrai dans ma chambre, la tête basse. Le manque me taraudait.

– Où es-tu, en ce moment ? chuchotai-je à la chambre vide.

Je laissai le livre ouvert sur la table basse pour que la gravure de Rhode continue de regarder le plafond du salon. Les chandelles vacillèrent, jetant des ombres mouvantes dans tout l'appartement. Leurs mèches

s'éteignaient parfois pendant la nuit, mais elles brûlaient encore lorsque je m'endormis, les yeux fixés sur
les flammes qu'un courant d'air invisible faisait frissonner. La danse de leurs ombres noires me rappelait mon
château. Chez moi.

Chapitre 9

– Claudia ! brailla Roy Enos.

L'intéressée serrait un slip kangourou blanc dans sa main et le tenait haut au-dessus de sa tête. Elle courait de long en large devant le bâtiment Quartz, Roy sur ses talons. Il finit par l'attraper, la jeter par terre et lui enfoncer le nez dans le slip. Le reste du clan Enos était aggluté sur le côté, riant si fort que Kate se tenait les côtes.

Assise derrière un arbre, je les observais. Les filles avaient beau me traiter sans cesse de folle et de garce, j'étais fascinée. Pourquoi les femmes, à cette époque, se jugeaient-elles si durement les unes les autres ? Peut-être l'avaient-elles toujours fait sans que je le sache : à travers les âges, je n'avais pu le voir que de l'extérieur.

Septembre traînait en longueur. J'espérais que cela continuerait, car chaque journée qui s'écoulait me rapprochait de la Nuit Rouge. J'avoue que je me lais-sais facilement distraire. Entre mes cours et mon job à la bibliothèque, je n'avais qu'une idée en tête : suivre Justin Enos à la trace. Je crois que l'on peut dire que les gens ont une aura, que l'énergie qu'ils portent en eux irradie vers l'extérieur et projette une couleur autour de leur corps. Chez Justin, cette aura était une lumière vive et dorée. Il pilotait des bateaux de course et une voiture de sport. Il pratiquait des sports périlleux et deux ou trois fois, pendant ces premiers jours, il avait quitté le terrain de crosse avec du sang sur son maillot.

Ce n'était pas difficile de le trouver. La plupart du temps, il était à sa place habituelle en bibliothèque, dans le petit atrium. Par-dessus les livres, je contemplais ses dents blanches et ses cheveux en bataille. Cela ne me dérangeait même pas qu'il passe son temps avec le Trio et ses frères Curtis et Roy. Ensemble, ils se déplaçaient comme une horde d'animaux sauvages. Les rites, la manière de se toucher, les interactions sociales. Les mots me manquent pour expliquer combien cela me réconfortait. Je faisais la même chose du temps où j'étais vampire : épier, observer jusqu'à connaître le mouvement exact d'une poitrine quand elle se soulevait pour respirer. Ensuite, je tuais.

À Wickham, Tony était ma seule compagnie. Son amitié me tenait chaud, tout comme les souvenirs de ma vie de vampire, qui s'accumulaient dans ma tête telle une pile de livres, chaque image bien rangée sous sa reliure de cuir, et la pile s'élevait sans cesse vers un plafond infiniment haut.

Le mercredi matin, j'avais cours d'anatomie à neuf heures. La veille, au petit déjeuner, Tony et moi avions

152

découvert avec joie que ce cours nous était commun. Il avait lieu deux fois par semaine, pendant deux heures.

– Crâne et tibias ? demandai-je à Tony en sortant de Seeker Hall.

Il était assis sur le banc en face du parking, en tee-shirt noir orné du symbole des pirates. Il avait aussi un pantalon noir, et deux bottes noires différentes.

– La rage et la victoire ! proclama-t-il en se levant.

Et nous voilà partis vers les labos de sciences. Tout en cheminant, Tony sirotait un gobelet de café. Pour ma part, je me tenais bien sûr dans l'ombre des arbres.

– Comment feras-tu cet hiver ? me demanda-t-il.

– Quoi ?

– Quand les feuilles seront tombées.

Alors là, il me posait une colle.

– J'achèterai un plus grand chapeau, répondis-je en tâchant de sourire et de garder un ton léger.

Les labos se trouvaient juste en haut des marches qui menaient à la plage. Ils étaient en brique rouge, disposés en demi-cercle. Au centre, une fontaine en bronze représentait Marie Curie, la femme qui a découvert le radium. Un jet d'eau jaillissait de ses mains. Nous la dépassâmes pour pénétrer dans le bâtiment central.

Tony me détailla de la tête aux pieds.

– On est entrés, me fit-il remarquer. Tu peux enlever ton attirail.

Je fourrai les lunettes dans mon sac. Au mur étaient collées des affiches pour les préservatifs et pour le club de biologie. Des élèves variés passaient à côté de nous :

des plus jeunes et des plus vieux (relativement, toujours). Notre curiosité était réciproque.

– Si tu pouvais faire absolument tout ce que tu veux, qu'est-ce que tu ferais plus tard ? m'interrogea Tony.

Sans ralentir le pas, je baissai les yeux vers le parquet ciré de frais. Mes bottes cliquetaient bruyamment.

– Je ne sais pas. Ma vie a toujours été très... compliquée.

C'était vrai. Je n'avais jamais eu grand-chose à faire à part lire, me cultiver et, euh... tuer.

– Allez... tu dois bien t'intéresser à quelque chose.

Qu'est-ce qui m'intéressait, au juste ? J'étudiai la question en tripotant ma bague en onyx. J'avais presque oublié que je la portais ; mais elle se rappelait à ma mémoire dans des moments comme celui-là, lorsque je voulais réfléchir. J'aimais bien l'anatomie. J'adorais explorer le fonctionnement de la machine humaine. Principalement pour satisfaire mon appétit. Je contemplai mes doigts qui faisaient tourner la bague, après quoi j'enfonçai mes mains dans mes poches.

La salle de cours était un labo comme les autres, équipé de paillasses à deux places. Une rangée de fenêtres donnait sur la statue de Marie Curie, avec des placards au-dessous. Chaque paillasse avait son évier et son bec Bunsen. Je suivis Tony au fond de la salle, où se trouvaient deux emplacements libres. Je ne pus répondre à sa question, car les autres élèves entraient à la queue leu leu derrière nous.

Je m'installai à côté de lui. Il termina son café, puis sortit un livre de son sac. Je fis de même. Une jeune prof entra, suivie de quelques retardataires... dont Justin Enos. Mon cœur fit un petit bond : je ne m'attendais pas à le voir là. À part anglais, c'était le seul cours que nous ayons en commun. Pour ne pas croiser son regard, je m'intéressai à mon cahier neuf. Puis je lissai mes cheveux et repoussai les mèches les plus longues par-dessus mon épaule. Tony discutait avec quelqu'un devant nous, mais de mon côté, j'essayais de rester concentrée. J'aurais voulu contempler Justin, lui parler encore. J'aurais voulu aller faire de la plongée. J'aurais voulu que l'on soit déjà samedi.

– Ce cours est le plus dur de Wickham, disait Tony pendant ce temps-là. J'ai essayé de me faire porter pâle le jour du test de sélection au dernier semestre l'an passé, mais quand ma sœur s'en est aperçue, elle m'a tapé sur la tête avec l'archet de son violon jusqu'à ce que j'y aille.

– Ta sœur ? Je ne savais pas que tu avais une sœur.

– Elle me tanne pour que je bosse.

Curieux. Il y avait si longtemps que personne ne m'avait dit ce que je devais faire ou pas ! Après tout, la seule raison pour laquelle je me trouvais là, à Wickham, c'était que Rhode m'aimait et me l'avait prouvé au prix de sa vie.

La prof posa une mallette sur sa paillasse. Chacun tendit la main vers son livre, mais elle sourit.

– Vous pouvez sortir de quoi prendre des notes si vous voulez, mais vous n'êtes pas obligés. Pas encore.

Elle souleva une glacière en plastique coloré, qu'elle posa à côté de sa mallette.

– Bien. Je suis votre professeur d'anatomie, Mrs Tate. Je suis nouvelle à Wickham. J'espère que vous m'accorderez non seulement votre attention, mais aussi votre respect. (Personne ne dit rien, je supposai que c'était normal.) Aujourd'hui, je vais vous montrer un exemple de ce que vous ferez avec moi cette année.

Elle plongea la main dans la glacière, en sortit quelque chose de blanc enfermé dans un sac en plastique, et le posa sur sa paillasse pour que nous puissions bien le voir. Le sac était si froid qu'il y avait de la buée à l'intérieur. Personne, pas même moi, ne distinguait ce qu'il contenait. Ma vue ne perce pas le brouillard.

Mrs Tate baissa l'éclairage, après quoi elle déroula un écran pour commencer son cours. La chose blanche dans le sac en plastique était toujours posée sur sa paillasse. Je ne voulais pas regarder : je me doutais déjà que c'était quelque chose de mort. Pour le moment, il n'y avait rien d'autre à en dire. Justin, qui était assis au premier rang, jeta un coup d'œil derrière lui et me sourit. Je ressentis un picotement au creux de mon ventre. J'ébauchai un demi-sourire, à peine.

Mrs Tate nous demanda si quelqu'un avait fait ses lectures d'été. Personne ne l'avait fait.

– Si vous aviez été plus sérieux, vous sauriez que nous allons commencer ce semestre par le sang.

Je ne pus me retenir de lever les yeux au ciel.

L'enseignante éteignit toutes les lumières. D'instinct, je regardai autour de moi. La classe était plongée dans une atmosphère grise et sombre. Au premier rang,

Mrs Tate actionna un appareil compact. Il y eut comme un bourdonnement. Puis une image de cœur humain, un vrai cœur, brilla sur l'écran. C'était comme une loupe, mais en bien plus puissant : encore un miracle de la technologie, encore un prodige du monde moderne.

– Bien, continua la prof. Si vous aviez fait les lectures conseillées, vous sauriez identifier les principaux éléments du cœur. Alors. Le...

Elle attendait des réponses. Il n'y en eut aucune. Mais moi, je savais.

J'entendais Rhode dans ma tête. Nous étions à Londres, dans une taverne, tard le soir. Je n'étais vampire que depuis quatre jours, et j'avais tant de questions à lui poser ! Je regardais Mrs Tate pointer les trois sections du cœur et demander leur nom, mais c'étaient les paroles de Rhode qui résonnaient à mes oreilles.

– Tu vas acquérir des instincts que tu n'as jamais eus.

– Lesquels ?

La pluie fouettait les carreaux de cette taverne anglaise du XVe siècle. Le vacillement des bougies faisait miroiter le visage de porcelaine de Rhode, et je me demandais s'il me voyait de la même manière. Autour de nous, hommes et femmes trinquaient et mangeaient dans des bols en faïence. Je regardai vaguement leur nourrissant ragoût, mais détournai la tête. Cela ne m'intéressait plus.

– Tu sauras précisément à quel endroit mordre dans le cou. Tu deviendras experte dans des domaines dont tu as toujours ignoré l'existence. Tu enfonceras tes dents et tu pomperas le sang avec une telle précision que la mort de tes proies sera instantanée.

J'avais affûté ma technique au fil des ans, mais Rhode avait dit vrai. On mord dans la jugulaire, laquelle est reliée au ventricule droit, qui sert à faire circuler le sang dans le cœur. C'est la manière la plus directe. La plus agréable, aussi. Car la morsure d'un vampire n'est pas douloureuse : au contraire, c'est la plus grande sensation de plénitude qu'un être humain puisse jamais connaître.

Les lumières se rallumèrent mais l'ambiance dans le labo avait changé du tout au tout. Mrs Tate était monstrueusement déçue que personne n'ait fait ses lectures de prérentrée. Elle enfila des gants en latex et sortit la masse blanche du sac. Deux ou trois filles étouffèrent une exclamation, et l'une d'entre elles poussa un cri strident. La prof laissa retomber le contenu du sac sur un plateau métallique. C'était un chat mort.

– C'est surprenant, je sais. Mais nous sommes en cours d'anatomie, alors autant vous habituer tout de suite à disséquer des cadavres.

C'était plus fort que moi : je me levai pour mieux voir.

– En outre, vous devriez tous reconnaître ce que c'est : un cadavre de chat.

Au premier rang, une fille fondit en larmes, ramassa ses affaires et sortit en courant. Pendant que la porte se refermait derrière elle, Mrs Tate se remit à nous parler, d'un ton bien plus doux.

158

– Ceci est un cours de niveau supérieur. Obtenir un A vous assure de décrocher les meilleurs séminaires universitaires, mais aussi d'avoir une longueur d'avance dans vos dossiers de candidature à la fac. Si cela pose un problème à quelqu'un de disséquer des animaux morts, qu'il s'en aille tout de suite.

Elle posa la bête sur un chariot à roulettes, identique à ceux de la bibliothèque sauf qu'il portait des bistouris, des scalpels et un assortiment de tubes en plastique.

– Quelqu'un veut affronter le chat ? L'ouvrir pour que nous puissions regarder à l'intérieur et voir, pour la première fois peut-être, ce que cela signifie de comprendre le fonctionnement du corps ?

Personne ne se porta volontaire.

Je jetai un coup d'œil à Tony, qui dévisageait Mrs Tate d'un air abasourdi. Puis je regardai le dos droit de Justin, devant moi.

L'ouvrir ? Il était déjà mort, cela n'avait donc rien d'excitant. D'un autre côté, la chair morte ne me faisait ni chaud ni froid. Je regardai autour de moi. Au premier rang, un garçon gribouillait sur une feuille de papier. À côté de lui, une fille feuilletait son livre de cours, sans lever la tête. La mort était l'angoisse ultime des mortels. Je poussai un gros soupir. Je pouvais respirer, sentir la chaleur de mes doigts, et pourtant je n'étais pas tout à fait humaine. J'étais une tueuse, un vampire coincé dans le corps d'une jeune fille de seize ans.

Je levai la main. Ce n'était tout de même pas la mer à boire que de charcuter une carcasse.

Mrs Tate sourit de toutes ses dents.

– Je ne m'attendais pas vraiment à avoir de courageux volontaires. Miss Beaudonte, venez donc.

Absolument toutes les têtes se tournèrent vers moi. Justin était visiblement effaré. Je remontai l'allée centrale et tendis la main pour saisir le bistouri.

– Non, non, Lenah. Il faut mettre des gants.

– Ah oui, bien sûr.

Le chat avait perdu sa fourrure, et il avait trempé si longtemps dans le formol qu'il ne ressemblait même plus vraiment à un chat. Sa peau était ridée comme si tout fluide en avait été aspiré. Sa gueule était ouverte, exposant une langue jaunâtre et blafarde. Dans ma vie passée, je l'aurais déchiqueté avec mes dents, mais j'étais devenue mortelle : il fallait que je me méfie des bactéries et des microbes.

J'enfilai une paire de gants en latex qui sentaient l'œuf pourri. À l'aide de la petite lame du scalpel, je découpai la carcasse caoutchouteuse pour exposer les entrailles. En entaillant la peau, je sentis mes épaules se détendre et j'exhalai brièvement. Je faisais quelque chose que je connaissais bien : ouvrir un corps.

Le cadavre était déjà prédécoupé, mais je tenais à bien exposer le cœur. Je me servis donc de mes doigts pour tirer encore un peu sur la peau. La pression des tissus morts contre mes mains me rappelait les nuits

160

innombrables que le cercle avait passées à creuser des trous dans la terre. Je les aidais à ramasser les corps et à les enfouir. Ce chat était mort depuis six semaines. Il y eut quelques clameurs étranglées derrière moi. Un objectif positionné au-dessus du plateau projetait l'image du chat sur l'écran.

– Les organes internes du chat, expliqua l'enseignante, sont trop petits pour que je ne les projette pas. Bien, Tony Sasaki, ajouta-t-elle en consultant la liste de présence. Où doit chercher Lenah si elle veut nous montrer le ventricule droit ?

Tony se mit à feuilleter fébrilement son livre de classe.

– Euh...

– Je vois que Mr Sasaki non plus n'a pas fait ses lectures.

Quelques rires.

– Et le ventricule gauche, Tony ?

Au départ, j'avais cru Mrs Tate assez relax. Mais voilà qu'elle s'acharnait sur mon ami. Il était rouge tomate et les autres commençaient à le regarder, même Justin.

– La formulation n'est pas claire, madame, dis-je sans lui laisser le temps de m'interrompre. Le ventricule droit est à gauche, mais seulement pour l'animal. Pour nous, il est à droite, face à moi. (Je désignai une zone de l'animal.) Voici la face ventrale du chat. Comme il est sur le dos, c'est le ventre qui est exposé.

– Comment s'appelle le système ? me demanda Mrs Tate.

Ses yeux bleus pesaient sur moi. Je voyais qu'elle attendait de moi la bonne réponse. Elle souhaitait que j'explique correctement, à la différence de Lynn, le prof d'anglais, qui voulait juste me voir me planter.

Je repensai aux livres de ma bibliothèque, à Hathersage, et aux nuits passées à étudier des schémas à la bougie.

– Le système circulatoire, répondis-je sans hésiter en lui rendant le bistouri.

– Merci, Miss Beaudonte.

J'avais conscience qu'en ouvrant ce chat j'avais passé un test – vis-à-vis de moi-même. Un test pour voir si le fait d'être humaine me rendait la mort et la décomposition plus difficiles à supporter. La réponse était non. Je clignai des yeux, déçue. Je mangeais, buvais, dormais. Je faisais tout comme les humains, d'accord. Mais jusqu'à présent, mon humanité se moquait de moi. Au moment d'écarter les plis de la peau du chat, je n'avais ressenti qu'un allégement de ma frustration.

Je me rassis à côté de Tony et Mrs Tate poursuivit son exposé.

– Ce que nous a montré Miss Beaudonte aujourd'hui se trouve au chapitre cinq. Il est clair qu'elle a déjà disséqué des chats.

Je sentis Tony se pencher vers moi. Il sentait le musc. Une odeur humaine, bien terrienne.

– Trop cool, on ne va avoir que des A ! me souffla-t-il
à l'oreille.

Je jetai un coup d'œil vers l'avant de la salle. Justin
me regardait par-dessus son épaule, le sourire aux
lèvres.

Chapitre 10

– Tu te rends bien compte qu'on forme une équipe, hein ? me disait Tony. Que tu dois m'aider, parce que c'est obligé.

Nous sortions du cours et il gambadait dans l'allée qui nous ramenait vers Seeker Hall.

– Et toi, tu dois toujours m'apprendre à conduire, lui rappelai-je.

– Au fait. J'ai besoin que tu poses pour moi. Pour ton portrait.

– Mais ça devait être donnant donnant.

– Allez. Juste une heure. Ton boulot ne commence qu'à quatre heures.

– Il faut que je passe chercher mon portefeuille. Monte avec moi voir la chambre du fameux professeur Bennett. On déjeune, et ensuite le portrait.

– Super.

Je remis mon chapeau et mes lunettes.

– Je me demande si son fantôme est toujours là.

Le soleil matinal commençait tout juste à inonder le campus lorsque Tony et moi entrâmes dans mon bâtiment. Il montra une pièce d'identité à la gardienne pendant que je m'engageais dans l'escalier.

– Tu sais qu'il y a des ascenseurs. Ça monte et ça descend rien qu'en appuyant sur un bouton. C'est dingue, je sais, plaisanta Tony, tout essoufflé, alors que nous grimpions vers le cinquième étage.

– Jamais pris un ascenseur.

– Quoi ? Décidément, tu m'étonneras toujours, Lenah.

Mon comportement était-il adapté à la situation ? Peut-être avais-je franchi une limite avec le chat, en cours d'anatomie. Tony me suivait toujours dans l'escalier.

– Je n'en reviens pas : non seulement tu viens de disséquer un chat comme une fleur, mais en plus ça ne te fait pas peur de vivre dans l'ancien appart' de Bennett. Attention, je l'aimais bien comme prof, hein ! Mais sérieusement, Len, c'est glauque.

J'insérai ma clé dans ma serrure.

– Ça ne me dérange pas.

– Un type est *mort* là-dedans, quand même.

Tony renifla le romarin que j'avais punaisé à la porte.

– Je ne sais pas pour toi, mais moi je crois aux fantômes, aux esprits et tout ça. Et *tout le monde* dit que Bennett a été assassiné.

– La direction ne me laisserait sans doute pas habiter ici si c'était vrai. Les gens meurent partout, tu sais.

166

– C'est pour quoi faire, ces branches ?

En entrant, je posai mes lunettes et mon chapeau sur la table laquée noire de l'entrée, juste à côté de la porte.

– C'est du romarin. Une plante que l'on accroche à sa porte pour être protégé. Pour se souvenir de ne pas se mettre en danger.

– En danger de quoi ?

Je refermai derrière nous.

– Ouah ! s'exclama-t-il. Trop cool ! Moi j'ai un coloc qui pue des pieds, et toi tu vis là-dedans !

Tony fit glisser sa main sur le canapé soyeux avant d'admirer tour à tour les tableaux accrochés au mur. L'épée de Rhode l'intéressait particulièrement. Il alla se planter devant.

– Qu'est-ce que ça veut dire, « *Ita fert corde voluntas* » ?

Il passa l'index sur toute la longueur de l'arme.

– Attention. Ne touche pas le tranchant, tu te couperais. Ça veut dire : « Elle suit la volonté du cœur. »

– C'est une vraie ? Elle date de quelle époque ? Qui te l'a donnée ?

Je ne répondis rien. Je partis chercher mon portefeuille dans ma chambre.

– On dirait carrément une vraie, insista Tony.

Ses yeux n'étaient qu'à quelques centimètres de la lame. Je trouvai mon portefeuille sur ma table de nuit. Lorsque je regagnai le salon, il était debout près du livre sur l'ordre de la Jarretière et observait la gravure de Rhode. Il se tenait tout près du bureau. Mes photos ! Mon regard passa rapidement des clichés à son dos. Soudain, j'avais la bouche sèche... desséchée, même. Ma langue collait à mon palais. Tony, qui ne me voyait toujours pas, se taisait.

– P... prêt ? balbutiai-je.

– Ça existe, une matière que tu n'aimes pas ? Tu es une bête en histoire aussi ?

Je souris et soupirai de soulagement. Il n'avait pas remarqué les photos.

– Allons-y. Je meurs de faim.

– OK, Lenah. Tu démarres, me dit gentiment Tony.

Le samedi était enfin arrivé, et nous étions sur le parking de Seeker Hall. Mes mains serraient le volant si fort que j'avais les jointures blanches et les paumes glissantes de sueur.

Les clés pendaient au contact. Je les tournai, et le moteur se mit à ronronner. Tony m'expliqua le fonctionnement de l'accélérateur et de la pédale de frein, du clignotant et de la marche arrière. C'était très intéressant. Cela me rappelait un peu les conseils que me prodiguait mon père, au xve siècle, quand je le regardais guider les vaches et les chevaux dans le verger. Les années 1400, en Angleterre, avaient souffert de la fin de la Grande Peste. Les nombreux décès avaient raréfié la main-d'œuvre, et mon père refusait de me perdre de vue un instant. Ma disparition avait dû le tuer. Je n'ai jamais su ce qu'était devenue ma famille.

Une heure plus tard, je garais la voiture sur une place de parking face à Seeker Hall et coupais le contact. Les vitres baissées, je sortis mes pieds pour me détendre.

– Est-ce que tout le monde prend des bains de soleil ? demandai-je, bien contente d'être abritée sous un arbre.

Je scrutais Tony à travers mes lunettes noires.

– Tu n'aimes vraiment pas le soleil, hein ?

Il avait complètement allongé son siège.

– Je n'aime pas ce qui me dérange.

– Eh bien puisqu'on en parle, Justin Enos dérange à peu près tout le monde. C'est un peu pour ça que je garde mes distances avec lui et avec tous les dingues de foot, les accros à la crosse et les fous de football américain. C'est un peu pour ça que je t'en veux de m'obliger à venir.

– Il y a quand même pire, répondis-je en riant.

Un silence s'installa entre nous. Je regardai mes vêtements, espérant qu'ils ne trahissaient pas mon « anormalité ». Je portais un short noir sur le maillot de bain une pièce noir que Tony m'avait fait acheter. Il m'avait accompagnée au magasin et il m'avait fallu dix minutes pour le dissuader de me faire prendre un bikini string. De son côté, il était en short de bain, mais c'était toujours... Tony, quoi. Il avait aux doigts des bagues avec tibias et crânes. Son short de bain était noir avec des flammes.

Soudain, il se redressa pour mieux voir ma poitrine.

– Qu'est-ce que c'est que ça ?

Je suivis son regard. Avant que j'aie eu le temps de me demander s'il se rinçait l'œil, je compris que c'était mon pendentif qui l'intéressait. La fiole qui contenait les cendres de Rhode. Grises et constellées d'or, elles étincelaient dans la lumière qui traversait le pare-brise. Je serrai dans ma main le flacon, qui était en cristal, pointu, avec un petit bouchon d'argent. On aurait dit un minuscule poignard transparent. Je pris ma respiration en le faisant rouler entre le pouce et l'index.

– Si je te le dis, tu me jures de ne pas le répéter ?

– Mais oui...

Sa voix était un peu plus excitée que je ne l'aurais voulu.

– J'avais un ami qui est mort. Ceci contient un peu de ses cendres.

Le sourire de Tony disparut comme si je l'avais giflé. Il se pencha vers moi, comme pour étudier le flacon. Mais il s'arrêta.

– Je peux ? me demanda-t-il.

Il avait rapproché son corps du mien, les yeux toujours rivés sur ma poitrine.

– Bien sûr, dis-je dans un souffle en levant le flacon vers lui, mais sans le décrocher de mon cou.

Il l'observa de si près que je vis les infimes étincelles de lumière qui dansaient dans ses pupilles.

– C'est normal que ça brille autant ?

– Oui, répondis-je tout bas.

Je me renversai dans mon siège et le flacon retomba sur ma gorge. Je regrettai d'avoir mis aussi la bague en onyx. J'espérais qu'il n'était pas trop observateur.

Par la fenêtre, j'entendais des voix joyeuses et les voitures qui passaient sur Main Street. En levant la tête, je distinguais les nervures des feuilles et les fibres de l'écorce. Je pouvais toujours me distraire avec des leçons de conduite et des amis : Rhode était mort, et ses cendres magnifiques étaient la seule preuve qu'il eût jamais existé.

– Moi, j'ai perdu un frère, me révéla Tony sans crier gare.

Son regard compatissant m'étonna. Il se rallongea dans son siège.

– Quand ?

Soudain, je perçus un boum-boum de basses émanant d'une voiture. C'était loin, mais je l'entendais quand même.

– J'avais dix ans. C'est arrivé du jour au lendemain. Un accident de voiture.

Je hochai la tête. Je ne savais pas comment réagir à une chose pareille.

– C'est aussi pour ça que j'ai du mal à être tout le temps joyeux comme les autres. La vie est dure, parfois, et la plupart des gens ne comprennent pas. Ils pensent – du moins tout le monde dans ce bahut – que tout leur tombera tout cuit dans le bec. Trop facile, tu sais ? Comme s'il ne fallait jamais se battre.

Je posai une main sur la sienne et l'y laissai un moment. Que dire ? J'avais donné la mort. Avec plaisir. La mort m'allait si bien.

– Avant, je m'imaginais que je pouvais encore parler avec mon frère après sa disparition. Quand j'étais petit, je lui parlais tout bas, du fond de mon lit. Je lui racontais tous mes soucis. Parfois, je rêvais de lui juste après, dès que je m'endormais. Tu crois qu'il me répondait ? Tu crois que c'est possible ?

La fraîcheur de sa peau et l'innocence de ses yeux me donnaient envie de lui mentir. Mais j'avais vu la mort. De près. Et quand on est mort, on est vraiment parti – à jamais.

– Comme tu l'as dit l'autre jour : tout est possible.

Boum boum boum. Quelque part sur Main Street, les basses résonnaient dans une voiture. Je me contorsionnai pour regarder à travers le pare-brise arrière : le 4 x 4 de Justin franchissait le portail de Wickham. Il vint se garer juste à côté de nous. Justin baissa sa vitre.

– Prêts ?

172

Je jetai un coup d'œil à Tony, dont l'expression disait que nous avions franchi un cap dans la compréhension mutuelle. Si nous étions prêts ?

Je pense bien.

Chapitre 11

J'aimerais pouvoir me décrire assise en plein soleil à la proue du bateau, les jambes pendant dans le vide. J'aimerais pouvoir vous raconter que je regardais l'écume bouillonner autour de l'étrave du luxueux hors-bord de Justin, et que les gouttelettes froides me chatouillaient la plante des pieds. Mais il n'en fut rien. Dès l'instant du départ, je me terrais dans l'obscurité du cockpit.

Ce navire-là n'était pas son bateau de course. Il appartenait au père de Justin et ne servait que pour la promenade – voire, dans notre cas, pour la plongée. Depuis le pont, quelques marches descendaient jusqu'à un petit corridor. J'avais déjà vu des cabanes et des maisonnettes au cours de ma vie humaine, mais cet intérieur était incroyable : il était *conçu* pour flotter. Le couloir desservait deux placards, une cuisine, un cabinet de toilette. Je m'approchai d'une porte ouverte qui donnait sur une chambre.

Je m'assis sur le lit et pliai mes vêtements, que j'empilai soigneusement dans mon sac, avec mon pendentif. Je le fourrai dans le fond, loin des regards indiscrets. Je sortis un tube d'écran total. Il y était écrit en grosses lettres noires : SPF 50. De nouveau, j'explorai des yeux le corridor. Les rayons du soleil jetaient des éclats de lumière sur les marches qui remontaient à l'air libre. Je soupirai, dévissai le bouchon et pressai trop fort sur le tube. La substance crémeuse se répandit sur mes mains, s'insinua entre mes doigts et coula sur le sol.

Le blanc de la crème contrastait vivement avec le bleu roi de l'épaisse moquette, et je tâchai de l'étaler avec mon gros orteil. Pour couronner le tout, les moteurs ralentirent et je sus que nous approchions du site de plongée. Bientôt, les autres descendraient et verraient que j'avais appliqué une couche d'écran total ridiculement épaisse sur mes cuisses pâles.

Je me levai pour crémer énergiquement mes mollets, mes oreilles, mes bras. Je commençais à transpirer. Si j'oubliais un endroit, serait-ce comme avant ? Serais-je brûlée ? Peut-être la transformation n'était-elle pas entièrement achevée. La lotion s'étalait en surface. Elle ne pénétrait pas !

– Alors, tu montes ? m'appela Tony. Tu sais qu'il faut entrer dans l'eau pour faire de la plongée.

Il descendit à ma rencontre. Je me passais de la lotion sur les pieds. Il s'esclaffa avec un sourire adorable.

– Tu en as plein la figure.

Il s'avança vers moi et me frotta le nez du bout de l'index. Il sentait la noix de coco, comme la lotion dont je m'enduisais, et qu'il faisait pénétrer dans ma peau.

– C'est toi qui as eu cette idée de génie, me rappela-t-il en s'asseyant sur le lit et en croisant les pieds.

Comme il était torse nu, je ne pus m'empêcher d'observer son corps. Il n'était pas sculpté comme Justin, mais tout de même musclé et bien bâti.

Je me rassis sur le lit, le dos droit, les doigts crispés sur le tube de crème.

– Ça va ? me demanda-t-il en se redressant pour m'observer de près.

Je hochai la tête sans rien dire.

Tony remonta ses lunettes sur son front pour chercher mon regard, mais mes yeux étaient cachés par mes propres lunettes.

– Tu es déjà montée en bateau ?

– Il y a... longtemps... bredouillai-je.

– Tu me fais une crise de panique, là ?

De nouveau, je hochai la tête, puis je déglutis. J'avais la bouche très, très sèche. N'avais-je pas emporté de l'eau ? Où était-elle passée ?

Tony me prit par les épaules pour me faire pivoter face à lui.

– Lenah. Nous n'allons pas à plus de cinq kilomètres de la plage. Il n'y a aucun danger. Il ne va rien arriver au bateau.

Je lui tendis le tube.

– Tu peux m'en mettre dans le dos ?

Je ne lui précisai pas que ce n'étaient pas notre esquif ni l'océan qui m'inquiétaient. C'était le soleil, ce soleil de plomb, et ce qu'il risquait de faire à mon corps tout neuf, qui ne datait que de quelques jours. J'entendis les moteurs ralentir encore : leur rugissement du départ n'était plus qu'un faible ronronnement.

Comme je l'ai déjà dit, mon maillot de bain était noir. Il était très décolleté, et très échancré sur les hanches. La vie de vampire n'est pas perturbée par des soucis de corps et de poids. On est ce que l'on mange, si vous voulez. J'étais une puriste, sans cesse à la recherche du sang parfait. L'aspect extérieur de mon corps était la parfaite expression du sang le plus pur, dont je me nourrissais exclusivement.

Tony avait les mains calleuses. Je savais que c'était dû à son activité de peintre et de dessinateur. Son pas était différent à bord. Sans la spécificité des bottes dépareillées, il n'était qu'un ado maladroit comme les autres. Il étalait la lotion dans mon dos avec ses mains rêches, mais je ne dis rien. Il était la première *personne* à toucher ma peau. Il décrivait de grands cercles avec ses mains. Mon tatouage était visible, et je remarquai qu'il s'attardait sur mon épaule gauche. Je savais qu'il le lisait et le relisait en se demandant quand je lui en expliquerais enfin la signification.

Les moteurs s'arrêtèrent complètement, au moment exact où Tony me demandait :

– Bon alors, qu'est-ce que ça veut dire : « Honni soit qui... »

– Merci, le coupai-je en me retournant.

Je lui repris le tube, que je jetai sur mon sac.

– Allez, venez ! nous cria Roy Enos.

Un instant plus tard, j'entendais un gros bruit d'éclaboussures.

Je sortis du cockpit. Il y avait deux doubles moteurs et quelques sièges sur le pont.

Tracy, debout sur le bordage, sauta à l'eau. Elle portait un deux-pièces rouge qui ne tenait sur ses hanches que par de minuscules ficelles. Soudain, je détestai mon maillot de mémé et regrettai de ne pas avoir craqué pour un bikini. Les autres membres du Trio, Claudia et Kate, se baignaient déjà. Tony était descendu par l'échelle et rejoignait les autres à la brasse.

Justin, après avoir jeté l'ancre, préparait l'équipement de plongée. Il se retourna, un masque en plastique rouge à la main.

– Ouah ! s'exclama-t-il.

Ses yeux parcouraient mon corps et je tâchai de ne pas poser.

Justin se détourna rapidement. Il farfouillait parmi les masques, les tubas, les palmes – lesquelles ressemblaient à celles que j'avais vues dans les musées au début du siècle. Il les posa sur le couvercle d'une petite glacière.

Ses pieds musclés, tannés par le soleil, portaient bien son corps. Roy Enos, qui avait la tête plus petite et le visage plus étroit que Justin, barbotait dans le courant. Il appela son frère.

– Balance-moi ces palmes, Justin.

Et il bascula sur le dos pour faire la planche. En regardant par-dessus bord, je me rendis compte que

179

nous n'étions pas du tout en pleine mer. Nous nous trouvions dans un port, et quand les arbres remuaient dans le vent, j'apercevais la brique familière des bâtiments du campus. Le port formait une alcôve, parallèlement à la plage de Wickham. Je distinguais chaque grain de sable, chaque brin d'herbe. Mais je tentai d'oublier mes pouvoirs vampiriques pour me concentrer sur la mer. La plupart des filles étaient sur la pointe des pieds ; Tony faisait le poirier à côté de Tracy.

Claudia, la plus petite, nageait autour du bateau avec un masque. Elle explorait le mètre cinquante d'eau qu'elle avait au-dessous d'elle.

Ah, voilà ! me dis-je. *C'est donc ça, la plongée.*

– Tu es au courant qu'il faut que tu sautes dans ce truc mouillé, n'est-ce pas ? me demanda Justin.

– Je sais, répondis-je tranquillement en quittant la protection de l'auvent qui ombrageait le siège du pilote.

Lorsque je me penchai par-dessus bord pour évaluer la profondeur, le soleil s'abattit sur mon dos et sur mes épaules. Tracy se renversa en arrière dans l'eau pour lisser ses cheveux. Hé, ho, n'étais-je pas censée être la plus belle ? Mon ventre se serra. D'instinct, je posai les mains sur mon nombril. Les réactions de mon corps me surprenaient encore. Surtout le fait que mes muscles réagissaient à mes émotions.

– C'est censé être agréable, me dit Justin en levant un pied pour monter sur le bordage. Je ne savais pas que tu avais peur en bateau.

– Je n'ai pas peur en bateau.

– Ben voyons.

Et il eut un sourire diabolique, provocateur.

Avant même que j'aie pu commencer à me défendre, il grimpa sur le rebord. Je vis ses genoux se plier, ses pieds prendre appui sur le bois. Il se propulsa en l'air. Avant d'entrer dans l'eau, il fit un saut périlleux. Ses éclaboussures passèrent très haut au-dessus de ma tête.

Quel pouvait être l'intérêt de faire une chose pareille ? En bas, les autres riaient et applaudissaient. Sauter juste pour s'amuser me paraissait absolument vain.

– À moi ! clama Roy en regagnant le bateau à la nage.

– Attention, ne te cogne pas la tête, lui recommanda Justin.

À ma grande surprise, ils se mirent tous à faire des sauts périlleux depuis le bateau. Pourquoi n'avais-je aucune envie de les imiter ? Ils semblaient y prendre tant de plaisir... M'éloignant de leurs acrobaties, je rejoignis la proue. Je m'assis en laissant pendre mes pieds par-dessus bord. Derrière moi, j'entendais encore des cris de joie, des éclaboussures, mais je me concentrai sur les vaguelettes qui venaient lécher les flancs de l'embarcation. Même sous mon grand chapeau, je sentais les rayons du soleil me frapper, me chauffer. Tournant la tête, je vis Roy puis Justin exécuter des plongeons parfaits. Il était vraiment incroyable, tout de même. Être capable de faire cela... et en plein soleil, en plus.

Girvan, Écosse, 1850.

J'étais étendue dans un pré, derrière une rangée de maisons. Je ne me vêtais que des étoffes les plus luxueuses. Ma robe, ce soir-là, était longue et noire, en soie de Chine, avec un corselet brodé de fleurs rouges, vertes et violettes et un volant de satin chatoyant sur les hanches. Mes longs cheveux étaient tressés.

Il était un peu plus de neuf heures du soir. Dans la rue, une lumière chiche émanait des étroites fenêtres. Girvan était une petite ville côtière d'Écosse, nichée dans un creux au sein d'une vaste étendue de collines. Notre cercle était réuni dans ce pré, derrière un mur de pierre qui courait parallèlement à la route. Song marchait de long en large, montant la garde comme toujours. Heath s'était couché sur le dos pour observer le lent mouvement des astres. Gavin lançait de petits couteaux dans l'écorce d'un arbre. Il portait toujours une collection de dagues dans ses bottes et dans ses poches. Ce soir-là, il avait élu comme cible un tronc situé à une centaine de mètres.

– Il nous faut quelqu'un de savant, dis-je.

Assise dans l'herbe à côté de Heath, je me levai pour faire les cent pas. De nouveau, je ruminais.

– À cinq, on forme un cercle fort. (Je désignai Heath.) Nord. (Puis Song.) Est. (Gavin.) Sud. Il nous faut un Ouest, il nous manque notre Ouest.

Quatre protecteurs, et moi au centre. Et une fois le cercle au complet, le lien qui nous unissait serait indestructible. La magie obligerait chaque membre à demeurer entièrement dévoué aux autres, jusqu'à la mort. Gavin, Heath et Song savaient tous trois que je voulais une personne de plus, même si je soupçonnais Gavin, le plus prudent d'entre nous, de redouter la puissance d'une telle association. La magie de l'union est mortelle. Elle crée un lien invisible qui s'attache à votre âme. Ce lien est impossible à briser. Cela signifie la mort... et c'était exactement mon intention. Personne ne me trahirait, à moins de souhaiter mourir par mes mains. À condition de faire le bon choix, de désigner le bon candidat, je serais invincible. Je voulais être certaine de ne jamais avoir à m'inquiéter de notre survie. Survie ? Comment pouvais-je même employer ce mot ?

– Juste au-dessus de nous, c'est Andromède, dit Heath en latin.

Il était mon deuxième vampire, après Gavin.

– À côté, c'est Pégase, poursuivit-il en pointant du doigt les étoiles qui composaient le mythique cheval ailé.

– Emporte-moi, Pégase, criai-je en tournant sur moi-même, les bras ouverts. Emporte-moi haut dans le ciel de midi, que le soleil puisse briller dans mon dos. Laisse-moi régner sur tes ailes !

Je ris, et ma voix résonna en écho dans le pré. Je tournai, tournoyai, jusqu'à m'écrouler au sol à côté de Heath. Il prit appui sur sa hanche pour me faire face.

– On dit qu'Andromède adopte les traits d'une femme armée d'une épée, dit-il en passant la main sur mon corps, de l'épaule à la cuisse.

Je souris et me renversai sur le dos. Je ne voyais pas Andromède. Pour moi, les étoiles n'étaient que de petits points de lumière qui échappaient à mon pouvoir.

– On dit aussi qu'on ne peut la voir que grâce aux cinq étoiles les plus brillantes de la galaxie.

Le silence se fit, uniquement brisé par un choc sourd chaque fois qu'un des couteaux de Gavin frappait sa cible. Song marchait toujours, grognant presque entre ses dents. Nous n'avions nul besoin de nous nourrir, car nous avions ravagé une auberge la nuit précédente. La magie qui courait dans notre sang mettrait quelques jours à s'évanouir. Puis il faudrait repartir en chasse. Pendant que Heath continuait de nommer les étoiles une par une, je me levai, désœuvrée, et me remis à marcher. C'est alors que j'entendis un homme chanter une entraînante ballade écossaise.

Droit devant nous, entre les arbres, on apercevait une taverne. Les carreaux laissaient filtrer une faible lueur de chandelles. Je m'en approchai. À mesure que j'avançais, j'entendais de mieux en mieux le chant. Bientôt, la voix fut clairement audible. Elle était rocailleuse, mais entraînait toute la taverne dans sa rengaine.

– *Buvons au courageux soldat et au brave marin !*

Je soulevai mes jupes pour enjamber les racines et les branches qui jonchaient le sol moussu. Je me savais observée par mon cercle, mais ma perception extrasensorielle m'indiquait aussi que mes camarades étaient tranquilles.

– *Leur âme est partie, mais leur légende vit. Sur les ailes du temps, ils se sont envolés !* chantait l'homme.

Il avait une belle voix, quoique légèrement envasée par l'alcool.

Je passai la jambe par-dessus un muret de pierre et redescendis de l'autre côté. Je n'étais plus qu'à quelques pieds de la taverne. Je m'approchai de la fenêtre, le plus silencieusement possible. Les chandelles diffusaient une vive lumière orangée. Il y avait des tables en bois et des tabourets. Hommes et femmes levaient des chopes de bière ou de whisky. En regardant le plus loin possible sur la droite, je découvris un homme de haute taille, en grand uniforme militaire britannique, qui dansait sur une table. Il ne devait pas avoir plus de dix-huit ou dix-neuf ans, malgré les rides qui plissaient les coins de ses yeux quand il souriait. Les muscles de ses bras tendaient la toile de son habit. J'eus l'envie de passer la main le long de son échine.

Son costume se composait d'une veste rouge et d'un pantalon noir. Il lança un coup de pied en l'air, sauta sur lui-même, attrapa un béret de feutre bleu et le jeta dans la foule. Il lançait la jambe droite, puis la gauche, sautait, retombait, remontait un genou, puis l'autre, secouait toute la table avec ses pieds. Il exécutait un pas écossais traditionnel.

Les poignets et le col de son uniforme étaient galonnés d'or. Les boutons luisaient dans la lumière des torches. Je me tournai vers l'autre côté. La musique émanait d'un groupe qui frappait des tambours et soufflait dans des cornemuses, au fond de la salle. Le soldat dansait toujours, encouragé par les clients de la taverne qui tapaient en rythme dans leurs mains. Il était rouge, plein de vie... plein de sang. Il était grand, comme Rhode, les traits fins, la bouche pulpeuse. Ses mains étaient fortes. De la droite, il tenait l'anse d'une chope de bière.

– *Leur âme est partie, mais leur légende vit. Sur les ailes du temps, ils se sont envolés !* chantait-il toujours.

Le dernier couplet achevé, il bondit de la table en renversant de la bière sur le plancher. Même dans la pénombre de l'estaminet, ses yeux noisette brillaient avec chaleur.

M'écartant de la fenêtre, je fis le tour de la bâtisse. J'allais entrer pour parler à cet homme. Mais juste avant que j'aie tiré sur la porte, celle-ci s'ouvrit si brusquement qu'elle fut projetée contre le mur. Je traversai en courant la route de terre battue pour aller m'adosser à un arbre, en face de la porte. Les arbres étaient verts et feuillus, mais fins, pointés vers le firmament. L'homme sortit, inspira à pleins poumons, puis porta une cigarette roulée à ses lèvres.

Il souffla sa fumée vers le ciel, la cigarette au coin de la bouche, plissa un œil et essuya la sueur de son front. Puis il ôta la cigarette de sa bouche, regarda dans ma direction, l'œil toujours plissé, et s'avança d'un pas.

– Il y a quelqu'un ?

Il avait la voix rauque et un fort accent écossais.

Je m'écartai de l'arbre.

186

– Bien le bonsoir, soldat.

Il haussa les sourcils et s'inclina très bas. Comme je ne lui faisais pas la révérence, il me sourit, mais avec une lueur de curiosité dans l'œil. Je retraversai la rue pour le rejoindre à la porte de la taverne.

– Je préfère une poignée de main, dis-je en réponse à son salut.

Et je lui tendis la main, comme j'avais vu des centaines d'hommes le faire à cette époque. Dans les années 1850, les hommes du monde n'estimaient pas correct qu'une femme leur serre la main comme une égale. J'ai toujours trouvé cela grotesque.

Il contempla d'abord ma main tendue, puis mes yeux. Je souriais, bouche fermée. C'était toujours efficace quand je n'obtenais pas ce que je voulais.

– Une poignée de main ?

Il me tendit la sienne, et j'en profitai pour vérifier l'intérieur de son poignet. De fines veines bleues ressortaient en relief et remontaient le long de son bras.

Il me toisa de la tête aux pieds. J'aurais voulu sentir ses mains musclées. Je percevais la fermeté de sa poigne, mais pas le contact de peau à peau. Rien de précis, en tout cas. Il lâcha le premier et recula lentement dans l'encadrement de la porte. Je comprenais bien la chaleur de son regard, mais j'aurais adoré connaître le toucher de ses doigts sur ma peau. Ou son haleine, ou la texture de ses cheveux. Je savais que tout cela était impossible, mais je ne m'en languissais pas moins pour autant. Je ne flairais qu'une odeur de terre retournée et de musc, la senteur de sa chair qui s'attardait sur ma robe.

– Vous avez les mains froides, me dit-il.

– Vous avez quelque chose d'inhabituel, répondis-je en m'approchant de telle sorte qu'une torche, à la porte, éclaira mon visage.

Il se rapprocha de nouveau. Plissa légèrement les paupières, tourna la tête pour souffler sa fumée, puis étudia encore mes traits. Ses pupilles s'arrêtèrent sur ma bouche.

– Non, ma chère. C'est vous qui avez quelque chose d'inhabituel.

Ce jeune homme me contemplait avec le plus vif intérêt. Son ton jovial avait disparu.

– Qui êtes-vous ? souffla-t-il.

Je dois avouer que cela me désarçonna. Personne ne m'avait encore rien dit sur mon apparence, ma peau lisse, mes grands yeux noirs. Personne n'osait jamais insinuer que je puisse ne pas être normale. La plupart des humains étaient pétrifiés par ma beauté.

– Personne en particulier, répondis-je d'un ton détaché.

Je commençai à lui tourner autour en ondulant des hanches et en l'examinant à ma manière habituelle.

– Je suis un fusilier écossais. Spécialiste de la géographie. J'ai parcouru le vaste monde afin d'établir des cartes pour l'armée britannique. J'ai vu bien des visages. Des nez, des yeux, tous uniques et complexes. Vos traits, ma jolie, ne sont pas de ce monde.

– Et d'aucun que vous eussiez jamais connu, répliquai-je en cessant de tourner pour me camper face à lui. Votre nom ?

– Vicken, très chère.

Il se rapprocha d'un pas. Sa voix était rugueuse, bien plus que celle de Rhode, dont le doux phrasé était gravé au fer rouge dans ma mémoire.

– Vicken Clough, vingt et unième régiment.

Il soutint mon regard. Ne cilla pas. Il ferma juste une fois les paupières, calmement.

Soit mes perceptions étaient complètement déréglées, soit cet homme n'avait pas peur de moi. Il fallait que je parte. Je ne comprenais pas ce qui se passait. Je jetai un rapide coup d'œil vers la prairie, derrière la taverne.

– Je dois m'en aller.

Et je m'en retournai vers mon cercle. Il me rattrapa par le bras.

– Je vous en prie, ne vous jouez pas de moi, miss. Vous risqueriez d'obtenir exactement ce que vous cherchez.

Cet homme était puissant, attirant. Il savait précisément ce qu'il voulait. Je dégageai mon bras et retournai vers le pré. J'enjambai de nouveau le muret pour aller retrouver mon cercle, qui n'avait pas bougé et paressait toujours au milieu de la prairie. Si j'avais ramené le nouveau venu avec moi, il aurait été tué dans l'instant. Je n'avais rien contre sa mort, mais j'étais trop intriguée pour prendre sa vie tout de suite.

Je l'entendis me rappeler.

– Attendez !

Ses pas s'arrêtèrent à la lisière de la prairie.

– Qui êtes-vous ?

Le temps qu'il eût atteint le pré, je m'étais trop enfoncée dans le noir pour qu'il pût encore me voir. Je me tins à l'écart, cachée dans l'ombre des branches. Vicken agrippa le muret à deux mains, leva un pied, mais le reposa. Il tendit le cou pour tenter de percer les ténèbres. Il jura entre ses dents et se détourna. J'allai rejoindre mon cercle

– Qui était-ce ? voulut savoir Song.

Je ne pus réprimer un sourire satisfait.

– Quelqu'un d'intéressant. Retrouvez-moi à l'auberge à l'aube. (Je levai les yeux vers le ciel et notai la position de la lune.) Nous avons quatre heures devant nous.

Sur ces mots, je quittai le cercle et, à son insu, suivis Vicken jusque chez lui.

Il n'habitait pas loin de l'estaminet. Je repassai le muret, en veillant à rester dans l'ombre, et marchai sur ses traces. Lorsque j'atteignis la route, il n'était plus qu'à quelques pas devant moi. La bière qu'il avait absorbée le faisait légèrement tituber. Il vivait à sept maisons de la taverne. Il se cogna l'épaule contre un arbre en tournant sur un petit chemin de terre. Tout en le suivant, je portai mon regard plus loin ; la route qui menait chez lui se terminait par une falaise à pic, qui plongeait dans l'océan immense.

La maison de Vicken se trouvait à la lisière d'une dense forêt adossée à la mer. Le bâtiment principal était en pierre blanche. Il avait un étage surmonté d'un toit noir. Derrière, on distinguait une maisonnette de granit, à pièce unique, bien moins imposante. Le suivant toujours en silence, je passai devant une écurie où j'entendis des chevaux souffler tranquillement, tandis que loin en contrebas, les vagues s'écrasaient contre les rochers.

Vicken entra dans la maisonnette et ferma la porte derrière lui. J'abaissai la poignée et entrai à mon tour. Il avait dit vrai. Il aimait les cartes, il y en avait partout. Une douzaine au moins était accrochée aux murs ou posée sur un petit bureau de bois dans un coin de la pièce. Un placard renfermait des uniformes militaires. Un globe d'un bleu vif trônait sur le bureau.

La porte de derrière était ouverte et, dans le jardin, je vis Vicken installer un appareil en cuivre. Celui-ci reposait sur ce que nous appellerions aujourd'hui un trépied.

En traversant la maison, je passai devant une baignoire ; le rideau était ouvert, et j'entrevis une paire de chaussettes blanches mises à sécher sur le bord. Je m'encadrai dans la porte, et Vicken leva la tête. Il ne sourit pas, ne se rembrunit pas non plus. Il me jeta un bref regard, puis retourna à sa machine.

– Vous n'avez pas peur des bêtes ? Des monstres ? lui demandai-je.

– Vous n'êtes pas un monstre, affirma-t-il simplement en manipulant un long tube pointé vers le ciel.

Il vérifia la lentille, ajusta la position du tube, puis me contempla de nouveau.

– J'ai bien plus peur, miss, de ce que je ne peux pas voir avec mes yeux.

Il me fit signe de venir le rejoindre. Je m'approchai du télescope. La lune que je vis par le tube était nette et claire, mais ses cratères m'étaient complètement étrangers.

– C'est très beau, dis-je tout bas.

Je relevai la tête vers lui – il sourit un peu. Je me reculai alors vers la maison principale.

– Pourquoi n'avez-vous pas peur de moi ?

Bien qu'il prétendît ne pas être effrayé, il resta à distance. Il garda les doigts sur le télescope, occupant sa nervosité en affinant les différents réglages voulus pour observer le ciel nocturne. J'admirai la ligne forte de ses larges épaules, sans cesser de penser à ses pupilles inquiétantes. Sa virilité était fascinante.

– Vous m'intriguez, affirma-t-il en cherchant de nouveau mon regard.

Rejetant la tête en arrière, j'eus un rire grave qui résonna dans le silence de la nuit.

– Je vous intrigue ? C'est donc cela ? De la curiosité ?

Il s'intéressait de nouveau au télescope.

– Dites-moi, Vicken Clough du vingt et unième régiment, que diriez-vous si je vous annonçais que vous pourriez explorer toute la terre et la cartographier entièrement ? Devenir le navigateur le plus puissant que le monde ait jamais connu ? Que tant que la Terre existerait, vous existeriez aussi ?

Il baissa la tête, le sourcil froncé, les mains derrière le dos.

– L'éternité, miss, n'est pas possible.

– Et si je vous disais qu'elle l'est ?

Il me regarda au fond des yeux et j'attendis qu'il baisse les siens, mais il n'en fit rien.

– Je vous croirais.

Je vins placer mon visage à quelques centimètres du sien.

– Que dois-je faire pour rester avec vous ? s'enquit-il.

Il avait envie de m'embrasser. Je le voyais dans ses pupilles, dans cette langueur qui voile parfois les iris noisette. Ses cils se recourbaient comme ceux d'un petit garçon quand il les clignait. Je souris. C'était le moment que je préférais. Il connaîtrait sûrement la terreur, bientôt. Je laissai ses lèvres effleurer les miennes, si légèrement que j'eus à peine conscience qu'elles les avaient touchées. Mes crocs descendirent avec une lenteur extrême, et je murmurai :

– Je vais devoir vous tuer.

Le souffle coupé, il fit un pas en arrière. Je voyais bien en lui un tressaillement de peur, mais pas l'horreur que j'aurais attendue. Il ne redoutait que ses propres actes : il redoutait ce qu'il était prêt à faire – pour moi.

C'était ahurissant. Ridicule. Je consultai la lune. Encore trois heures avant l'aube.

– Je vais laisser la nuit vous porter conseil, déclarai-je en contournant la maison pour regagner la route. Demain, à la même heure, je viendrai chercher votre réponse.

– Votre manière de parler m'indique que quoi que je dise, je n'ai pas le choix.

Lui aussi avait fait le tour de la maison. Dans le clair de lune, je vis de la sueur sur son front.

Je tournai les talons.

– Pourquoi l'acceptez-vous ? lui demandai-je, certaine que son obéissance devait avoir une raison.

Vicken eut un sourire de travers : seule la moitié gauche de sa bouche se souleva. Il posa une main contre le mur.

– Pour vous.

Il y eut un long silence. Je contemplai ses bras forts et ses cheveux qui retombaient au hasard, comme paresseusement, autour de son visage.

– Alors faites vos adieux.

Je disparus dans la nuit.

Le lendemain soir, je m'approchai de la maison principale. Par la fenêtre, je vis Vicken dîner en famille. De longues chandelles blanches décoraient les deux bouts de la table. Du gibier rôti et divers plats de légumes étaient servis. Le père de Vicken présidait en bout de table, Vicken trônait à sa droite. Le père était un homme solide et rond dont les cheveux blancs formaient des touffes. Il poussa un grand rire et pinça la joue de son fils. Une angoisse que je connaissais bien enfla dans ma gorge. Je haïssais les familles. Bien souvent, cette tristesse me faisait assez enrager pour me pousser au meurtre, et je massacrais alors tout ce qui pouvait me rappeler la vie que j'avais laissée derrière moi.

Pourquoi n'avais-je pas envie d'anéantir cet individu ? Pourquoi voulais-je le laisser dans ce cadre familial, avec son père, sa mère et sa collection de cartes ? Avais-je eu l'audace de trouver un autre homme que Rhode à aimer ? Oui, il serait libre, décidai-je. Alors que je me détournais pour partir retrouver mon cercle à l'auberge, je croisai son regard.

Il se leva immédiatement et se lança à ma poursuite, mais je fuyais déjà sur le chemin de terre, m'éloignant de l'océan, pressée d'atteindre la route.

– Attendez-moi !

– J'ai changé d'avis. Vous êtes libre, dis-je en me tournant vers lui au milieu du chemin bordé de grands arbres. Vous aviez raison, vous savez ? Vous êtes le premier homme à qui j'aie jamais laissé le choix. Rentrez auprès des vôtres.

Il me rejoignit si vite que sur le moment, je m'étonnai qu'il ne fût qu'humain. Il posa les mains sur mes joues.

– Je ne veux pas, dit-il avec tant de passion qu'il en grinçait des dents. Je suis prêt à les quitter. Je ne veux pas rester ici, mourir ici et ne plus rien voir du monde.

– Mais alors, que voulez-vous ?

Il agrippa mes épaules comme un désespéré. Je ne bougeai pas. Il prit une profonde inspiration.

– Vous, redit-il, pantelant. Rien que vous.

Je sondai le fond de ses yeux. J'y aperçus un besoin inouï. Le besoin de moi. Puis je caressai du regard les puissants muscles de son cou, de ses épaules, et remontai vers ses longs cils. Il se pencha vers moi, effleura mes lèvres avec les siennes. J'inspirai profondément, juste pour flairer sa chair – de nouveau cette odeur de musc et de sel. Bientôt elle courrait dans mes veines.

– Tout est joué, dis-je en rouvrant les paupières. (Je le pris par le poignet pour l'éloigner de la maison.) Vous rejoindrez les rangs de vampires dont l'origine se perd dans la nuit des temps. Mais vous serez puissant. Bien plus que vous ne pouvez l'imaginer.

Je m'éloignai en direction des bois, derrière la maisonnette.

– Serez-vous là ? me demanda-t-il.

Je lui pris la main.

– Toujours.

Peut-être son amour n'était-il dû qu'à mon statut de vampire. Je ne sais pas. Rhode me l'avait un jour expliqué : notre aura était si puissante que la plupart des hommes étaient hypnotisés sans le savoir. Mais je vous assure que lorsque je l'emmenai dans les bois derrière chez lui, c'est lui qui me tenait par la main. Et lorsque je mordis dans son cou... il contemplait les étoiles.

Chapitre 12

– Lenah !

Je revins au présent, et mes yeux firent le point sur les vaguelettes qui léchaient la coque du bateau.

– Lenah, par ici !

Je tournai la tête. Justin Enos flottait dans l'eau. La réverbération le forçait à plisser légèrement les paupières, mais il souriait.

– Ne m'oblige pas à monter te chercher !

Au même moment, Tony arriva sur un matelas gonflable et me prit en photo.

– Qui a amené le paparazzi ? demanda Claudia tout en nageant autour du bateau.

Je me levai prudemment et reculai sur le pont. Je m'efforçais de chasser de ma tête les images de Vicken, mais l'horloge invisible, celle qui tic-taquait sous mon crâne, me susurrait que la Nuit Rouge approchait. Bientôt, Vicken irait me déterrer. Justin nageait vers l'échelle, et le temps que je l'atteigne, il montait déjà me rejoindre.

– Je n'avais jamais vu le soleil briller comme ça sur la mer, lui avouai-je quand il eut pris pied sur le pont.

Il dégoulinait de la tête aux pieds.

– Et moi, je n'avais jamais vu personne d'aussi blanc que toi, me lança Roy, toujours dans l'eau.

– La ferme, Roy, cracha Justin au milieu des rires.

Roy lui jeta un gros mot que je ne connaissais pas et s'éloigna. Tracy nous fixait des yeux, et les deux autres filles aussi, même si elles essayaient de le cacher en s'éclaboussant. Ma tête était en proie à une calme satisfaction. Je compris que c'était... de la gratitude. Justin m'avait défendue.

– Viens, dit-il en me tendant sa main.

Avant de la prendre, je regardai sa paume. Ses doigts étaient si lisses... Certains vampires, mais pas tous, croient à la chiromancie. La ligne de vie de Justin – celle qui passe entre le pouce et l'index – était très longue : elle lui descendait presque jusqu'au poignet. Mais elle ne reflète pas la longévité. C'est un indicateur de l'engagement dans la vie, de la force vitale. Il aurait eu parfaitement sa place dans mon cercle. Il me prit la main sans me laisser réfléchir davantage et m'attira sur le bordage.

– Tu as peur de sauter ?

Je fis oui de la tête. Il serra ma main encore plus fort. Sa paume tiède, sa peau chaude. Ma vie avait été si glacée jusque-là... Mes orteils se crispèrent sur le rebord et je m'accrochai à ses doigts.

– Ça ne vaut pas une bonne douche sous la pluie, hein ! Mais c'est bien aussi, je te le promets.

– Une promesse de celui qui m'a traitée de traînée.

Il soupira mais ne baissa pas les yeux.

– Tu vas me laisser me racheter, oui ou non ?

J'en restai coite. Que répondre à cela ?

– Pardon. Tu as raison, lui dis-je après une hésitation.

– Tu veux des palmes ?

Je secouai la tête.

– Comme tu veux. L'eau n'est pas très profonde. On a pied partout ou presque, alors ne plonge pas. Saute, tout simplement. Tu es prête ?

J'acquiesçai.

– Il faut bien commencer quelque part, hein ?

Il me rassura du regard.

– Allons-y !

Le corps de Justin, à nouveau, se propulsa en l'air. Je fermai les yeux, sentis mes genoux ployer, et sautai. Le soleil me chauffait le dos. Je levai les mains et laissai l'océan m'envelopper. L'eau me fit le même effet que mille tonnes de pression s'abattant sur moi. Je n'entendais plus que le grondement des bulles. Mes oreilles et mon nez se remplirent, mais je retins ma respiration. À un moment, je sentis le sable sous mes orteils : je donnai alors un coup de pied pour remonter et j'émergeai en cherchant de l'air. Une fois la tête hors de l'eau, j'ouvris les yeux et je me mis à rire, sans plus pouvoir m'arrêter. En frottant mes paupières, je surpris l'expression joyeuse de Justin.

De l'eau jusqu'au milieu du torse, il vint me rejoindre. Tracy nageait vers lui, dans son dos. Il souriait largement, et moi aussi. Il ouvrit la bouche et pendant un instant, un tout petit instant, j'eus l'impression qu'il allait tendre la main vers moi. Mais Tracy l'entoura de ses bras et se pressa contre son dos. Ses ongles peints en rose vif ressemblaient à des griffes en travers du torse de son homme. La main de Justin bifurqua vers Tracy, mais ses yeux restèrent fixés sur moi. Au moment où il se tournait vers elle, Tony surgit de l'eau et me photographia de tout près, cinq centimètres à peine.

– Dis-moi, Lenah, tu l'as eu où, ton collier ? me demanda Tracy depuis le siège avant du 4 x 4.

Elle se retourna vers moi. Nous étions en train de rentrer à Wickham. L'après-midi était bien avancé : il devait être environ quatre heures, à en croire la position du soleil. Je remis la chaîne autour de mon cou.

– C'est un cadeau.

– Trop mignon, commenta Claudia. De l'or des fous.

Tony rit sous cape.

– Le flacon est tout usé, tu devrais aller l'échanger contre un neuf, intervint Kate.

Je ne fis aucun commentaire. Nous avions tourné sur Main Street, la rue commerçante de Lovers Bay, qui, à proximité du campus de Wickham, était très animée, pleine de boutiques. En plus, ce samedi était jour de marché.

– Je n'avais pas vu d'or des fous genre depuis le CE2, c'était la grande mode à l'époque. Tu es vraiment rétro, Lenah ! persifla Claudia.

Nous passions devant des étals de fleuristes et d'herboristes. L'une de leurs enseignes indiquait : « Herbes et fleurs sauvages ».

– Vous pouvez me déposer là ? demandai-je.

– Ne te sens pas obligée de descendre, me dit Kate (mais elle lança un sourire narquois à Tracy dans le rétroviseur).

– Non. *S'il te plaît*, ne pars pas, ajouta Tony.

Mais Justin freinait déjà. Il arrêta la voiture. Le portail de Wickham n'était qu'à quelques pas. En descendant, je croisai brièvement le regard de Justin dans le rétro.

– À plus, Tony, lançai-je avant de claquer la portière.

J'étais certaine de me faire sonner les cloches pour l'avoir laissé seul avec les vautours, mais j'avais quelque chose à faire. Une chose que j'aurais dû faire dès mon arrivée à Wickham.

Au marché, je passai devant des cageots de pommes, de citrouilles et de cidres variés. Je retournai jusqu'à l'étal de l'herboriste. Soucis orange, pensées violettes, asters et chrysanthèmes jaune vif reposaient dans des paniers d'osier, délicatement noués en bouquets par des rubans de satin brun.

– Auriez-vous de la lavande ? demandai-je à la marchande assise sur un siège pliant. Un petit bouquet ?

Elle m'en tendit un avec amabilité.

– Quatre dollars.

Je payai et rebroussai chemin en direction du lycée. La lavande avait un parfum délicieux, et je gardai le nez dedans jusqu'aux grandes arches de l'entrée. Je franchis le portail, souris intérieurement et poussai un long soupir. Le campus fourmillait d'activité. Certains paressaient sur des couvertures, d'autres révisaient en groupe, en partageant leurs livres. Je respirai à fond et écoutai les voix qui résonnaient autour de moi.

« Je n'arrive pas à lire ton écriture ! Envoie-moi un mail. »

« La bio va me tuer. »

« Je veux le même pull que Claudia Hawthorne. »

« Buvons au courageux soldat ! »

Je faillis en tomber à la renverse. Je fis volte-face pour regarder derrière moi.

« Et au brave marin ! »

Je me retournai brusquement de l'autre côté. Qui chantait cela ? Sur une couverture, une brochette de fille lisaient tranquillement. L'une d'elles écoutait de la musique au casque. Il y avait des dizaines de personnes dans l'allée. Deux garçons plus jeunes passèrent à côté de moi, mais ils parlaient de la prochaine saison de basket. Je scrutai la pelouse, mais personne ne chantait. Je fis un pas, puis un autre. Alors que je commençais à retrouver mon calme, tout près de Seeker Hall, je l'entendis de nouveau.

« Sur les ailes de l'année ils se sont envolés ! »

Je laissai tomber mon bouquet de lavande pour plaquer mes mains sur mes oreilles. J'entendais mon cœur tambouriner. J'observai de nouveau les élèves autour de moi, juste pour être sûre. La plupart d'entre eux rentraient vers leurs chambres ou profitaient du soleil sur la pelouse. Je retirai mes paumes de mes oreilles et me baissai pour ramasser la lavande.

« Appelle-moi tout à l'heure ! »

« Dîner dans vingt minutes ! »

Les conversations étaient normales. L'Écossais chanteur avait disparu.

Les fantômes ont une manière bien à eux de vous égarer, ils peuvent rendre vos pensées aussi lourdes que des branches après l'orage. C'était la voix de Vicken, surgie de ma mémoire, qui venait me hanter en tournoyant dans les chênes. Même jusqu'à Lovers Bay, Massachusetts. Je le savais... il me manquait.

Une fois de retour chez moi, j'accrochai la lavande à côté du romarin. La lavande, lorsqu'on est traqué, protège contre les forces maléfiques. Elle bénit la maison dont elle orne la porte.

Chapitre 13

Vous est-il déjà arrivé d'avoir envie de faire quelque chose de terrible ? Je veux dire quelque chose d'horrible, affreux, abominable ? Parce que le lendemain matin, il me fallut rassembler toute ma volonté pour ne pas appeler mon cercle. Je me réveillai dans le silence. La chambre et le monde extérieur étaient plongés dans un grand calme. Je me concentrai sur des petits riens. Le plafond était lisse et blanc. Les oiseaux gazouillaient et les branches ondoyaient dans la brise. Mais surtout, j'avais conscience d'être seule. Nulle sortie en mer n'aurait pu me guérir de cela. Je me languissais des rêvasseries de Song ; j'aurais voulu regarder Vicken à l'autre bout d'une pièce bondée, et savoir exactement ce qu'il pensait ; les collines qui ondulaient tout autour de mon château et se fondaient dans le lointain, si loin que pendant les couchers de soleil, au moment où l'on pouvait de nouveau s'approcher des fenêtres, l'herbe semblait en feu : cela aussi me manquait.

Je rejetai mes draps pourtant si doux et me tournai sur le côté. Les paroles de Rhode me sciaient le crâne. La dernière nuit, nous avions parlé de beaucoup de choses. L'une était un avertissement : « Ne les contacte jamais, Lenah. Même si tu en crèves d'envie. Même si la magie que tu as créée te pousse à les chercher, à les appeler. Tu devras t'en priver. »

Je regardai le téléphone sur la table de nuit. Avaient-ils seulement le téléphone ? Si j'appelais et que l'un d'eux répondait, sauraient-ils que c'était moi ? Je me retournai de l'autre côté, dos au téléphone, face à la fenêtre, et tentai de penser à autre chose qu'au cercle. Je devrais peut-être prendre une douche. Quand j'étais vampire, je n'avais nul besoin de me laver. Rien n'était naturel chez moi ; j'étais scellée par la magie, inhumaine. Un corps mort, enchanté par le plus noir des sortilèges. Désormais, sous ma forme humaine, sentir l'eau chaude couler sur mon dos et mes bras était ce qui me rapprochait le plus de la paix.

Je sortis de mon lit, du côté opposé à la porte, en veillant à ne pas apercevoir l'épée de Rhode, accrochée tout près de ma chambre. Je la regardais beaucoup ces derniers temps – pour me réconforter, principalement. Je frottai mes paupières et pris pied sur le carrelage froid de la salle de bains.

– Aaaaaaah !

Je hurlai et me plaquai contre le mur derrière moi.

Mon reflet dans le miroir. Ma peau. Elle avait une couleur de miel. Un hâle. L'arête de mon nez affichait un éclat doré. J'étais *bronzée*.

Je m'approchai tout près du miroir. Je tirai sur ma peau avec le bout de mes doigts. Je plissai les paupières, examinai mes joues, mon menton, mon cou, à la recherche de rougeurs. Même avec l'écran total, j'avais pris des couleurs, et pourtant je n'étais pas brûlée comme je m'y serais attendue. Et je ne m'étais pas évaporée, non plus.

Je bondis vers le salon – mais m'arrêtai à la porte. L'épée de Rhode était au mur, fermement maintenue en place par ses attaches. Je regardai le bureau et la photographie de mon cercle. Mes camarades me contemplaient avec une vacuité mélancolique. Mais quoi qu'il en soit, tout était vide, non ? Personne sur le canapé ni dans le fauteuil. Personne pour me préparer un café ou me demander ce que je voulais manger. Il n'y avait que moi.

Je m'assis sur le canapé. Il était trop tôt pour le petit déjeuner, et Tony m'avait prévenue qu'il dormirait au moins jusqu'à midi. Les week-ends étaient particuliers à Wickham. Les externes rentraient chez eux, et pratiquement tous les autres mettaient ce temps à profit pour réviser. La première semaine de classe s'était déroulée sans incident, hormis le cours d'anatomie. Je pris le livre sur la table basse, toujours ouvert à la gravure de Rhode. Je regardai ses yeux, ses beaux yeux qui me hanteraient à jamais : ils étaient ouverts sur le vide. Personne ne pouvait me comprendre.

Soudain, la fatigue me retomba dessus. Je ne voulais plus qu'une chose : me rouler en boule dans mon lit. *Oui, ce serait bon de dormir*, songeai-je. En regagnant ma chambre, j'espérai rêver de Rhode.

Ce soir-là, je passai à la chambre de Tony, mais il était parti dîner avec ses parents. Par conséquent, j'errai seule dans le campus. Même s'il faisait chaud pour un mois de septembre, autour de 25 °C, je sentais quelque chose dans l'air. Le temps se rafraîchissait.

Malgré le crépuscule, le bâtiment Quartz bourdonnait d'activité. Sur la pelouse, des garçons se lançaient des ballons de football américain ou se faisaient des passes de foot. On entendait du rock dans la tour des arts. Garçons et filles arpentaient les allées et bavardaient aux fenêtres des divers dortoirs.

Deux filles passèrent à côté de moi. J'en reconnus une : elle était avec moi en anglais, dans le cours de Lynn.

– Salut, Lenah ! me héla-t-elle.

– Heu... ah, hum, salut !

Je me rendis compte que je souriais. Elle aussi était en première. C'était tout simple. Un salut gratuit, rien que pour moi.

Je crois que j'étais en route pour aller contempler les étoiles depuis la plage lorsque je remarquai de nouveau la serre, juste derrière les labos de sciences. Moi qui venais d'acheter de la lavande la veille, je traversai la pelouse pour m'en approcher.

L'édifice de verre occupait une vaste surface. J'appuyai mes mains contre la vitre pour scruter l'intérieur, mais tout était plongé dans le noir. J'examinai les plantes qui se trouvaient directement devant moi. Soudain, l'adrénaline m'envahit et j'étouffai un cri.

– Des capucines ! Des roses, du lilas, des soucis, du thym, murmurai-je.

Toutes les essences qui m'avaient tant manqué et que j'avais tant désiré retrouver dans la vraie vie ! La porte d'entrée était vitrée, à l'image du reste, et je secouai la poignée. Les deux vantaux ne bronchèrent pas. Il fallait que j'entre, je le voulais plus que tout au monde. En tant que vampire, on aurait pu s'attendre à ce que je sois complètement coupée des éléments naturels. Moi-même, je n'avais rien de naturel. Je n'avais nul besoin d'air, ni d'eau, et pourtant j'adorais toutes les herbes, les fleurs, les plantes. Chaque fleur possède un pouvoir intrinsèque. Chaque pierre aussi. Tout – les fleurs, les plantes, même la magie noire qui courait en moi du temps où j'étais vampire –, tout cela venait de la terre.

– C'est fermé.

Je fis volte-face.

– Pourquoi me suis-tu sans cesse ?

Justin Enos était rasé de frais, et seul. Chemise bleue, short kaki. Il était éblouissant.

– J'allais au parking. Pourquoi veux-tu entrer dans la serre ? (Il jeta un coup d'œil à l'intérieur.) Ça sent la terre, là-dedans.

– J'adore, répliquai-je presque en chuchotant.

Il me lança un regard étonné.

– Ah bon ?

Je tournai les yeux vers la serre sans répondre. Je ne me sentais pas le courage de lui expliquer mon amour pour les fleurs et les herbes.

211

– Tu m'en veux toujours ? s'enquit-il.

– Quoi, une journée de plongée et je suis censée me pâmer ?

Il posa une main contre la vitre et se pencha tout près de mon visage.

– Tu sens bon.

– Merci.

J'avais le souffle court. Les pupilles de Justin se vrillèrent dans les miennes, un instant, après quoi il se recula à une distance plus convenable. J'aurais presque pu croire qu'il me mettait à l'épreuve, comme le font les vampires, par le regard.

– J'ai encore du boulot avec toi, hein ? plaisanta-t-il, faussement grognon.

Si j'avais pu ronronner, je l'aurais fait.

– Justin !

Nous pivotâmes d'un seul mouvement. Tracy et ses deux acolytes arrivaient du foyer. Toutes trois étaient en petite robe noire, chacune légèrement différente des deux autres.

– Coucou, Lenah, me lança Tracy en approchant.

– Tu as bronzé vite ! observa Claudia.

Je regardai mes bras.

– Je n'avais pas remarqué, répondis-je avec un haussement d'épaules.

– Tu ne sors pas ce soir ? me questionna Tracy en prenant le bras de Justin.

Je sondai ses pupilles comme l'aurait fait un vampire. Un regard qui la pénétra jusqu'au fond de l'âme.

Mais je n'y trouvai nulle profondeur. Elle était sans relief : c'était une enfant de l'univers séculier. De fait, les trois filles du Trio étaient de simples esclaves de leur égocentrisme. Justin, lui, avait une lumière dans les yeux. Une sorte de fenêtre par laquelle je voyais qu'il était bien davantage qu'un garçon ordinaire. Il avait de la force et du courage – comme Rhode. Il avait de l'âme. Je me désintéressai de Tracy. Quelque chose se brisa dans ma poitrine, comme un charme qui se rompt.

Je m'adressai à Claudia et à Kate.

– Non, je ne sors pas. Le dimanche soir, j'ai tendance à rester chez moi.

– Tu venais juste voir la serre ? me demanda Kate.

Sa robe était vraiment très courte.

– Dommage, conclut Tracy avant de regarder Justin. Allons-y, je veux aller au club avant l'extinction des feux.

Et là-dessus, tous se mirent en marche. N'ayant aucune envie de les suivre, je fis semblant d'observer quelque chose dans la serre.

– Bonsoir, me dit Justin en se retournant.

– Bonsoir.

Ils disparurent dans le noir et je rentrai chez moi.

Lundi matin, neuf heures : je trouvai Tony à la bibliothèque. En fait, il y était déjà depuis plusieurs heures – entouré de centaines de photos. Je n'exagère pas : il y en avait au moins deux cents... et toutes de moi !

Après avoir posé mon sac à dos derrière le comptoir, je regardai dans la longue allée de livres qui menait aux salles d'étude. Je retirai mes lunettes et longeai les rayonnages en direction de Tony. Je m'arrêtai devant sa table, mais il ne bougea pas. Les photos étaient celles de la sortie en mer. J'y apparaissais sous tous les angles. Tony avait la tête baissée et les doigts crispés sur un fusain. Dans son carnet de croquis, posé sur la table, je vis le tracé d'une paire d'yeux qui ressemblaient furieusement aux miens.

– Tu es conscient que ça frise l'obsession ? lui lançai-je, les bras croisés.

Il fit un bond sur sa chaise, et je dois avouer que la surprise me fit reculer d'un pas. Son air jovial s'était envolé. Son visage lisse était taché de fusain. Une traînée noire barrait son front, là où il avait dû s'appuyer sur sa paume en dessinant.

– Je n'ai jamais fait un portrait comme celui-ci, grommela-t-il en se penchant de nouveau sur son carnet. Il ne faut pas que je rate la perspective.

Il parlait entre ses dents, comme pour lui-même. Il arracha sa page, la froissa et la jeta par terre. Je ramassai une des photos sur la table.

On y voyait Justin Enos et moi sur le bordage du bateau. Je tenais sa main, et nos visages de profil étaient baignés de soleil. Je regardais Justin droit dans les yeux en souriant. Les reflets sur la mer nous éclairaient d'une lumière dorée et scintillante. Avant que j'aie eu le temps d'étudier la courbe de ma bouche et la blancheur de mes dents, Tony me reprit la photo des mains et la jeta n'importe comment sur le tas.

– Hé, ho ! protestai-je.

– Ça ne va pas. Il n'y en a pas une où tu ne sois pas déformée.

– Tony, ce n'est pas possible. Tu as vu combien il y en a ? Je suis sûre que tu vas trouver ce que tu cherches.

Il secoua rapidement la tête et, poussant les clichés du bras, les enferma dans un sac en toile avant de s'en aller. Son sac à dos, tombé de son bras, lui pendait au poignet. Il le remonta sur son épaule en même temps que son pantalon baggy descendait, m'exposant son caleçon et le haut de son derrière. Il sautilla pour remonter sa ceinture. Et poussa avec emphase la porte de la bibliothèque.

– Tony, attends !

Je sortis derrière lui et le rejoignis en me retenant de rire.

– Tu ne comprends pas, Lenah, me dit-il sans ralentir. Je ne peux pas me planter. Ce n'est pas un simple portrait de toi, tu vois ? C'est une grande partie de ma scolarité qui est en jeu. Chaque projet que je choisis doit montrer une évolution. Je dois chaque fois injecter quelque chose de nouveau dans mon travail.

– Alors tu peins mon portrait pour démontrer le progrès de tes capacités artistiques ?

Nos yeux se rencontrèrent, et Tony me sourit enfin. Il posa son bras sur mon épaule.

– Puisque tu le dis comme ça et que tu parles si bien, ouais. Et en plus, t'es pas désagréable à regarder.

Nous nous dirigions vers les labos de sciences, mais il y avait du monde dans les allées. Un gros attroupement nous obligea à ralentir.

– Il y a de l'eau dans le gaz entre le prince et la princesse, on dirait, constata une élève de première devant Tony et moi.

Je ne la connaissais pas, mais je notai qu'elle avait des problèmes de circulation sanguine (les veines d'un bleu terne, cela ne trompait pas).

Tracy et Justin se tenaient sur la pelouse devant le bâtiment Quartz. Tracy brandissait un de ses longs ongles roses sous le nez de Justin. Les bras croisés, il gardait les yeux rivés au sol. Alors que nous tournions vers la statue de Marie Curie, je ne saisis qu'une bribe de la dispute.

– Tu ne penses qu'à aller bosser en bibliothèque, en ce moment. Laisse-moi deviner, Justin. C'est pour voir la seule fille du campus qui ne soit pas à tes pieds.

– Tracy ! Tu te trompes.

– Elle est blindée. Je suppose que ça n'est pas étranger à la question. Désolée, tout le monde n'a pas les moyens de vivre dans un appartement privé, Justin. Je sais que Lenah et toi avez des chambres individuelles, mais les colocs, c'est ce qui se fait, ici.

– Mais de quoi tu parles ?

– Tu ne veux plus jamais venir dans ma chambre. Et n'essaie pas de nier ! Tu la trouves jolie, j'ai vu comment tu la regardais en cours d'anglais !

– Eh bé ! murmura Tony en arrivant au labo.

Je ne pus réprimer une flambée de satisfaction.

Pendant le cours d'anatomie, mes pensées firent des allers-retours incessants entre la dispute Justin-Tracy et la voix de Vicken résonnant dans le campus. Je ruminais les accusations de Tracy, puis repensais à Vicken. Comment et pourquoi l'avais-je entendu si clairement ? Je savais que je n'étais pas folle, que je n'entendais pas des voix. Un vampire amoureux peut communiquer par télépathie avec ses pairs, mais ma transformation aurait dû couper la connexion.

La volonté et la détermination de Vicken, au temps où il était vivant, avaient été des forces puissantes. C'était en partie pour elles que j'avais fait de lui un vampire. Ces traits de personnalité ne pouvaient que s'être accentués au fil des ans : peut-être était-il à présent capable de me joindre même à des milliers de kilomètres de distance.

– Assise ! m'ordonna Tony après le cours.

Un grincement de bois sur le parquet m'arracha à mes songeries. Il traînait un tabouret d'un bout à l'autre de l'atelier, dans la tour des arts. Je me retrouvai bientôt juchée dessus tandis que Tony travaillait à son tableau. Il avait renoncé au fusain, ayant constaté qu'il ne saisissait pas bien mes traits avec cette technique. Il se leva, contourna le chevalet et se pencha tout près de mon visage. De son petit doigt bagué d'un anneau d'argent, il ôta quelques cheveux de mes yeux. Puis il vérifia la justesse d'une teinte en appliquant un peu de peinture sur sa main.

– Tu es magnifique. Ça va être parfait, me dit-il en souriant.

J'aimais l'odeur de térébenthine qui imprégnait la pièce, et celle d'herbe fraîche qui entrait par la fenêtre ouverte. Tony sentait un peu le garçon et beaucoup la peinture. Je le regardai bien en face, et il fit de même. Un sourire passa sur ses lèvres. Et sans que je sache comment, je levai le menton et nos bouches se rapprochèrent.

À cet instant, on toqua au chambranle de la porte.

– Lenah ?

Tony fit un bond en arrière et se retourna vivement vers la porte : Justin Enos entrait dans l'atelier. Je souris, c'était plus fort que moi.

– Je t'ai cherchée à la bibliothèque, me dit-il en s'approchant de moi à grands pas.

– D'abord la serre, et maintenant l'atelier ?

– La bibliothécaire m'a dit que tu étais souvent ici avec Tony.

– Juste pour le boulot, précisai-je en me levant.

Tony rangeait déjà son matériel. Je souriais à en avoir le tournis.

– Tu fais le portrait de Lenah ? lui demanda Justin en s'efforçant d'apercevoir la toile sur le chevalet.

– Ouais, lâcha Tony d'un ton cassant tout en rassemblant ses pinceaux.

– Cool. Je peux voir ?

Tony souleva la toile.

– Non. Ce n'est pas prêt du tout.

Il retourna le tableau contre le mur.

– Il est un peu sensible là-dessus, expliquai-je sans me départir de mon sourire.

– Qu'est-ce qui t'arrive, Enos ? lança Tony. Tu ne montes jamais ici.

– Je viens voir si vous êtes courageux.

Il ne s'adressait qu'à moi.

– Courageux ?

– Samedi. On va faire du saut à l'élastique.

Je tournai la tête vers Tony, qui secoua rapidement la sienne.

– N'y va pas, Lenah. C'est du suicide.

– Qu'est-ce que c'est, le saut à l'élastique ?

– Tu plaisantes ?

Justin était appuyé à l'une des tables à dessin, les pieds croisés. Je l'avais déjà vu prendre cette pose. C'était confortable, une position qui lui donnait une sensation de pouvoir. Je soupirai : cette capacité à déchiffrer le langage corporel était encore une caractéristique des vampires. Une habitude dont je n'avais pas encore pu me débarrasser.

– Tu sautes dans un lac depuis un pont. C'est marrant.

Tony s'interposa entre nous et leva les deux mains (dont une tenait toujours ses pinceaux).

– Tu as une sangle autour des chevilles. Tu es attachée à une corde hyperélastique, et tu sautes de très
haut : un pont, un immeuble...

– Ça en vaut la peine, le coupa Justin.

Tony plongea ses pinceaux dans un pot rempli
d'eau, dans l'évier. Il nettoya sa palette, après quoi il se
retourna vers Justin.

– Ça en vaut la peine pour qui, Enos ? Ce n'est pas
parce que la mort t'attire que c'est pareil pour Lenah.

Je me décidai.

– D'accord. Je viens. (Les traits de Justin s'illuminè-
rent.) Mais seulement si Tony vient aussi.

– Non. Oh non. Pas question, protesta celui-ci. Non,
répéta-t-il avec un rire un peu fou.

Il poussa de côté un rideau rouge. Son casier était
derrière. Chaque étudiant en art en avait un. Il jeta sa
palette dans une corbeille métallique.

– Non.

Il se remit à rire en secouant la tête. Puis il prit sous
son bras son portfolio en cuir noir avant de passer en
trombe devant nous.

– Non, scanda-t-il jusqu'en bas de l'escalier. Non. Ha,
ha. Non mais vraiment, *non*.

Ce soir-là, en rentrant chez moi, je m'effondrai dans
le fauteuil. Je contemplai fixement la photo de mon
cercle sur le bureau. Mon corps n'était plus capable de
courir pendant des heures. Il était fait de sang et de
muscles, désormais, et de mon cœur battant.

Tout était calme. Mes paupières étaient lourdes. Dehors, le silence régnait, mais de temps à autre j'entendais des bruits de pas dans l'escalier. J'écoutais ma respiration, car désormais j'avais vraiment besoin que l'air circule dans mes poumons. Inspirer, expirer... Inspirer, expirer... Ce bruit régulier me réconfortait. Mes paupières s'abaissèrent pour la centième fois et, finalement, je les laissai se fermer. Là, dans ma tête, surgissant des ténèbres, je reconnus le petit salon de mon château d'Hathersage, bien qu'il fût complètement différent.

Cent ans plus tôt, il y avait de grands tapis d'Orient, des rideaux écarlates, des meubles capitonnés de velours moelleux. Dans ce rêve, la pièce était la même mais des accessoires avaient été ajoutés : téléviseurs à écran plat, ordinateurs.

Dans un coin, Vicken, en pantalon et chemise noirs, faisait les cent pas. Il s'approcha de la fenêtre et appuya sur un bouton dans le mur. Les stores descendirent tout seuls. Dehors, sous la fenêtre, le cimetière était baigné d'une sanglante lueur orangée. Mon nom était gravé sur une stèle. Lenah Beaudonte.

– C'est louche, dit Vicken en hébreu. Les affaires de Rhode ne sont plus là. Sa chambre est vide.

– Elle se relèvera, rétorqua – en français – Gavin, qui était à la porte. Patience.

Vicken ne se retourna pas.

Ils s'exprimaient dans un méli-mélo de langues et d'accents.

221

– Nous en avons déjà parlé mille fois, ajouta Heath en rejoignant Gavin à la porte.

Il ne s'exprimait toujours qu'en latin.

– Oui, mais à chaque jour qui nous rapproche de la Nuit Rouge, le doute monte d'un cran dans mon esprit, expliqua Gavin.

– La peur, dit Song en dépassant Gavin et Heath pour aller s'asseoir dans un fauteuil en cuir, face à la fenêtre.

Lui parlait anglais.

Vicken eut un rire bref.

– La peur, c'est ce qui te cloue à cette fenêtre, poursuivit Song.

Vicken crispa les doigts sur le châssis, et ses ongles s'enfoncèrent dans le bois. Il se détourna vivement pour se laisser tomber dans un fauteuil. Sur une petite table, une coupelle était emplie de fleurs de lilas séchées. Il les ramassa du bout des doigts et laissa retomber les pétales mauves comme des grains de sable.

– J'ai besoin d'elle. Si dans cinq semaines Rhode ne nous la ramène pas, j'irai la déterrer à mains nues.

À ce moment précis, j'ouvris les yeux, pantelante. L'odeur du lilas s'attardait dans mes cheveux.

Chapitre 14

Nickerson Summit est un pont qui culmine à trente mètres au-dessus d'une rivière. Ce samedi-là, nous partîmes à bord du 4 x 4 de Justin pour le club de saut à l'élastique du cap Cod, à une demi-heure de route de Wickham. En principe, une autorisation parentale est obligatoire pour les mineurs. J'avais imité le paraphe de Rhode. Après une heure de formation, et la signature d'un tas de papiers assurant que nos parents ne porteraient pas plainte si jamais nous ne survivions pas à l'expérience, nos vies ne reposaient plus qu'entre nos mains. Nous nous alignâmes donc en rang d'oignons pour nous jeter de Nickerson Summit.

– Je n'en reviens toujours pas que tu m'aies persuadé de faire ça, râlait Tony en marchant de long en large devant le pont. C'est une *très* mauvaise idée. (Il s'arrêtait tous les deux pas pour faire des moulinets avec ses bras.) *Tu peux le faire, tu peux le faire*, répétait-il entre ses dents.

– Tu sautes avec moi ? demanda Tracy à Justin, pendue à son cou.

– On va y aller chacun son tour, bébé.

Tracy tendit la bouche pour un baiser. Je remarquai qu'elle entrouvrait les lèvres, alors que celles de Justin restaient fermées. C'était un échange déséquilibré, asymétrique.

– Prem's ! glapit Tracy en serrant ses copines dans ses bras.

– Ouf, tant mieux ! souffla Tony en s'asseyant sur le parapet.

– Tu promets de sauter juste après moi ? insista Tracy auprès de Justin.

Elle l'embrassa sur la joue tout en me lançant un regard meurtrier.

– D'accord.

Elle se mit en position sur le pont.

Elle s'avança sur le tremplin, ouvrit les bras et se laissa tomber en avant. Un cri strident, et elle disparut. Tout le monde courut voir. Les pointes de ses cheveux effleurèrent la rivière. Elle avait les bras tendus au-dessus de la tête, et son corps suivait les mouvements de l'élastique. Elle remonta, presque jusqu'au pont, puis redescendit. À la mollesse détendue de son corps, je vis qu'elle faisait entièrement confiance au matériel. Comment pourrais-je l'égaler ? À chaque rebond elle s'élevait un peu plus lentement dans les airs, de bas en haut, de haut en bas, cheveux au vent.

Pendant que les animateurs arrivaient en canot pour la décrocher, Claudia et Kate se prirent par la main et sautèrent ensemble. Elles hurlèrent jusqu'en bas. Curtis et Roy passèrent ensuite. Il ne restait plus que Justin, Tony et moi.

– Allez, Tony, tu peux y arriver ! cria Tracy depuis la berge.

Je jetai un regard par-dessus le parapet, étonnée qu'elle ait une parole gentille pour lui. Je vis que les filles prenaient un bain de soleil. Sous leurs vêtements, elles avaient prévu des bikinis assortis. Moi, je n'avais que mon slip et mon soutien-gorge.

Tony s'avança, ouvrant et fermant les poings.

– J'ai les mains moites. J'ai le dos moite. Je me sens mal. (Il jeta sa casquette de baseball par terre.) Je ne peux pas croire que je suis en train de faire une chose pareille. J'ai mal au cœur.

Comme par magie, le moniteur qui l'accompagnait lui tendit un seau. Tony inspira à fond.

– Je suis un artiste. Je peux y arriver.

– Bon, tu es prêt ? grogna le moniteur.

C'était un type trapu, barbu, avec un tee-shirt marqué LES GROS AIMENT LA BARBAQUE.

– Super, le tee-shirt, commenta Tony avant de se retourner vers moi. J'entends ma mère d'ici, Len. « Tony, tu veux te tuer ? »

Je me tenais les côtes de rire.

Tony ouvrit les bras, ferma les yeux et hurla, jusqu'en bas, lui aussi. J'entendis un « plouf », puis les acclamations du Trio.

Il ne restait plus que Justin et moi. Le moniteur me sangla dans mon harnais. Derrière mon dos, sur la chaussée du pont, je sentis que Justin me regardait.

– Tu l'as fait exprès, lui dis-je.

– Peut-être.

– À quoi tu joues ? Ta copine est là, sur la rive.

– Sautons ensemble.

– Allez, Lenah ! brailla Tony d'en bas.

– Si tu sautes avec moi, Tracy saura.

Justin se leva.

– Elle saura quoi ?

– Je veux dire, elle pensera que tu l'as fait exprès.

– Je l'ai fait exprès.

– Bon, vous deux, intervint le moniteur. Si vous sautez ensemble, gardez les yeux ouverts. Et évitez de vous cogner la tête, je déteste avoir à éponger du sang.

– Si tu sautes avec moi... commençai-je.

– Tout ça n'a plus aucune importance pour moi.

Il me prit par la main et nous nous avançâmes sur le tremplin. Je ne regardai ni Tracy ni les deux autres, car elles étaient absolument silencieuses au-dessous de nous. Justin avait attendu pour sauter avec moi, et à présent tout le monde le savait. Je le vis avancer un pied.

– Non... attends.

Je sentais l'énormité de la distance entre le pont et le sol. Justin pressa ma main, et je ne pensai plus qu'à la rivière. Aux vaguelettes qui remuaient et s'agitaient. Je regardai l'écume dans le sillage du canot. À ce moment-là, mon rêve à propos du cercle me revint en mémoire. Ce n'était pas réel, et pourtant, cela en avait eu l'air. J'imaginai soudain Rhode fou de rage. Il avait sacrifié sa vie pour moi, et j'allais me jeter du haut d'un pont ?

La voix de Justin me ramena sur terre.

– Quand tu fixes la rivière comme ça, on dirait que tu n'es jamais sortie de chez toi.

– En effet, peut-être, jusqu'à maintenant.

– Tu ne peux pas te cacher toute ta vie au fond d'un bateau. Pas vrai ?

Pendant ce temps, en bas, Tony donnait des coups de poing en l'air pour m'encourager.

– Il faut lâcher prise...

Je regardai Justin et chassai de ma tête l'image du cercle. J'étais prête. Et la main dans la main... nous échangeâmes un infime sourire.

– Prête ?

Go.

Mon corps était... libre. Pendant le saut, nos mains se lâchèrent. Je sentis mon buste monter, descendre, tandis que l'air soufflait à mes oreilles, entre mes doigts. De tous les cris qui s'élevaient vers nous, c'étaient ceux de Tony que j'entendais le mieux. L'élastique tira sur mes hanches, puis les relâcha. Je sentais le vent sur mes joues, sur mon crâne. Tournant la tête, je vis Justin, les yeux fermés, les bras au-dessus de la tête. Je l'imitai et un frisson me traversa de part en part. Je ne pus m'empêcher de sourire. Lorsque les rebonds commencèrent à se calmer, je le regardai, la tête en bas. Il me souriait.

– Tu es encore triste ? me demanda-t-il.

Pendant tout le temps que prit notre retour en canot sur la berge, il ne me quitta pas des yeux. Non, à ce moment-là, il n'était pas possible d'être triste.

Chapitre 15

– Lenah ! Attends !

J'avais un pied sur la plus haute marche de la tour des arts. C'était le lendemain du saut à l'élastique, et Tony avait passé la matinée à dessiner mes yeux. Lorsqu'il apparut à la porte de l'atelier, il avait une traînée de peinture verte sur le nez.

– Merci pour aujourd'hui. J'y suis enfin arrivé... du moins je crois.

– Quand tu veux.

Avant d'être arrivée en bas de l'escalier, je l'entendis dire aux autres élèves présentes dans la tour : « Mesdames ! Ne vous laissez pas distraire par mon adorable postérieur. Je suis là toute la journée. »

– Tu as de la peinture sur le pif, Tony ! lança quelqu'un.

Il y eut une cascade de rires.

En sortant, je levai le nez. Les nuages étaient gonflés, en couches épaisses. En traversant la pelouse, j'eus la surprise de trouver Curtis, Roy, Claudia et Kate assis sur une couverture. Alors que je passais devant eux, prête à sourire aux filles, Kate se pencha, la main devant la bouche, vers Claudia. Cette dernière me dévisageait ouvertement. Elle inclina la tête pour écouter Kate, mais, au lieu de sourire à un nouveau petit secret, se radoucit. Quant à Kate, ses sourcils se rapprochèrent et, même si je ne voyais pas les mouvements de ses lèvres, j'étais sûre qu'elle se moquait de moi. Claudia, en revanche... on aurait dit qu'elle avait quelque chose de changé. Elle et moi partageâmes cet instant jusqu'au moment où Curtis se redressa sur les coudes pour me détailler de la tête aux pieds. Il eut un sourire narquois. Il ressemblait beaucoup à Justin, en plus gros, avec une moue et un double menton.

Je marchais lentement. Kate repoussa ses cheveux blonds par-dessus son épaule. Roy, celui qui sortait avec Claudia, m'observait également. Il était plus petit que ses deux frères.

– C'était bien, le saut, hier ? m'apostropha Curtis.

Kate eut un rire dédaigneux. Et c'est là que je compris : ce fut comme une gifle, si violente que les joues me cuisaient. Je n'avais plus de perceptions extra-sensorielles. Je ne savais plus ce qu'ils ressentaient. Je voyais bien que Kate exsudait le mépris, mais ça, ce n'était pas un scoop. Je me concentrai sur le groupe, mais aucune sensation ne me vint. Aucune idée claire de leurs intentions.

Plus rien.

Je détournai vivement les yeux et allongeai le pas. J'étudiai les brins d'herbe et les ailes d'une mouche qui passait. Bon, ma vue vampirique, elle, fonctionnait toujours. Je soupirai de soulagement et pris la direction des labos. *Boum-boum. Boum-boum. Boumboumboum. Tais-toi, mon cœur.* Le battement me labourait les oreilles. L'adrénaline qui m'envahissait me faisait mal au bout des doigts. J'accélérai encore, doublant les élèves qui se rendaient en cours. Je cachais mes yeux à ceux qui me croisaient. J'avais un mal fou à respirer. Je portai une main à ma poitrine et constatai qu'elle tremblait.

Mon corps se rebellait contre moi. Cette réaction physique... qu'était-ce donc ? De l'angoisse ? De la peur ? Je serrai les dents. Je décidai de me rendre à la serre pour me ressaisir un peu. Je passais devant l'arche du bâtiment Quartz sans intention de m'y arrêter lorsque j'entendis des voix bien connues.

– Je le savais. Je savais que ça allait arriver, disait Tracy.

– Savoir quoi ? C'est comme ça depuis longtemps, Tracy.

– Depuis longtemps ? Genre quelques semaines ? C'est depuis que tu la connais. Tout allait bien jusqu'à ce que Lenah Beaudonte arrive au lycée.

Je retins ma respiration et m'adossai contre le mur. Mon cœur tambourinait toujours. Ma perception extra-sensorielle ! Pourquoi, au moment où j'en aurais eu tant besoin, avait-elle complètement disparu sans crier gare ?

Je tendis l'oreille.

– Ce n'est pas Lenah, se justifiait Justin.

Tracy eut un rire amer.

– Allez. Dès l'instant où cette fille a ouvert la bouche, j'ai su que tu la voulais. Lenah ceci, Lenah cela. Tout son cinéma de princesse en détresse ! La pauvre petite, qui n'est jamais montée en bateau ! Qui déteste le soleil !

Je me rapprochai discrètement de l'arche. Les regards de Claudia, Kate et Curtis s'expliquaient, à présent. Ils devaient être au courant de ce qui se préparait.

– Je ne comprends pas, dit Tracy.

Sa voix se brisa et je sus qu'elle allait pleurer. Passant discrètement la tête derrière le coin du mur, je les vis, Justin et elle, dans l'ombre de l'allée. Les portes vitrées du bâtiment s'ouvraient et se refermaient sur le passage des élèves. La plupart de ces derniers gardaient la tête baissée pour bavarder à voix basse. Justin attira Tracy à lui, ce qui mit le feu à mes entrailles.

– Et moi, alors ? se lamenta-t-elle. J'ai bien vu ton manège, sur le pont de Nickerson. Tu ne voulais pas sauter avec moi.

– C'est que les choses ont changé. Je me sens changé.

Tracy releva vivement la tête et, à ce moment-là, m'aperçut. Je me reculai, le dos plaqué au mur.

– Lenah ! cria-t-elle d'une voix stridente.

Je poussai un gémissement.

– Quoi ? demanda Justin.

– Lenah. Elle est là, juste au bout de l'allée. Mais qu'est-ce que vous avez, vous deux ?

J'entendis ses talons cliqueter sur le ciment, s'approcher de moi et me dépasser. Elle traversa la pelouse en courant et disparut avant que je remarque Justin, qui s'était arrêté à côté de moi. Je voulus la suivre pour lui dire à quel point j'étais navrée. J'avais un picotement dans le ventre, une sensation de grouillement, et à ce moment-là, les doigts de Justin effleurèrent mon épaule. Je reculai encore d'un pas dans l'herbe.

– Lenah...

Ses yeux étaient brûlants de désir... le désir de me réconforter.

– Je n'ai jamais voulu faire de mal à personne, dis-je.

– Tu n'as pas fait de mal.

Il tendit la main vers moi. J'avais envie qu'il me prenne dans ses bras et me serre contre lui, mais un poids énorme m'écrasait la poitrine. Je désignai la direction dans laquelle Tracy était partie en courant.

– Je viens de le faire.

– Non... Tout est ma faute.

Je m'avançai dans l'herbe. Entre les gouttes de pluie qui tombaient sporadiquement, Justin et moi échangeâmes un long regard. Comment une simple paire d'yeux pouvait-elle exprimer tant de choses ? La passion de ce garçon pour moi et sa connexion avec mon cœur me permettaient de sonder son âme. Derrière le vert de ses iris, loin dans ses pupilles, il y avait une entrée, un lieu où je lisais puis ressentais toutes ses intentions. Le souffle court, j'espérais, quoi qu'il arrive à ma vue vampirique à mesure que je devenais plus humaine, ne jamais perdre ce lien avec lui. *Pitié*, pensai-je. *Faites que je n'oublie jamais l'effet qu'il me fait.*

Comme il devenait urgent que je regarde ailleurs, je me concentrai sur sa bouche ; ses lèvres dessinaient une ligne droite. J'aurais donné n'importe quoi pour empêcher les remords de courir dans mes veines. Pour arrêter le monde et le temps, et l'embrasser, là, en plein milieu du campus. Mais c'était mon fardeau, n'est-ce pas ? Toujours connaître la culpabilité et savoir que j'étais fautive. Avec l'impression de me déchirer en deux, je tournai les talons et pris le chemin de la serre.

Tip tap. Tip tap.

La serre était silencieuse, à part la pluie qui commençait à tambouriner sur la verrière. Comme il avait fait chaud avant l'averse, les vitres étaient couvertes de buée. Au-dessus de moi, des dizaines de fougères en pots étaient suspendues à des crochets métalliques. Leurs feuilles étaient vertes, soulignées d'un liseré lavande. Je longeai toute l'allée principale. Des deux côtés, les murs étaient bordés d'étagères hautes de quatre mètres. Des brumisateurs se déclenchaient à intervalles réguliers pour maintenir l'humidité et la chaleur. Pour la première fois depuis très longtemps, je me sentais en sécurité.

Je savais que la magie de mes perceptions s'était estompée pendant mon saut à l'élastique. Plus précisément, au moment où nous étions sur le pont, ma main dans la sienne. À cet instant-là, j'avais abandonné ma crainte du cercle et choisi de me mêler au monde réel.

Encore un sacrifice. Rhode avait raison. C'est toujours l'intention qui compte.

Ces pensées dérivaient dans ma tête, s'estompaient, revenaient. Le visage de Vicken m'apparut et, apeurée, je tendis la main vers des boutons de roses. La tisane de roses attire l'amour. Je fourrai les pétales dans ma poche. Plus tard, je chercherais des fleurs de pommier, pour la chance. Des cactus, des orchidées, des fougères, de gros feuillages foncés étaient posés et suspendus tout autour de moi dans leurs pots verts. Certaines feuilles, énormes, barraient presque le passage tandis que d'autres étaient minuscules, à peine visibles à l'œil nu – du moins l'œil d'un simple mortel.

Cela sentait la terre mouillée. Mais je ne recherchais plus cette odeur. Peut-être pour la première fois dans une très longue histoire, je compris que je venais de cette terre. Moi aussi, j'étais issue de la nature.

– Alors, contente d'avoir sauté ?

Je fis volte-face. Justin se tenait à la porte de la serre. Les deux battants se refermaient lentement derrière lui. Nous étions seuls. Je lui tournai le dos et ne bougeai plus. Il vint vers moi : ses baskets sur le sol humide faisaient un léger bruit mouillé. Puis il fut si près que son torse reposa contre mon dos. Son corps était fort et sculpté, complètement différent de celui d'un vampire, lequel cesse d'évoluer dès l'instant de sa mort.

Justin respirait profondément, et son souffle faisait frissonner mon échine. Mon dos et mes épaules se couvrirent de chair de poule. À ma droite, je vis une fleur

orange aux pétales fournis : certains d'une couleur sanguine, d'autres jaune vif. Ils avaient un bord irrégulier
et, réunis, formaient comme un épais tapis.

– Calendula, dis-je, toujours consciente de la chaleur
de son corps contre le mien. Plus connu sous le nom de
souci.

Je chuchotais à peine, le souffle court.

Justin passa une main sur mon ventre et m'attira
contre lui. J'appuyai ma nuque contre son torse.

– Propriétés curatives incroyables. Souverain contre
les morsures, continuai-je.

Il ne dit rien. Il posa simplement ses deux mains sur
mes hanches. Tout mon corps me picotait, mes mains et
mes doigts palpitaient de vie. Je fis un pas en avant, pris
ma respiration, puis, finalement, exhalai. Je marchais
lentement pour que Justin puisse me suivre de près.

Une autre corolle attira mon regard. Je fis doucement demi-tour et plongeai mes yeux dans les siens. Je
contemplai les fleurs qu'il avait sous les doigts.

– Capucines.

Je cueillis une délicate fleur jaune sur une longue
tige verte. Il n'y avait plus d'espace entre nous. Nous
n'aurions pas pu être plus près l'un de l'autre. Je lui pré-
sentai la fleurette dans le creux de ma main.

– Tu peux la manger.

Il observa les pétales, puis moi. Il ouvrit la bouche
et attendit. Je posai la capucine sur sa langue et il
referma ses lèvres.

Je rapprochai alors ma tête de la sienne sans même penser aux conséquences. Il avala la fleur et je vis sa pomme d'Adam monter et redescendre. Bientôt, ses mains étaient dans le bas de mon dos, et mon visage levé vers le sien.

– Que représente celle-là ? me demanda-t-il à voix basse.

Nous lèvres n'étaient plus qu'à quelques millimètres.

– Le bonheur. Ici, tout de suite.

Un baiser humain. Une bouche épicée par la saveur poivrée de la capucine. Il ouvrait et refermait mes lèvres avec les siennes... Jamais je n'avais été embrassée. Pas ainsi. Pas comme un être vivant.

Il y avait les pétales, le souffle, la pression. Des battements de cœur, et mes yeux – fermés.

Justin resserra son étreinte, puis ses mains remontèrent lentement le long de mon échine avant de plonger dans ma chevelure. Je ne saurais dire combien de temps nous nous embrassâmes ainsi. Tout ce que je sais, c'est que quand je me dégageai, il gémit, juste un peu.

J'entendis des pas, un pied légèrement plus lourd que l'autre. Un bruit que j'étais la seule à savoir décrypter. Une différence microscopique entre les deux chaussures. Par-dessus l'épaule de Justin, je croisai le regard de Tony. Il battit des paupières une fois, se détourna et repartit vers le terrain de crosse, en direction du bâtiment Hopper.

237

Une goutte de pluie roula le long de mon bras, se promena sur mon poignet, dépassa mon doigt et alla s'écraser sur le sol. Je restai cinq bonnes minutes à la porte de mon appartement, à revivre encore et encore ce baiser. J'étais tellement trempée que mes vêtements me collaient au corps. J'éclatai d'un petit rire idiot et portai la main à ma bouche, étonnée de ce rire et du sang qui me montait aux joues. Justin Enos m'avait embrassée...

Involontairement, je regardai l'épée de Rhode. Je m'avançai lentement, pas à pas, jusqu'à me retrouver assez près de l'épée pour la lécher si je l'avais voulu. Je vis mon sourire s'effacer dans le reflet que me renvoyait le métal. Même à présent, je distinguais d'infimes taches de sang incrustées dans la lame.

J'agrippai mon pendentif et me demandai, un instant, s'il fallait que les cendres de Rhode restent accrochées à mon cou. Puis je me dirigeai vers ma chambre. Bien sûr qu'il le fallait. Justin Enos m'avait peut-être embrassée, mais je n'étais pas encore prête à dire adieu au passé. Le souvenir de l'époque où je semais la mort et la destruction me hantait toujours. Je m'interrogeai sur l'effet que cela me ferait de ranger cette épée dans un coffre pour qu'elle y reste dans le noir avec toutes mes anciennes intentions. Non. Je n'étais pas prête. Pourtant, il était temps de faire *quelque chose*. Ne fût-ce qu'un petit geste.

Chapitre 16

Crac ! Dzing !

Métal contre métal. Je fis un tour sur moi-même, sans perdre de vue mon adversaire. « Reste toujours concentrée », m'avait conseillé Rhode.

Je transférai tout le poids de mon corps sur ma jambe gauche et levai mon épée en veillant à tenir fermement la poignée. Je maniais la bâtarde de Rhode. Elle résonna contre celle de Vicken et resta bloquée. Nos lames et nos corps s'immobilisèrent.

– Tu t'es bien entraînée, me félicita-t-il.

Je reculai et baissai mon arme. 1875. Vicken et moi étions dans la salle d'armes d'Hathersage. Des centaines d'épées, de dagues et d'armes diverses étaient accrochées au mur. Au fond, il y avait une table d'apothicaire et une pièce réservée à la magie, isolée par un rideau noir.

Ma longue robe ample me permettait de me mouvoir aisément. Elle était vert d'eau, une couleur plutôt vive par rapport au reste de mon univers. Vicken adorait s'entraîner à l'escrime, certain qu'il en aurait besoin un jour. Ce jour-là, il portait une chemise blanche et un pantalon de cuir.

– C'est plus facile, disait-il, d'avancer l'épée en main.

La salle d'armes faisait face à une allée qui menait chez moi. Alors que je rangeais mon épée dans son fourreau, j'entendis un rire. Vicken était déjà à la fenêtre.

– Qui est-ce ? demandai-je en le rejoignant.

– Un couple.

Ils marchaient main dans la main. La femme était une jeune créature en robe bleu paon. Son compagnon portait un costume marron clair.

Haussant les sourcils, je me reculai de la fenêtre tandis que le jeune inconnu regardait autour de lui, s'arrêtait et prenait la femme dans ses bras. Il l'embrassa avec tant de force qu'elle dut se dégager pour reprendre son souffle. Puis il recommença.

– La luxure, dis-je. La perte de toutes les femmes, la fin de toute réflexion.

Je me détournai pour m'adosser au mur. Vicken, appuyé à la fenêtre, me contempla. Ses yeux étaient si sombres, si profonds... Même dans son état de vampire, ils conservaient leur chaleur.

– Ce n'est pas de la luxure, Lenah.

– L'embrasser ainsi... C'est pour lui couper le souffle, peut-être ?

Vicken me caressa les bras. J'aurais aimé le sentir, mais pour moi ce n'était que du vent contre une pierre tombale. Ces derniers temps, sa compagnie était mon seul rempart contre la folie.

Son regard se fit plus intense encore.

– Ne t'arrive-t-il pas d'avoir envie de sentir mes caresses ?

Je baissai les yeux sur ses mains lisses. Cela me rappela un moment, dans une loge d'opéra, où j'avais eu les mêmes désirs. En relevant la tête, je remarquai les coins tombants de sa bouche. Peut-être savait-il aussi bien que moi que je n'avais plus la capacité de désirer. Je me tournai de nouveau vers la fenêtre.

– Moi, oui, dit-il. Le sens du toucher me manque. Je veux dire *vraiment* toucher, de toutes mes terminaisons nerveuses.

Dehors, le couple s'éloignait. L'homme s'arrêta, cueillit une fleur des champs et l'offrit à la femme.

– C'est ça, l'amour humain, commenta Vicken à voix basse.

J'eus un rire plein de dérision.

– S'est-il passé tellement de temps que tu ne le vois plus ? me demanda-t-il.

Une ombre passa sur mon visage. Il avait raison. C'était l'amour, et Rhode était parti depuis si longtemps que ses traits s'effaçaient de ma mémoire. Je serrai les dents si fort qu'une de mes molaires craqua.

– Viens, dis-je en me dirigeant vers la porte.

– Où vas-tu ? s'enquit-il avec un sourire tandis que ses crocs s'abaissaient.

– Retrouver nos nouveaux amis. (Je crachai le fragment de dent cassée, qui rebondit sur le dallage.) Allons manger un morceau.

241

Je secouai la tête pour revenir à la table d'anatomie. Nous étions lundi, et j'étais de retour en classe. Je titillai du bout de la langue le creux de ma dent cassée et soupirai. J'étais arrivée en avance. Je n'avais pas beaucoup dormi depuis que Justin Enos avait décidé de changer ma vie en m'embrassant. À mon arrivée, la salle était vide, mais presque tout le monde était entré pendant que je rêvassais. Une paire de lunettes noires glissa sur la paillasse et s'arrêta contre mon cahier. Tony me fit un demi-sourire en s'asseyant.

– Je ne t'ai pas vu au petit déjeuner.

– Tu as oublié ça, me répondit-il en m'indiquant les lunettes. Dans la tour des arts, hier.

– Oh. Merci.

C'est donc pour cela qu'il m'a suivie dans la serre...

– Prête ?

Il sortit de son sac un stylo et un cahier. Je fis de même, mais en me demandant pourquoi nous ne prenions pas nos livres.

– Prête pour quoi ?

– Le jour de la grenouille. On dissèque une grenouille, aujourd'hui.

– Vivante ? m'enthousiasmai-je.

Une bouffée d'excitation monta dans ma poitrine. Devrais-je tuer le batracien ? Cela me ferait-il quelque chose ?

– C'est notre premier contrôle. Ça t'arrive d'écouter en classe ?

Pas vraiment.

– Ça porte malheur de la regarder dans les yeux, m'expliqua-t-il.

– Qu'est-ce que ça peut faire ?

– Mon père dit que tuer une grenouille, c'est comme tuer une âme. C'est mal. Mais écoute. Il y a plus important, Lenah. Bien plus important.

Il me regarda en face. Je me dis que le moment était venu. Le moment où il m'interrogerait sur Justin Enos. Son expression était sérieuse et détachée.

– J'ai encore besoin que tu poses pour moi aujourd'hui. Mon prof veut que je retouche encore un peu le portrait.

– Mais, euh, j'ai rendez-vous après les cours, répondis-je en songeant à la petite promesse que je m'étais faite la veille au soir.

– Qu'est-ce que tu dois faire ? Aller traîner dans la serre ?

– Non. Je t'expliquerai plus tard.

Il soupira.

– Des secrets, Lenah. Tant de secrets... Tu passes à Hopper après dîner ?

– D'ac.

Et, alors que je prenais mon stylo, un baiser se posa sur ma joue. Je levai la tête. Justin me dominait de sa hauteur. Il était beau... trop beau. Il avait des plis malicieux aux coins des yeux.

– Ça va, Sasaki ? fit-il avec un hochement du menton.

Tony répondit par le même geste et ouvrit son cahier.

Je n'avais pas besoin de perceptions surnaturelles pour voir qu'il était glacial.

– J'ai entraînement après les cours, mais tu dînes avec nous ce soir, hein ? J'ai quelque chose à te demander et je ne veux pas oublier, me confia Justin tandis que Mrs Tate entrait dans le labo.

– Oui, répondis-je sans hésiter.

– Mais tu m'as dit que tu m'aiderais à finir ton portrait, me rappela Tony, dont le cou se teignait de rouge.

– C'est vrai, je t'ai dit ça, reconnus-je avant que Justin ne puisse réagir. Tu penses qu'on pourrait faire ça demain ?

– Comme tu veux, bougonna-t-il.

– N'oublie pas, Lenah, on dîne ensemble, me répéta Justin en se rapprochant de sa place. J'ai quelque chose à te demander. C'est au sujet du week-end d'Halloween.

Pourquoi fallait-il qu'il soit si beau ?

– Il veut sans doute que tu ailles le voir jouer à la crosse, persifla Tony.

Regarder Justin courir après une balle de crosse, suant et bondissant sous mes yeux ? Dans mon fantasme, il dégoulinait de sueur, étincelant au soleil. L'idée me paraissait fameuse.

– Tu es en train de devenir comme elles, me glissa Tony pendant que la prof ouvrait une glacière.

– Qui, elles ?

– Ces filles qui le suivent partout. Un membre officiel du Trio. Elles vont devoir se trouver un nom encore plus ridicule si tu les rejoins. Le Quatuor ?

– Je ne suis pas comme elles.

– Ce n'est pas moi qui ai sauté à l'élastique avec Justin Enos. C'est toi. Pourquoi tu m'as emmené là-bas, d'ailleurs ?

– Je croyais...

Il me coupa la parole.

– Bientôt, tu seras dans les gradins pendant ses matchs. Tu vas t'habiller comme elles, et tu auras de la sauce blanche à la place du cerveau. Tu verras.

Le retour de deux vieilles amies – la peine et la honte, qui revenaient s'installer au creux de mon ventre – me laissa pantoise.

– Mais non, je...

Quelqu'un posa sur la paillasse un plateau métallique. Une grenouille y reposait sur le dos. Elle avait la peau bleu-gris à force d'avoir séjourné dans la glace. Elle paraissait gelée.

– Un peu de concentration, Lenah, me réprimanda Mrs Tate. Le contrôle commence maintenant.

Elle se détourna pour déposer une autre grenouille sur la paillasse d'à côté. Je regardais fixement le plateau. Je ne m'attendais pas à ce que le batracien ait cet aspect, pas du tout. Son ventre était tout rond, ses membres largement écartés.

Tony prit des épingles pour fixer les pattes sur le tissu bleu étalé sous le petit corps. Ce faisant, il exposait l'abdomen pour que nous puissions l'ouvrir. J'eus une sorte de hoquet bizarre. *Étrange*, pensai-je. Cette grenouille avait sauté, vécu. Elle avait eu une vie, et voilà qu'elle se retrouvait étalée sur cette table. Morte, partie de ce monde et pourtant toujours là.

Je veux vivre, me dis-je. Combien de fois m'avait-on implorée ? Combien de vies aurais-je pu épargner ? Mes bras pendaient sans force le long de mon corps. Mon stylo me glissa des doigts, roula sur la paillasse et tomba par terre.

– Lenah ? s'inquiéta Tony.

J'étais toujours hypnotisée par les yeux immobiles et voilés de la grenouille. Pendant cet instant inexplicable, je *fus* la grenouille. J'avais été morte pendant si longtemps... Et voilà que j'étais de retour, ramenée à la vie par la grâce d'un sortilège.

– Nous avons eu nos moments de grâce, murmurai-je.

– Quoi ?

Je contemplais toujours le corps sans vie. Mon cœur battait, mes paupières aussi. L'animal devint flou, et le visage de Tony se présenta au premier plan de mes pensées. Je sentis de la nourriture couler dans ma gorge, je vis Tony engloutir des cuillerées de glace, une fleur orange sur la langue de Justin, la pluie... la merveilleuse pluie.

– Je veux vivre, soufflai-je, toujours clouée sur place.

Puis, une à une, je retirai les épingles des petites pattes palmées. Je me renversai en arrière sur ma chaise et berçai le corps froid dans le creux de ma main. Je m'approchai des fenêtres et en ouvris une. Je tenais le minuscule cadavre avec des précautions infinies, contre moi, un bras serré contre les côtes.

Je me penchai à la fenêtre et tendis les mains vers le sol. Sous un rosier, la fleur de l'amour, je posai la grenouille sur des pétales tombés. Je la couvris d'un petit monticule de terre, en veillant à ce qu'elle soit bien mêlée aux pétales. En latin, je dis : « *Ignosce mihi.* » « Pardonne-moi... »

Je me retournai pour faire face à la classe. Sans un mot, je pris mes affaires et je sortis.

Chapitre 17

Assise sur la margelle de la fontaine qui représentait Marie Curie, je regardais le campus de Wickham sans le voir. Même si mes pupilles reflétaient des milliers de brins d'herbe, mon esprit, lui, ne voyait que les biceps durs et affûtés de Vicken maniant l'épée. Je secouai la tête et une herbe agitée par le vent retint mon attention un instant. Je m'en désintéressai rapidement et une autre image du passé se présenta à moi : les yeux de Rhode. Quand il baissait les paupières, ses longs cils effleuraient ses pommettes. L'image me brûla comme au fer rouge et je me sentis suffoquer. Je soupirai et, de nouveau, regardai le campus. Je distinguais les fissures de l'écorce des arbres, de l'autre côté de l'allée. J'avais du mal à respirer. Allais-je pleurer ? J'attendais sans cesse que cela m'arrive, mais sans résultat, du moins pas encore.

Je tentais de me concentrer sur tout ce qui est difficile à percevoir pour un œil humain. Si ma vue vampirique fonctionnait encore, peut-être n'étais-je pas encore entièrement acclimatée ? Pour la première fois, j'avais envie d'en être débarrassée.

Le vent agitait toujours les feuillages. Des élèves passaient, leurs livres sous le bras, leur sac dans le dos. Professeurs et agents d'entretien me dépassaient aussi. Tout était bon pour me distraire de ce qui venait de se produire en cours d'anatomie.

Et là, quelqu'un s'assit à côté de moi.

– Tu peux éviscérer un chat à mains nues, mais tu n'as pas pu ouvrir une grenouille ? me demanda gentiment Justin.

– C'est vrai, je n'ai pas pu.

Je tournai la tête vers lui mais gardai mes mains entre mes genoux. Il en prit une dans la sienne, et nous gardâmes le silence un moment. Il caressait le dos de ma main avec son pouce. Cela m'envoyait des ondes de réconfort. Il savait me donner l'impression que tout irait bien, quoi qu'il arrive ; que tout pouvait s'arranger, même les fantômes de mon passé et toutes mes tentatives pour échapper à ma souffrance.

Justin, lui, je pouvais le sentir. Je serrai sa main plus fort. Justin, je le sentais avec tout mon corps.

Nous restâmes encore ainsi quelques instants, et bientôt toute notre classe sortit du cours. Y compris Tony. Qui s'arrêta à côté de la fontaine.

– Len... commença-t-il.

Ses yeux tombèrent sur nos mains entrelacées. Il les détourna vivement et la gêne envahit ses traits. Il nous lança un dernier regard, puis s'éloigna en direction de Hopper.

– Je vais devoir y aller, soupirai-je en me levant. J'ai rendez-vous.

– Pour quoi faire ?

– Des histoires de famille, expliquai-je en creusant la terre du bout de ma chaussure.

Je tournai la tête vers Tony, mais il avait déjà traversé la moitié de la pelouse.

– Écoute, me dit Justin. Dans deux semaines, c'est Halloween. Cette fête est très importante dans ma famille, parce qu'il y a un match de football américain au lycée local et que mon père est l'entraîneur. Il est avocat, mais entraîneur aussi. Ce match compte énormément pour lui. Enfin bref. Je rentre chez moi pour l'occasion, et j'aimerais beaucoup que tu m'accompagnes.

Des parents. Les parents de Justin. Dans ma tête, je vis une boucle d'oreille en or au creux d'une main – sous la pluie. Je tâchai de la chasser de mes pensées.

Je coinçai une mèche de cheveux derrière mon oreille.

– Chez toi ? Pour Halloween ?

– Oui, le 31. Ce n'est qu'à une heure d'ici.

Le silence s'installa encore un moment tandis que les paroles de Justin flottaient dans mon esprit.

Oui, le 31.

Je posai une main à plat sur ma tête et la passai sur mes cheveux. Mes joues étaient en feu et le souffle me manquait.

– Alors, qu'est-ce que tu en dis ? Tu viendras ?

On est en octobre...

J'exhalai de manière saccadée, par le nez. Je sentais mon cœur cogner dans ma poitrine.

– Bon, bredouilla Justin avant de déglutir. Tu n'es pas obligée.

C'était sans doute une réaction à mon silence. Un voile descendit sur ses yeux. Il était toujours assis sur la margelle, alors que je m'étais levée et que j'avais passé mon sac sur mon épaule.

– Si, je veux venir, dis-je d'une voix mourante en commençant à reculer. Écoute, il faut que j'y aille. Je passerai te chercher après mon boulot à la bibliothèque. Vers six heures ?

– Lenah, attends !

Je partis en courant vers Main Street.

La vérité, c'est que je ne fuyais pas Justin ni son invitation chez ses parents. Ce que je fuyais, c'était la date, le tic-tac dans ma tête que j'avais temporairement réussi à faire taire. L'invitation de Justin avait remis l'horloge en marche, parce qu'on était en octobre et que la Nuit Rouge avait commencé.

Jamais je ne m'étais sentie si égarée. La Nuit Rouge avait commencé, et je ne m'en étais même pas rendu compte ! Je remontai lentement Main Street en observant les sites du centre-ville que j'avais appris à aimer. J'enfonçai les poings dans mes poches, passai devant la marina et pénétrai dans le quartier résidentiel de Lovers Bay. Je baissais ma garde avec une facilité étonnante. Justin Enos, Tony et tout ce que Wickham avait à offrir : cela occupait mes pensées en permanence. À mesure que la Nuit Rouge s'écoulait, je le savais, il me fallait plonger plus profondément dans mon existence humaine et laisser le monde vampirique derrière moi. Comme l'avait dit Rhode, ma vie en dépendait.

Je franchis le portail en fer forgé du cimetière de Lovers Bay. Tout en suivant les panneaux indiquant le bureau de l'accueil, je savais dans mes tripes que je faisais ce qu'il fallait. Une fois à l'intérieur, je remarquai que tout était très... blanc. Les fleurs peintes sur les murs conféraient à la pièce une teinte rosée. Une femme se leva derrière un bureau ancien, peint en blanc. Elle était jeune, la trentaine à peine, la bouche incurvée vers le bas.

– Que puis-je faire pour vous ? s'enquit-elle d'une voix apaisante.

– Je voudrais faire poser une pierre. Une pierre commémorative, ajoutai-je en me rappelant que les dernières cendres de Rhode étaient accrochées à mon cou.

– Est-elle déjà prête ?

– Non.

La femme prit une brochure sur une pile et l'ouvrit.

– Vous pouvez appeler ce numéro. C'est le marbrier local. Il vous aidera à la dessiner.

Je sortis de ma poche une enveloppe pleine de billets de cent dollars. Rhode m'avait bien dit de ne traiter qu'en liquide. Et pour être honnête, c'était plus que suffisant. La femme jeta un regard rapide à la somme.

– Combien coûte un emplacement, en général ? me renseignai-je.

Elle me toisa et soupira.

– Quel âge avez-vous ? me demanda-t-elle en haussant les sourcils.

– Seize ans.

– Je ne pourrai rien faire sans autorisation parentale, m'informa-t-elle avec une pointe d'autorité dans la voix.

Je détestais les humains de ce genre.

– C'est une stèle pour mes parents. Qui sont morts tous les deux. Alors si vous voulez deux mille dollars pour votre cimetière, vous allez me donner votre autorisation. Sinon, j'irai ailleurs.

– Oh.

C'est tout ce qu'elle dit, en baissant la tête pour me cacher sa gêne. Elle sortit un formulaire en ajoutant :

– Au temps pour moi.

Elle me fit payer deux mille dollars pour que la stèle de Rhode soit installée sous les branches d'un gros chêne. Même ainsi, confrontée à la certitude de sa mort, je ne pouvais toujours pas imaginer Rhode assez faible pour être anéanti par le soleil.

Quinze jours plus tard, par un vendredi après-midi ensoleillé, Justin et moi nous dirigions vers le terrain de crosse. Il me tenait par la main et portait son équipement sur son épaule.

– Ça me fait vraiment plaisir que tu viennes chez moi pour Halloween. Tu n'as pas changé d'avis depuis l'autre jour, hein ?

– J'ai hâte de faire connaissance avec tes parents.

Il porta ma main à ses lèvres et m'embrassa les doigts.

Tracy et un groupe d'externes se rapprochaient de nous. En nous dépassant, l'une d'entre elles, une grande brune qui portait des lunettes à monture noire, fit semblant de tousser mais dit « salope » entre ses dents. Je ne relevai pas l'affront. Tracy se retourna et me lança un regard filtrant en rejetant ses cheveux par-dessus son épaule.

Pendant la semaine consécutive à l'invitation de Justin, j'avais rédigé un devoir pour mon cours d'anatomie. Je devais décrire en détail le processus de dissection de la grenouille. Mrs Tate m'avait dit qu'elle comprenait ce qui m'était arrivé en classe (elle ne comprendrait *jamais*, mais passons) et qu'un devoir écrit ferait l'affaire. Depuis l'incident avec le batracien, je n'avais croisé Tony qu'à l'occasion de ce cours. Il n'était pas chez lui quand j'allais le chercher pour le petit déjeuner ou le déjeuner ; son coloc me disait toujours qu'il « s'était absenté » ; il ne répondait pas non plus au téléphone. Comment faisait-il pour m'esquiver si complètement ? La tour des arts était un lieu sacré pour lui, et je ne me voyais pas m'y pointer alors qu'il m'évitait si visiblement.

Une autre semaine s'était écoulée et, ce vendredi-là, il faisait très chaud pour la saison. Je n'avais besoin que d'un pull léger et d'un jean.

– Ma mère prépare un vrai festin en ton honneur, m'apprit Justin.

Nous étions presque arrivés au terrain de crosse. Il devait être trois heures de l'après-midi.

– Ta mère ?

J'éprouvai un pincement d'anxiété. En général, j'évitais de penser aux yeux de ma propre mère ou à sa senteur de cire et de pommes.

– Oui, elle n'arrête pas de me demander ce que tu aimes manger. Et tu manges beaucoup, pour quelqu'un d'aussi mince. Alors je lui ai demandé mon plat préféré. Du rôti.

Pendant un instant, je me demandai à quoi ressemblait la mère de Justin. Ce dernier m'embrassa sur la joue en arrivant au bord du terrain.

– On partira vers 17 h 30, ça te va ?

– C'est parfait.

Je m'assis. Claudia et Kate vinrent s'asseoir à ma droite et à ma gauche. Ce n'était pas une surprise : elles avaient fait cela toute la semaine. S'asseoir à mes côtés quand Justin était dans les parages, puis m'ignorer quand Tracy se trouvait avec elles. Ce devait être épuisant.

– Lenah ! Regarde ce qu'on a acheté ! me dit Claudia avec animation.

Kate et elle portaient autour du cou deux minuscules flacons d'or des fous, de ceux que l'on trouve dans les boutiques pour enfants.

– On a essayé d'en trouver en forme de poignard, comme le tien. Mais pas moyen.

– Oui, on voulait être assorties avec toi. Mais tu as un style... unique.

– Assorties ?

Les garçons de l'équipe commençaient à arpenter le terrain en se passant la balle avec leurs filets. Je levai le menton vers le ciel. Claudia m'imita. Ce qu'elle ignorait, c'est que j'étais en train d'évaluer l'heure en observant la position du soleil.

– Profitons-en tant que ça dure, dit-elle sottement, supposant que je m'inquiétais de la météo. Tu verras, quand l'équipe devra jouer en intérieur pendant l'hiver.

Nous étions couchées dans l'herbe et j'avais mes lunettes noires sur le nez.

– Oh oui, ça sent le fauve, là-dedans, renchérit Kate. Et toutes les filles viennent quand même voir jouer les garçons. Quelle bande de nulles.

– Lenah ! Regarde un peu ça ! me héla Justin depuis le terrain en désignant les genouillères rose vif de Curtis.

Je rigolai avec lui, mais l'entraîneur le rappela à l'ordre en lui intimant de « cesser de flirter avec sa petite amie ».

Ce fut Claudia qui prit le taureau par les cornes.

– Bon alors, Lenah. Toi et Justin ?

À sa façon de sourire, je compris qu'il y avait un sous-entendu.

– Quoi ?

– Vous sortez de Seeker Hall. Tous les deux. Est-ce que vous avez...

Je baissai le menton pour la toiser par-dessus mes lunettes.

– Est-ce qu'on a quoi ?

– Il sortait bien de chez toi, non ?

Je secouai négativement la tête.

– Il n'est jamais entré chez moi.

– Quoi ? s'exclama Kate en se redressant. *Jamais* ?

Je confirmai.

Sur le terrain, Justin avait la balle et courait vers le but. Il marqua et Kate et Claudia se levèrent. Nous hurlions de joie. Je n'étais plus une exclue. J'étais populaire, à présent. On me regardait, avec Justin, partout où nous allions. Mais pouvais-je lui montrer ma chambre ? Lui dévoiler les éléments de ma vie qui faisaient que j'étais... que j'étais moi ?

Kate avait raison, pourtant. Il finirait bien par vouloir y entrer. Claudia s'appuya sur ses mains pour prendre le soleil. Elle tourna distraitement la tête vers le bâtiment Hopper.

– Oh, non...

Tout comme Kate, je suivis son regard. La tour des arts.

– Il te mate souvent comme ça ? demanda Claudia.

En me tournant vers la tour, je vis deux yeux en amande qui observaient le terrain de crosse depuis l'atelier. Lorsque je captai le regard de Tony, il disparut dans l'ombre de la pièce.

– Il t'a épiée comme ça toute la semaine. En réunion, en cours, et maintenant ici, m'informa Kate.

Je me levai.

– Je n'avais pas remarqué. Je reviens toute de suite.

Je jetai un coup d'œil au terrain. Justin se préparait à jouer une manche avec l'équipe.

– Tu ne devrais même pas prendre cette peine, Lenah, cria Kate dans mon dos en remontant les manches de son pull noir. Tu lui donnes de faux espoirs.

– J'en ai pour une minute.

Je lorgnai discrètement la fenêtre de la tour. Il n'y avait plus personne. Je n'avais pas remarqué que Tony m'avait surveillée toute la semaine, et je le regrettais. Si je l'avais su, j'aurais peut-être pu lui dire que c'était le Trio – ou du moins aux deux tiers – qui me collait, et pas l'inverse. De toute manière, c'était Justin qui m'intéressait, et je ne faisais en aucun cas partie de la bande.

Je gravis les marches de la tour.

– Il y a quelqu'un ?

Pas de réponse.

– Tony, je sais que tu me détestes en ce moment, mais tu as tort de me zapper et de m'épier dans mon dos.

Toujours pas de réponse. Je poursuivis mon ascension.

– Tu peux venir me voir chez moi, tu sais...

Mais en passant la porte de l'atelier, j'eus le souffle coupé. De l'autre côté de la salle, pile en face de l'entrée, trônait le portrait. Je me figeai. Je ne savais ni quoi dire ni quoi faire. Tony l'avait enfin terminé. Mon portrait. J'y apparaissais de dos. La tête tournée vers la droite, de profil, je riais à pleines dents, heureuse. Le ciel était bleu et mon tatouage ressortait sur mon épaule gauche. Il n'était pas effrayant mais artistique. Je savais que le tableau était réalisé d'après une photo, je l'avais vue dans le casier de Justin, deux étages plus bas. Cette photo datait du jour du saut à l'élastique. Mais dessus, j'étais en tee-shirt blanc, alors que sur le tableau, j'avais le dos nu, les épaules exposées. Je vis le creux profond de mon échine et la courbe douce de mes épaules. Tony n'avait pas fait qu'exercer son art, il avait intensément observé mon corps – mon âme.

– Tu aimes ? me demanda-t-il.

– C'est une merveille.

Je n'arrivais pas à détacher les yeux du tableau. Comment un être humain pouvait-il me voir ainsi ? Comme si j'étais une personne que l'on admire pour sa capacité au bonheur ?

– Ce n'est pas moi. C'est impossible.

– C'est toi comme je te vois.

– Souriante ? Heureuse ?

Il était venu me rejoindre et se tenait à côté de moi.

– Tu me rends heureux.

De nouveau, j'observai le portrait, fascinée par ce sourire rayonnant.

– Lenah...

Il me prit la main. Ses yeux bruns plongèrent au fond des miens. Il ne souriait pas, il ne riait pas. Sa bouche dessinait une ligne droite, immobile. D'habitude, son sourire allégeait mon humeur ; il y avait toujours quelque chose de drôle dans l'air, avec lui. D'habitude.

Il prit mes mains dans les siennes, et je notai que ses doigts n'étaient pas tachés de peinture. Sa casquette de baseball était repoussée en arrière, et sa chemise était immaculée. Il devait avoir achevé le tableau depuis des jours.

– Je voulais te le dire avant qu'il ne soit trop tard...

En regardant ses mains, il me vint une pensée soudaine... je compris...

– Ne dis rien...

– Je...

– Non, Tony. Je t'en prie.

– Je t'aime.

Il l'avait dit très vite, comme on arrache un pansement. Il cherchait une approbation dans mes yeux. Il y eut un silence, et je compris qu'il voulait que je réagisse.

– Tony...

Il ne me laissa pas continuer.

– Je t'aime depuis... depuis le premier jour, tu vois, alors pas la peine d'essayer de me convaincre du contraire. Et je sais que tu penses qu'on est amis, et on l'est, même si tu sors avec ce crétin. Mais je veux plus que cela. Et je crois que c'est possible. Peut-être pas tout de suite, mais...

261

– Je vais rencontrer ses parents. Ce soir.

Il me lâcha et recula. Puis il retira sa casquette pour passer une main dans ses cheveux noirs en bataille.

– Ah bon, très bien. C'est pas grave.

Je tendis les bras vers lui.

– Tony, attends...

Il était presque arrivé à l'escalier.

– Ouais, ouais. Faut que j'y aille.

– Ne pars pas. Le tableau. Il est magnifique.

Son pas pressé m'indiqua clairement que je ne devais surtout pas le suivre.

Chapitre 18

Les parents de Justin habitaient, tenez-vous bien...
dans le *Rhode* Island. Un petit État coincé entre le Massachusetts et le Connecticut. Ne sachant pas trop à
quoi m'attendre, j'avais apporté bien plus de vêtements que nécessaire. En se garant à côté de Seeker
Hall, Justin considéra ma valise avec un grand sourire.

– Tu as vraiment besoin de tout ça ? me demanda-t-il
en ouvrant le coffre. Tout va bien ?

Il avait remarqué que je ne souriais pas comme
d'habitude. Il déposa un baiser sur ma joue.

– Je me suis disputée avec Tony.

– À propos de quoi ? Toujours ce portrait ? Il va le
finir, un jour ?

– Aucune idée.

Ce n'était pas à moi d'annoncer à Justin que Tony
avait achevé son œuvre.

Curtis était sur la banquette arrière.

– Salut, lady !

C'est ainsi qu'il m'appelait, ces derniers temps.

Puis une main plus petite et plus fine que celle de
Justin apparut au-dessus du dossier et me fit signe. Je

compris que Roy était allongé sur la banquette du fond. Je montai à l'avant et Justin démarra.

Je baissai la vitre. La rue principale de Lovers Bay fit place à la route 6, puis à l'autoroute. Nous filions plus vite que tous les chevaux que j'avais jamais montés, et les arbres n'étaient qu'une tache floue. Je sortis la main par la fenêtre pour sentir la pression du vent. Justin me regarda, me sourit, et me pressa le genou. Je lui retournai son sourire et levai le menton dans la lumière du jour finissant.

Le crépuscule tombait sur une longue rue bordée de chênes dont les feuilles commençaient à brunir. Les maisons étaient entourées de vastes pelouses, et des citrouilles étaient disposées sur les porches peints en blanc. Certaines étaient creusées, avec un sourire en zigzag et une bougie à l'intérieur.

– On dirait qu'on ne fête pas beaucoup Halloween en Angleterre, hein ? se renseigna Curtis en passant une veste légère sur son tee-shirt. Tu regardes tout la bouche ouverte.

Nous remontions une large allée sinueuse qui menait à une demeure coloniale grise. Elle avait deux étages, une porte peinte en bleu ciel et un perron en pierre bordé de citrouilles.

– On a plein de gamins qui viennent demander un bonbon ou un sort, m'expliqua-t-il en portant ma valise et la sienne vers la porte.

Justin ouvrit et me fit entrer la première, suivie par Curtis et Roy.

– Maman ! cria-t-il.

Le hall d'entrée, immense, regorgeait de tableaux représentant des paysages et de meubles en acajou. Il y avait aussi des portraits plein les murs. La voix de Justin résonnait entre les hauts plafonds et le parquet luisant.

– On est arrivés ! ajouta Curtis en passant devant moi.

Il bifurqua vers un salon douillet, laissa tomber les sacs par terre et alluma la télévision. Roy prit place à l'extrémité d'un long canapé en cuir.

Pour ma part, je n'avais jamais mis les pieds dans une maison moderne. Celle-ci était bourrée d'équipements électroniques, dont j'avais déjà vu certains à Wickham, et d'œuvres d'art. Un grand escalier menait à l'étage.

Une femme de cinquante-cinq ou soixante ans avec de fabuleux cheveux blonds et des rides d'expression aux coins des yeux descendit en courant.

– Ah ! Vous voilà !

Ses sandales cliquetaient sur les marches de bois.

– Salut, m'man, dit Justin en posant son sac.

Mrs Enos lui sauta au cou. Ses cheveux retombaient autour de son visage, légers comme des plumes. Elle l'embrassa sur le front.

– Je ne te vois pas assez, se plaignit-elle en lui pinçant les joues et en l'embrassant de nouveau.

Puis elle se recula pour mieux me voir. Elle me détailla de la tête aux pieds.

– Eh bien, quelle belle fille ! s'exclama-t-elle en m'attirant dans ses bras. Tu n'avais pas menti, Justin.

Elle pénétra dans le salon. Curtis et Roy se levèrent du canapé pour embrasser leur mère.

– Lenah, je veux tout, tout savoir sur l'Angleterre. Raconte-moi tout sur toi. Viens avec moi à la cuisine, je vais préparer la salade.

Justin et moi échangeâmes un regard, après quoi je la suivis. J'éludai poliment ses questions, sans lui dire plus que le strict nécessaire.

Après le dîner, je sortis de la salle de bains fraîchement douchée, en jean et tee-shirt. Ma trousse de toilette à la main, je m'engageai dans le couloir, sans allumer, dans l'intention de rejoindre la chambre d'amis. Je fis un pas, puis hésitai. J'avais perçu un mouvement dans mon dos, mais il s'arrêta en même temps que moi. Je me retournai d'un seul coup. Justin était là, dans le noir.

La peau n'est jamais la même d'un humain à l'autre. Je le sais bien, à force d'y avoir plongé mes crocs des milliers de fois. Facile. Comme un couteau tranche une pomme. Dans l'obscurité, celle de Justin était presque lumineuse. Il s'approcha de moi, très lentement. Je vis ses muscles abdominaux rouler sous sa peau.

Il était torse nu, en jean taille basse. Relevant les yeux, je me forçai à observer plutôt le contour sculptural de ses bras.

Il me prit par la main, et, en un clin d'œil, je me retrouvai sur le dos, sur le lit, porte fermée. Mes vête-

266

ments m'encombraient. Les mains de Justin étaient partout sur moi. Il me tint d'abord les bras au-dessus de la tête pour m'embrasser dans le cou. Puis il se laissa attraper et je le serrai contre moi en l'entourant de mes jambes. Il émit un gémissement, presque un grognement, comme s'il allait me dévorer. Je posai mes lèvres sous sa mâchoire et léchai sa peau pour en sentir le sel sur ma langue. Ses mains remontèrent le long de mes cuisses, et ses doigts se débattaient avec les boutons de mon jean, lorsque...

– Justin ! cria sa mère d'en bas.

– Vous devriez aller faire un tour dans le quartier, nous dit Mrs Enos en sortant une plaque de cookies du four.

Justin m'adressa un sourire discret en entrant dans la cuisine. Je pris un biscuit et décidai que l'odeur des cookies aux pépites de chocolat était la meilleure du monde.

– Il y a des centaines d'enfants par ici, et tout le monde décore sa maison pour les fêtes.

– C'est vrai, confirma Justin, encore un peu rouge.

Sa mère lui ébouriffa les cheveux en sortant de la cuisine. Leur complicité naturelle fit remonter un souvenir en moi. Le matin, la maison de mon père sentait la terre fraîchement retournée et le foin. Alors que je rêvassais encore, la tête sur l'oreiller, papa me réveillait doucement. « Lenah », murmurait-il. Nous traversions le verger, parlant de choses et d'autres, passant le plus de temps possible ensemble avant de nous mettre au travail. La mère de Justin... en un regard, elle avait tout dit. J'avais oublié ce que c'était que d'être la fille de quelqu'un. Il y avait si longtemps...

J'avais presque le goût des pommes de mon père dans la bouche, je sentais l'explosion sucrée et acidulée sur ma langue, lorsque les doigts de Justin agrippèrent les miens. Ce doux contact dérangea mes pensées, et les images de ma maison s'envolèrent en fumée comme le font tous les souvenirs.

Nous longeâmes l'allée sinueuse pour rejoindre la rue. Il était presque sept heures et des enfants costumés couraient déjà de maison en maison.

– Ça t'arrive de te déguiser ? lui demandai-je.

– Je le faisais quand j'étais petit.

– Dis, pourquoi m'as-tu amenée ici ? Dans ta famille ?

Je souris à une fillette costumée en sorcière. La rue, longue de près d'un kilomètre, grouillait de gamins. Je me remplissais les yeux de toutes les lumières des maisons, et de tous ces enfants joyeux.

– Parce que je crois que tu n'as pas fini de faire partie de ma vie.

J'eus envie que nous soyons encore dans la chambre d'amis. Nous avancions toujours, la main dans la main, en grignotant les cookies que nous avait donnés sa mère.

268

– Je ne sais pas grand-chose de ta famille, me fit remarquer Justin. Tu n'en parles jamais.

Un petit garçon affublé d'un dentier de vampire passa près de nous. Je le contemplai fixement.

– Ils sont morts. Il y a longtemps.

– Mais tu m'as dit que tu avais un frère. L'autre jour, sous la pluie.

– C'est vrai. Mais lui aussi, il est mort.

Je regardais droit devant moi. Je sentais Justin m'observer.

– Toute ma famille est morte, d'une manière ou d'une autre.

Justin rougit et me lâcha la main.

– Je ne veux pas de ta pitié, dis-je calmement.

Il leva les bras dans un geste de protestation.

– Je n'ai pas pitié de toi. (Il fronça les sourcils, hésitant.) C'est juste que... je ne sais pas. Je ne sais pas ce que je pense. Tous ceux que tu aimais sont morts. Tu dois te sentir très seule.

– Oui. Mais ça ne me définit pas. Je refuse de m'arrêter à ça.

Il y eut un silence. J'écoutais les enfants autour de nous, le crissement des bonbons dans les taies d'oreiller. Je lui repris la main.

– Je ne suis plus seule, désormais.

Il hocha la tête, mais semblait encore frustré. Je m'arrêtai à mon tour.

– Écoute. Tu n'y peux rien.

– Mais je veux t'aider.

– Je sais. Et si c'était possible, tu serais le seul à pouvoir le faire.

Il serra ma main, fort. Notre promenade se poursuivit, jusqu'au moment où les cookies furent tous mangés et où il fallut prendre le chemin du retour. La soirée s'enfonçait dans un silence tranquille. Le père de Justin arriva et tout le monde le salua, puis lui souhaita une bonne nuit car il était tard. J'avais envie de me reposer. L'épaule de Justin aurait été idéale pour y poser ma tête, mais sa famille était toujours là, tout autour de nous.

Après avoir gravi l'escalier d'un pas lourd, le ventre plein de gâteaux et de friandises d'Halloween, je m'enfermai dans ma chambre et me laissai tomber sur le lit. Je réfléchis à la facilité avec laquelle la famille de Justin m'avait acceptée. Les souvenirs de ma propre famille étaient si estompés, si difficiles à atteindre, qu'ils n'étaient plus qu'une impression vague. Je n'avais pas besoin de me créer une famille : j'y étais accueillie, à bras ouverts. Alors que je me déshabillais, la bouche et les yeux verts de Justin s'insinuèrent dans mes pensées. Lorsque ma tête toucha l'oreiller, je repensai à ce qu'il m'avait dit dans la rue. Que s'il l'avait pu, il m'aurait soulagée de ma peine. Personne ne pouvait effacer toutes les horreurs que j'avais commises. Personne, sauf moi. Mais Justin Enos faisait partie de moi, à présent, et cela allégeait le chagrin encore caché dans mon cœur. En sombrant dans le sommeil, je l'imaginai, dans sa chambre, couché sur le dos, pensant à moi, espérant que j'étais encore éveillée et que moi aussi je pensais à lui.

Chapitre 19

Le lendemain matin, je sentis que l'air s'était rafraîchi, même sous les couvertures. Je me retournai sur le ventre et me soulevai sur les genoux. Il y avait une petite fenêtre au-dessus de la tête de lit, et j'écartai le rideau du bout des doigts. Le ciel était presque incolore : il était encore trop tôt pour que les Enos soient levés. Je décidai d'aller me promener, seule. J'enfilai mon jean et un sweat-shirt de Wickham appartenant à Justin. Je ne pris pas la peine de me coiffer.

Je sortis dans la rue. Le ciel était à présent bleu-gris et une brume légère flottait au-dessus des arbres, comme suspendue. Le sweat de Justin avait son odeur : douce et boisée, réconfortante.

Je me retournai vers la maison. Je ne comptais pas aller très loin : je voulais juste explorer un peu le quartier pendant que la famille dormait encore.

Mon estomac m'envoyait ce signal que je commençais à connaître, et je pensai aux œufs et au café que Justin me préparerait sûrement à mon retour. Je souris. Le Rhode Island. Évidemment, il fallait que ce soit dans le *Rhode* Island. Depuis quelque temps pourtant, je ne désirais plus qu'une chose : cesser de penser à Rhode et à ma vie de vampire. Et à certains égards, j'avais réussi. Mes perceptions extrasensorielles avaient disparu, ma vue de vampire avait commencé à s'émousser, et je voulais, de toutes mes forces, évoluer, devenir l'être humain que j'aurais toujours dû être. Privée de mes perceptions, je pourrais oublier à quel point j'avais été différente des autres et vivre ma vie sans connaître les émotions de tout mon entourage. Et juste au moment où j'ébauchais un nouveau sourire...

Quelque chose bougea derrière moi.

C'était clair : cette sensation intime d'être épiée... non, faisons clairement la distinction : la sensation d'être suivie. Quand un vampire se trouve à proximité d'un autre vampire, il le sait instantanément. Un silence soudain, proche de la surdité, et l'impression d'être couverte de glaçons. Les poils de mes bras se hérissèrent et je déglutis, la gorge serrée. Je me retournai brusquement.

Et au beau milieu de ce quartier résidentiel, sous un réverbère, je découvris Suleen.

J'étouffai une exclamation. L'air s'engouffra dans mes poumons, je le retins, et le silence retomba. Suleen était parfaitement immobile. Il portait une tunique blanche, un pantalon blanc et des sandales de cuir doré. Un turban blanc couvrait ses cheveux. Son visage était rond mais, malgré la plénitude de ses joues, il ne pouvait pas, ne pourrait jamais avoir l'air juvénile. Il ressemblait presque à un fantôme dans cette lumière matinale. Il était si sacré, si éloigné des soucis du quotidien, qu'il n'avait pas une ride. Cet homme existait depuis bien avant la naissance du Christ.

Comment il avait appris que j'étais dans le Rhode Island, je ne le saurais jamais. Je me sentis instantanément en sécurité, protégée, comme si une grande lumière blanche nous englobait dans cette rue tranquille. Suleen est connu dans le monde vampirique pour transcender le mal, pour jouir d'une existence libérée du besoin de se nourrir de l'humanité. « Il ne s'attaque qu'aux faibles, m'avait un jour expliqué Rhode. Il ne boit que le sang de ceux qui ont quelque chose à se reprocher. » Il s'approcha de moi, sans que nous disions un mot, et posa une main sur ma joue. Il n'avait pas d'odeur et sa peau était parfaitement tiède. Ses yeux sombres et chaleureux plongèrent dans les miens, et il me sourit.

– Ta transformation me fait plaisir, me dit-il.

Sa voix était lente, comme de la mélasse. De sa poche il sortit une brindille : du thym. De minuscules fleurs mauves accrochées à une longue tige verte. On utilise le thym dans les rituels destinés à la régénération de l'âme.

Je le pris avec précaution entre le pouce et l'index.

– Qu'est-ce qui me vaut cet honneur ? lui demandai-je, abasourdie.

Même du temps de ma splendeur, à l'apogée de mon règne sur le cercle, jamais il ne m'avait rendu visite. Il recula de manière à laisser quelques pas entre nous.

– Je suis venu te mettre en garde, me répondit-il d'un ton languide.

Je plaquai une main sur ma bouche. Mon cœur battait avec tant de force que Suleen l'entendit : ses yeux se posèrent sur ma poitrine.

– La Nuit Rouge. Mon Dieu. J'avais complètement oublié. Hier soir, c'était la dernière nuit de la Nuit Rouge. Aujourd'hui, nous sommes le 1er novembre. La Nuit Rouge est terminée.

Je promenai mon regard sur le sol, les arbres, les maisons endormies où j'aurais voulu me trouver, avant de revenir à Suleen.

– Vicken a découvert que je n'hibernais plus ?

Suleen hocha lentement la tête.

Je jetai un coup d'œil vers la maison des parents de Justin. Les lumières n'étaient pas encore allumées.

– Lorsqu'il est au complet, ton cercle est invincible. Séparés comme ils le sont maintenant, ses membres ne le sont plus. (Un silence.) La traque a commencé.

Mes perceptions vampiriques étaient de retour et submergeaient ma conscience humaine. Je supposai que c'était dû à ma proximité avec la puissance de Suleen. Une image, sortie non de ma tête mais de la sienne, me vint à l'esprit : la cheminée de Rhode, chez moi, à Hathersage.

– Il y a autre chose, murmurai-je en observant l'âtre. (Le tremblement de ma voix trahissait ma peur.) Vous êtes venu me dire autre chose.

– Ils ont trouvé un indice dans les braises. Rhode a brûlé toutes les preuves de ta transformation, sauf une. Un mot oublié sur un morceau de papier calciné.

– Wickham.

Je voyais l'image dans mon esprit. Un minuscule fragment de la brochure du lycée. Ma connexion extra-sensorielle avec Suleen était extrêmement forte. Je ressentais sa compassion, ce qui me surprit : pendant toutes ces années, je l'avais toujours cru bien au-dessus de cela. Je percevais ma connexion humaine et vampirique avec l'événement, et quelque part, entre les images qu'il m'envoyait, j'éprouvais presque la rage de Vicken.

Il fallait que je reprenne mon souffle, mais j'en étais incapable. Je me penchai en avant, les mains sur les cuisses. Suleen inclina la tête sur le côté pour me regarder. Mes réactions devaient être intéressantes.

– Alors... Ils viennent me chercher, dis-je d'une voix entrecoupée.

Je me redressai, une main sur le cœur.

– Ils viendront chercher leur créatrice. Ils ignorent que tu es humaine, Lenah.

– Ils vont être surpris.

Suleen me sourit de ses yeux doux, même si le reste de son visage demeurait impassible. L'espace d'un instant, je crus y déchiffrer de la tristesse. Son regard se posa sur le flacon de cendres que j'avais au cou. Il s'approcha et tendit la main vers mon pendentif. Il le tint entre ses doigts, délicatement.

– Encore faut-il qu'ils découvrent de quel Wickham il s'agit, et où cela se trouve, n'est-ce pas ? hasardai-je.

Suleen lâcha le flacon et me caressa de nouveau la joue. Il ne répondit rien. Je savais aussi bien que lui que ce n'était qu'une question de temps. Je m'efforçais de réfléchir rationnellement.

– Tu étais le rayon de soleil de Rhode, me chuchota-t-il.

À entendre ce prénom, j'eus un petit pincement au cœur.

– Ferme tes yeux, me dit-il à l'oreille.

Je lui obéis. Au bout d'un moment, il déclama :

– Avance, Lenah, dans les ténèbres comme dans la lumière.

Lorsque je rouvris les yeux, la rue était déserte.

Quelques jours plus tard, les décorations d'Halloween furent décrochées pour faire place aux ornements les plus ridicules que j'avais jamais vus. Les boutiques de Main Street, à Lovers Bay, étaient couvertes de dindons. On voyait encore des citrouilles partout, mais aussi des navires en carton découpé, des gens curieusement vêtus de grandes bottes noires et de chapeaux à boucle, et bien sûr, des dindons, des dindons, toujours des dindons.

– C'est Thanksgiving, m'expliqua Justin.

Nous nous dirigions vers la bibliothèque afin d'aller y réviser les maths, pour les concours d'entrée en fac. Justin se lança dans une longue explication à propos de la manière de fêter Thanksgiving dans sa famille. Je lui prêtais une oreille distraite, mais mes pensées tournaient en rond depuis que Suleen avait disparu dans la rue.

À vrai dire, j'étais tentée de croire que sa visite n'avait été qu'une apparition. Une invention de ma part. Malgré ses efforts pour me faire réviser, Justin n'arrivait plus à retenir mon attention. Je ne pensais plus qu'à l'avertissement de Suleen. J'emportais le thym partout où j'allais, dans ma poche.

– Bon. La racine carrée de 81, c'est 9, d'accord ? me dit Justin.

Nous avions presque atteint une des salles d'étude. Justin les aimait beaucoup, car il pouvait baisser les stores et m'y embrasser pendant une demi-heure au lieu de travailler sur les racines carrées.

– Mais je ne comprends pas pourquoi il faut savoir répondre à ces questions, si c'est pour se faire piéger par les autres réponses possibles.

– C'est pourquoi ces examens sont redoutables. Mais il faut bien les passer...

Il aurait aussi bien pu me parler de n'importe quoi : pour ma part, j'étais encore dans la rue de ses parents, dans le Rhode Island. Suleen tenait ma joue dans sa main et j'imaginais Vicken cherchant toutes les explications possibles à ce mot : « Wickham ». Je m'étais trop longtemps laissé distraire par ma nouvelle vie. J'avais été irresponsable.

– Tu te concentres d'abord sur l'énoncé, et ensuite tu cherches les réponses.

Justin continuait de m'expliquer comment réussir aux examens. Je regardais bouger ses lèvres pulpeuses, et combien elles contrastaient avec sa mâchoire carrée. Son profil était décontracté et ses cheveux avaient un peu poussé : sa coupe de sportif était un peu ébouriffée.

Il fallait que je lui dise la vérité.

– Allons dans ma chambre, dis-je en fermant la porte de la bibliothèque devant moi alors que Justin allait au contraire l'ouvrir. Pour réviser, clarifiai-je.

Il se tourna vers moi.

– Dans ta chambre ?

Je lisais dans ses yeux un mélange de stupéfaction et d'excitation.

– Pas pour ce que tu penses.

Je l'écartai du chemin afin de laisser passer d'autres élèves.

– Je croyais que tu ne voulais laisser y entrer personne. Ta vie privée, je ne sais quoi.

– Allez...

Je le ramenai sur le chemin de Seeker Hall. Je ne savais pas trop quoi lui dire ni comment j'allais m'y prendre, mais il était grand temps qu'il sache ce que je cachais.

Nous montions vers chez moi.

– Attends, me dit Justin en s'arrêtant à mi-hauteur de l'escalier. C'est pour ça que tu ne m'as jamais montré ton appart' ?

280

Il écarta les mains en signe d'incrédulité. Il faisait plus sombre dans l'escalier que dehors. Les appliques, avec leurs abat-jour bleus, soulignaient les marches et son pull vert clair d'un halo doré.

– C'est parce que tu vis dans l'ancien logement du professeur Bennett ? Mais je le savais déjà, ça.

– Ça fait peur à tous les autres, expliquai-je en poursuivant mon ascension.

Le romarin et la lavande étaient toujours accrochés au même endroit. Je humai le parfum des deux en entrant, Justin sur mes talons.

– C'est magnifique, commenta-t-il. Même si c'est l'appartement d'un mort.

Décidant de lui laisser le temps d'observer la décoration de mon petit logement, je me dirigeai vers le balcon. Je poussai le rideau et regardai dehors. Les arbres agités par le vent, les feuilles mortes qui tombaient, et les citrouilles éclatées qui restaient d'Halloween.

– Ouah ! entendis-je.

J'en déduisis qu'il venait de remarquer l'épée de Rhode. J'avais raison. Il était à trente centimètres du précieux métal. Je rentrai me poster à côté de lui.

– C'est une vraie ?

L'air émerveillé, il ne quittait pas l'épée des yeux. Puis il jeta un regard aux appliques de fer, à décor de roses et de lierre.

– Il faut que je te parle, lui dis-je en attrapant ses doigts tièdes.

– Je n'ai jamais connu de fille qui s'intéressait aux armes, me répondit-il, toujours fasciné.

Il ne faisait pas du tout attention à moi.

– Allez ! insistai-je. Il faut qu'on parle.

Il se tourna enfin vers moi.

– C'est au sujet de Tony ?

– Tony ?

– Vous ne vous parlez plus. J'ai remarqué. Tout le monde a remarqué.

– Non ! Aucun rapport avec lui.

– Alors vas-tu me dire pourquoi tu ne m'as jamais amené ici ? Je ne voulais pas te presser, parce que tu avais l'air de tenir à garder le secret sur cet endroit.

– Le secret ?

– Ben oui. Tracy n'arrêtait pas de dire que tu étais millionnaire et que tu venais d'une famille royale, quelque chose comme ça.

Je secouai la tête et levai les mains, les paumes tournées vers lui.

– Je veux que tu observes bien ce salon. Vraiment, attentivement. Et que tu me dises ce que tu vois.

– J'ai déjà regardé. C'est un peu gothique, mais ce n'est pas étonnant. Tu t'habilles toujours en noir.

Il me sourit, mais son ton malicieux me fit mesurer à quel point il était loin de comprendre ma véritable nature.

– Alors, c'est vrai que tu es de sang royal ?

Il aggravait son cas.

– Moi ? Pitié, regarde *vraiment* autour de toi !

Il soupira et se détourna de l'épée. Il pivota lentement en examinant la décoration. Ma chambre était derrière lui, la porte grande ouverte. On avait une vue directe sur ma couette noire et sur une simple table de nuit en bois. Puis, se tournant vers la porte d'entrée, il aperçut mes lunettes noires et mes clés de voiture sur la table basse. Il s'avança jusqu'au bureau.

– Tu aimes les vieilles photos.

Il s'empara de celle sur laquelle je posais avec Rhode.

– Dis donc ! Je l'ai déjà vu, ce type.

Silence.

Je n'en croyais pas mes oreilles.

– ... Quoi ?

– C'était un peu avant la rentrée. Il se baladait dans le campus. D'où tu le connais ? C'est un ex ?

– Non. Enfin si, plus ou moins.

J'étais incapable de masquer ma déception que Justin ne l'ait pas vu récemment. Il faut croire que j'avais conservé une pointe d'espoir.

– Plus ou moins ?

– Il est mort. Allez, regarde encore.

Il reposa la photo pour étudier les autres. Il y en avait deux de moi toute seule, posant ici et là en Angleterre. Puis il souleva celle du cercle, la seule existante. Je portais ma robe vert vif (même si la photo était en noir et blanc). Gavin et Heath étaient à ma droite, Vicken et Song à ma gauche. Pendant que Justin observait l'image, je me concentrai sur les traits de Vicken. Il me tenait par la taille. Le soleil se couchait, si bien que le

283

ciel derrière nous était gris clair et que le château, à l'arrière-plan, évoquait un monstre de pierre. J'étais happée par l'image de Vicken. Les pommettes hautes, les yeux qui m'avaient fait confiance la nuit où je l'avais pris, en Écosse. Aujourd'hui, privé de moi, il se préparait à fouiller la terre entière pour me retrouver.

– Comment a-t-elle été prise ? Ce n'est même pas une photo, c'est bizarre.

– Ça s'appelle un daguerréotype. Autrefois, les photos étaient prises sur plaques métalliques. Vers le début du siècle.

– On dirait de vraies photos anciennes...

Je me lançai.

– Ce *sont* des vraies.

Justin se tourna vers moi.

– Où as-tu trouvé quelqu'un pour les prendre ? On dirait que tu as des superpouvoirs, je ne sais pas... C'est ta famille ? me demanda-t-il en me montrant le cercle.

– Ces hommes sont ce que j'ai de plus proche d'une famille. Et ça, c'est ma maison à Hathersage.

De nouveau, il se pencha sur la photo.

– Pourquoi vous n'avez pas utilisé un vrai appareil photo ?

– Ça n'existait pas à l'époque.

L'incrédulité se peignit sur ses traits.

– Ça n'existait pas ? Ça doit faire cent ans que la photo existe.

L'affaire s'annonçait plus difficile que prévu.

– Ces photos datent d'il y a cent ans, dis-je grave-
ment.

– C'est impossible.

Je me plaçai au centre de la pièce en tâchant de maîtriser ma respiration. Je pointai le doigt.

– Regarde autour de toi. Des rideaux noirs ? Des
décorations anciennes ? Des photos de moi vieilles de
cent ans ? De l'art gothique et des portraits de moi qui
datent du XVIIIᵉ siècle, dans ma chambre ? Pourquoi ne
pas me poser la question qui te trotte dans la tête ?

– Que veux-tu que je te demande ? Je ne comprends
rien à ce qui se passe.

Justin commençait à paniquer. Jadis, j'aurais été
enchantée de lui faire si peur. À présent, je voulais simplement en venir au fait.

– Réfléchis. Quand on est allés faire de la plongée...
pourquoi est-ce que je n'avais jamais vu le soleil se reflé-
ter sur la mer ?

Justin déglutit si fort que je vis bouger les muscles
près de son oreille.

– Je ne sais pas. Tu es malade ? Tu as cette maladie
rare qui empêche les gens de se mettre au soleil ?

– Ce n'est pas un peu facile, comme explication ?

– Mais Bon Dieu, Lenah, qu'est-ce que tu racontes ?

Ses iris verts s'assombrirent.

– Ces hommes, dis-je en me rapprochant de lui. Ces
hommes debout autour de moi, et celui que tu as vu
avant la rentrée. Ces hommes sont des vampires.

Justin examina de nouveau les photos, puis releva la tête vers moi.

– Non...

La réaction habituelle. De fait, tous les humains à qui je l'avais dit avant de les tuer avaient eu exactement la même.

– Jusqu'à il y a huit semaines, j'étais un vampire. L'un des plus anciens de ma race. Ces hommes étaient, et sont toujours, mon cercle.

Justin posa une main sur le dossier du canapé, comme s'il avait besoin de se retenir à quelque chose.

– Tu me prends pour un idiot ? Tu penses vraiment que je vais croire...

– C'est la vérité. Tu me connais. Tu sais que je ne te mentirais pas.

– C'est ce que je croyais, mais là je ne sais plus. Tu veux que je croie que tu étais un vampire. Un vampire immortel, un suceur de sang. Que tu as tué des gens. Tu as tué des gens ?

Il avait adopté un ton sarcastique, un peu méchant, même.

J'avalai ma salive.

– Des milliers. J'étais la femelle la plus puissante de mon espèce. Si tu m'avais rencontrée quand j'étais vampire, je ne serais pas comme cela avec toi à l'heure qu'il est. J'aurais été sans pitié. J'aurais employé tous les moyens à ma portée pour te faire du mal. J'étais folle de douleur à l'idée de la vie que j'avais perdue. Rhode, que tu vois là, pensait que plus un vampire aimait la vie avant de mourir, plus il était malfaisant après. Et j'étais terrible. Les hommes de mon cercle, je les ai choisis soigneusement. Des hommes jeunes, comme toi. Je les ai choisis pour leur force, leur rapidité et leur ambition.

– Tu les as trouvés ? Pour qu'ils te rejoignent, c'est ça ?

Son ironie me faisait mal.

– « Trouvés », ce n'est pas le mot que j'emploierais.

– Lequel, alors ?

– Je les ai transformés... en vampires.

– Mais c'est complètement fou ! (Il criait, à présent.) Pourquoi tous ces mensonges ?

Furieuse, je me rendis à la cuisine et sortis les boîtes métalliques, ouvrant les couvercles pour lui montrer les fleurs de pissenlit séchées et les pétales de camomille blanche.

– À ton avis, pourquoi est-ce que je m'y connais tellement en herbes médicinales ? Pourquoi suis-je obsédée par la médecine naturelle ? Comment savais-je que tu pouvais manger cette fleur ?

Il recula d'un pas.

– Aucune idée.

– Et pourquoi est-ce que j'aurais une épée au mur ?

Je soupirai et baissai les yeux. Justin aurait voulu se faire de moi une image parfaite, innocente. Lenah l'Anglaise. Lenah qui ne savait pas conduire. Lenah qui craquait pour un garçon qui l'emmenait dans des endroits étonnants, parce qu'elle aimait à se sentir vivante. J'allai prendre l'urne sur le bureau. Je l'ouvris et un peu de poussière scintillante s'envola.

– Voici une urne pleine de cendres. Les cendres d'un vampire décédé. Pourquoi serait-elle ici si je mentais ?

– Mais pourquoi tu fais ça ? hurla-t-il.

– J'essaie de te protéger ! répondis-je sur le même ton en écartant les bras.

L'urne tomba au sol avec un choc sourd, et les belles cendres de Rhode se répandirent sur le parquet. Au même instant, mon petit doigt heurta la lame de l'épée. Je poussai un cri strident et tombai à genoux. La douleur, une douleur fantastique, meurtrière, époustou-flante. Il y avait cinq cent quatre-vingt-douze ans que je n'avais pas éprouvé une douleur de mortelle.

J'ouvris ma main qui m'élançait : je m'étais coupé le doigt. La coupure était petite mais saignait abondam-ment. C'était sans danger, mais c'était la preuve que j'étais bien humaine à l'intérieur.

Justin s'agenouilla à côté de moi. Nous étions tous les deux au milieu des cendres de Rhode. J'observai ma coupure et fis ce que je désirais le plus : je portai ma main à ma bouche, léchai le sang et fermai les yeux. Autrefois, c'était le goût du plaisir, l'une des seules saveurs de ma vie. Je renversai la tête en arrière et sou-pirai, en savourant la délicieuse dualité de l'instant. Je détestais ce goût de rouille, mais j'adorais le fait de m'en souvenir aussi bien.

Je relevai les paupières et écoutai le silence. Je regar-dai le sang, qui ne s'écoulait presque plus, puis le mer-veilleux visage de Justin.

– Qu'est-ce qu'il y a ? me demanda-t-il.

Je lui répondis à voix basse.

– Le goût a changé.

À présent, dans cette vie, le goût du sang n'était plus qu'une curiosité momentanée, une bouffée de quelque chose que je connaissais bien. Le soulagement se dissipait en vaguelettes de souvenirs, presque sans toucher la personne que j'étais devenue. Le vampire avait disparu, il s'était dissous dans le rituel.

– Changé ?

– C'était meilleur avant.

Il tendit les doigts vers ma main, mais je la retirai vivement et, ce faisant, tachai de sang son poignet. Juste une petite trace couleur de rouille. C'est à cet instant précis, alors que mes yeux se perdaient sur sa peau, que la voix de Rhode résonna à mes oreilles.

Tu ne vois pas ce que tu as fait !

Puis celle de Vicken.

Vos traits, ma jolie, ne sont pas de ce monde.

Puis c'est ma propre voix, pleine de passion, celle que j'avais ce soir-là dans les collines, que je reconnus.

Que Dieu me vienne en aide, Rhode, parce que si tu ne le fais pas, je m'avancerai dans le soleil jusqu'à ce qu'il me consume.

Et enfin Justin, bien qu'il soit juste devant moi, me parla dans ma tête.

Tous ceux que tu aimais sont morts. Tu dois te sentir très seule.

Combien de souvenirs peuvent remonter en même temps avant de former un magma de mots et de visages agglutinés par des années de souffrance ?

Cette nuit-là, la nuit où j'avais pris Vicken, j'étais fascinée par son bonheur. Tout comme j'avais été fascinée par celui de Justin. Je regardai de nouveau son poignet, mon sang étalé sur sa peau. Là, sous la tache, il y avait sa veine, une veine d'un beau bleu.

– Tu aurais été parfait, dis-je.

Je passai mon pouce sur le sang. Il n'était pas encore sec.

– Je t'aurais suivi, je t'aurais épié avec tant de précision que j'aurais pu compter les secondes entre chacune de tes respirations. Même maintenant, je fais encore ce genre de choses.

Je soutins son regard. Il était fixe, comme son corps. Ses grandes mains étaient encore dans les miennes.

– Même maintenant, je sais que tu croises les chevilles quand tu es détendu. Que cela te donne une sensation de puissance. Que la veine droite de ton poignet droit dessine quelques méandres à la surface avant de plonger dans ton bras. Que chaque respiration te prend deux secondes et demie. Précisément. Je sais tout cela, et des milliers d'autres choses. Je t'aurais tué avec plaisir. Je t'aurais tué, et ensuite je t'aurais emmené avec moi.

J'avais baissé la tête, mais je savais que Justin s'était levé. Il prononça quelque chose comme : « Faut que j'y aille, on en reparlera plus tard », ou quelque commentaire inutile de ce genre. Ce que je sais, c'est que la porte se referma en claquant.

L'après-midi ne faisait que commencer lorsqu'il partit, mais il était 16 h 30 quand je relevai enfin la tête. Je massai le bas de mon dos, tendis la nuque, étirai mes bras. Je repoussai le rideau et sortis sur le balcon. Le soleil était déjà bas et je repensai à la mise en garde de Suleen.

La traque a commencé...

J'allais donc affronter le cercle et mourir seule. J'y étais préparée. Ce n'était qu'une question de temps. Je m'accoudai au garde-corps pour observer les élèves insouciants qui profitaient de l'après-midi. J'espérais voir passer Tony et le héler, mais je savais qu'il évitait mon bâtiment. D'ailleurs, je ne le voyais plus qu'en cours d'anatomie. Et encore, il ne me parlait que des expériences. Chaque fois que j'essayais de dire autre chose, il se levait pour aller aux toilettes ou lançait un commentaire ironique, comme quoi j'étais un vrai mouton, ou le quatrième mousquetaire du Trio. Je contemplai les arbres. Il me manquait.

– Tu t'en vas ?

Ces mots n'étaient qu'un souvenir qui remontait à la surface. Ils ne franchirent pas mes lèvres.

Hathersage, 1740. Sous le règne de George II.

– Tu es sans pitié, cracha Rhode entre ses dents.

Il était sorti par la terrasse pour se diriger vers l'immensité des collines. C'est à l'époque où j'avais cessé de m'intéresser à tout ce qui n'était pas l'existence « parfaite » que j'avais commencé à perdre le contrôle de mon esprit. J'étais devenue obsession- nelle. Je me concentrais sur la perfection quand la dou- leur devenait intolérable. C'était le seul moyen de m'en distraire. Que signifiait la perfection ? Uniquement du sang humain, pas de sang animal. Uniquement de la force.

– Je sais ce que je fais, dis-je en claquant des talons et en relevant le menton.

Rhode se rapprocha tout près de moi. Il découvrit ses crocs pour me parler à l'oreille.

– Ah oui ? Hier soir, tu as tué une enfant. Une enfant, Lenah.

– Tu dis toujours que le sang des petits est le plus doux. Le plus pur.

Frappé d'horreur, Rhode recula, bouche bée.

– C'était un fait, pas un encouragement. Tu as changé. Tu n'es plus la jeune fille que j'ai prise dans le verger de son père, avec sa chemise de nuit blanche.

– J'ai sauvé cette petite d'une vie de malheur. Elle n'aura jamais à vieillir. Sa famille ne lui manquera pas. Sa mère ne lui manquera jamais.

– Sauvée ? Par la mort ? Tu l'as assassinée après l'avoir invitée à jouer dans cette maison !

À son regard brumeux, je vis qu'il organisait ses pensées.

– Je t'ai dit de te concentrer sur moi. Que si tu ne pensais qu'à ton amour pour moi, tu pourrais te libérer. Mais tu en es incapable, je le vois bien à présent.

Je tentai de dire quelque chose, mais il me devança.

– On dit que les vampires, au bout d'environ trois siècles, commencent à perdre la tête. Que la plupart d'entre eux choisissent de mourir au soleil plutôt que devenir fous. L'idée de l'éternité leur est insupportable. Quant à toi... c'est la vie que tu as perdue qui te rend folle. Arpenter cette terre pour l'éternité a emmené ton esprit dans un lieu où je ne peux plus t'atteindre.

– Je ne suis pas folle, Rhode. Je suis un vampire. Essaie un peu de te comporter comme tel.

– Tu me fais regretter ce que j'ai accompli dans ce verger.

Il me tourna le dos et commença sa longue descente dans la campagne.

– Tu me regrettes ? criai-je dans son dos.

– Trouve-toi, Lenah. Quand ce sera fait, je reviendrai.

Si j'avais pu pleurer, je l'aurais fait. Mes canaux lacrymaux s'emplirent d'une douleur cuisante, comme si de l'acide me montait aux yeux. J'avais si mal que je me pliai en deux, tandis que Rhode disparaissait dans les prés. J'aurais pu le regarder partir. J'aurais pu suivre sa silhouette jusqu'à ce qu'il fût hors de ma vue de vampire, mais la souffrance était trop grande. Je tournai donc les talons et me retirai dans la pénombre de mon château. Parmi les tapisseries et les coupes en argent, je décidai que plus jamais on ne me quitterait. C'est alors que je résolus de former le cercle. Je me rendis à Londres, et je trouvai Gavin.

Chapitre 20

Toc toc. Toc. Trois petits coups frappés à la porte. Je relevai la tête. Je venais de remettre les cendres de Rhode dans l'urne. Comme c'était étrange, que toute sa merveilleuse vie puisse être balayée ainsi... Je redressai les photos sur le bureau.

On frappa à nouveau.

Je refusai de me laisser aller à croire que c'était Justin. Ce n'était certainement pas lui. C'était plutôt quelqu'un qui me cherchait, pour les devoirs, ou pour mon job à la bibliothèque. Pendant un instant terrifiant, je crus que c'était Vicken ou un autre membre du cercle. Le jour baissait, et je n'avais aucune idée de leur force actuelle. Peut-être supportaient-ils tous le soleil, à présent.

Je reposai l'urne sur le bureau et ouvris la porte. Justin était là, une main dans la poche, l'autre sur le chambranle.

– Comment puis-je être sûr que tu n'es pas folle ?

– Tu ne peux pas.

Il fila tout droit vers les photos.

– Explique-moi pourquoi je marche au hasard depuis trois heures en essayant de me dissuader de te croire. Explique-moi. Pourquoi est-ce que je te crois ?

– Je ne peux pas.

– Et eux aussi, ce sont des vampires ? ajouta-t-il en me montrant le cercle.

J'acquiesçai.

– Et en ce moment, tu n'es plus un vampire ?

Il croisa les bras et s'appuya contre le bureau. Son regard était moins tendu. Plus de sourcils froncés ni de bouche crispée. Ses yeux fouillaient les miens, à la recherche de réponses.

– Absolument pas, dis-je du ton le plus ferme possible.

– Admettons que j'ose te croire. Admettons que dans un univers complètement tordu, quelque part, ce soit vrai. (Il prit sa respiration.) *Comment* est-ce que ça t'est arrivé ? Je croyais que les vampires étaient, hum... éternels.

Il s'exprimait avec maladresse ; je voyais bien qu'il n'était pas sûr de ses informations.

– En général, c'est le cas, dis-je presque en riant.

Je sentais la tension fondre entre nous, l'atmosphère semblait s'alléger. Une brève vague de soulagement passa sur mon corps et mes épaules se dénouèrent.

– Un rituel qui remonte à la nuit des temps, ajoutai-je avec un soupir.

– Un rituel ?

296

– Un sacrifice. Un rituel plus ancien que Rhode et moi réunis.

Je m'assis dans le canapé, bientôt rejointe par Justin.

– Rhode... C'est lui, sur cette photo ? s'enquit-il avec un signe de tête vers le bureau.

– C'était mon meilleur ami.

Ma voix se brisa sur ces mots. Je me raclai la gorge.

– Il est mort pour que je puisse redevenir humaine.

– Je ne comprends pas.

Nous nous regardâmes un instant. L'incertitude toute nue de ce qui nous attendait était suspendue en l'air.

– Prenons les choses comme elles viennent.

Il opina de la tête en me prenant la main.

– C'est complètement dingue, murmura-t-il.

Puis il me caressa le bras du bout des doigts et j'en eus la chair de poule.

– Je sais.

En le disant, je savourais le pur bonheur de pouvoir *sentir* mon cœur. Était-ce de la joie ou du réconfort ? Les deux, peut-être ? Je souris à nos doigts entrelacés. Je ne lui demandai même pas s'il m'en voulait, ou s'il désirait d'autres explications. J'étais simplement heureuse qu'il soit là, qu'il ne me laisse pas toute seule pour réfléchir à la honte et à la confusion de ma vie passée.

– On pourrait sortir ce soir, me proposa-t-il. Histoire de se changer les idées.

Je me sentis toute ragaillardie. Je me redressai avec un grand sourire.

297

– Bonne idée !

– Viens, on y va.

– Où ça ? demandai-je en me levant.

– Mes frangins sortent dîner en ville. Je pense qu'on en a bien besoin.

J'entrai dans ma chambre et fis exprès de laisser la porte ouverte. Je ne me déshabillai pas entièrement, mais me montrai en soutien-gorge et petite culotte.

– Où allez-vous d'habitude ?

– Tu verras, me répondit-il.

En me voyant, il se figea, la bouche entrouverte, et je me cachai sagement derrière la cloison de ma chambre.

– Si tu décides de sortir comme ça, et je suis à fond pour, ajouta-t-il. Pense juste à mettre des chaussures confortables !

À ma grande surprise, et pour ma plus grande joie, notre destination était Boston. Une fois descendus de la voiture de Justin, nous nous engouffrâmes tous dans une longue rue flanquée d'immeubles en pierre grise. Je marchais entre Claudia et Kate. C'était incroyable, mais elles avaient pris le pli de s'habiller comme moi. Et je mentirais si je disais que cela ne me flattait pas. Ce soir-là, je portais une robe courte noire, avec des escarpins assortis. En me voyant, les filles avaient couru à leurs chambres se mettre en robe.

Claudia me prit par le bras.

– J'espère qu'il y a du monde au club ce soir, déclara-t-elle.

Nous approchions d'une longue file d'attente où nous prîmes place.

– Quel club ? demandai-je à Justin.

Il me montra du geste le bâtiment à côté de nous.

– On vient ici presque tous les vendredis soir. Enfin pas depuis quelque temps, mais souvent, pour s'échapper un peu de Lovers Bay.

– C'est réservé à quel genre de membres ?

Il rit et m'embrassa sur le front.

– Ce n'est pas ce genre de club, m'expliqua-t-il en passant le bras autour de mes épaules. C'est un club pour danser. Une boîte. Je suppose qu'à ton époque, on appelait ça un bal ?

– Oh.

Là, je comprenais mieux. Il me prit par la taille et je me blottis contre lui. Nous formions un tout, de nouveau inséparable, et il connaissait la vérité. J'étais folle de joie. Heureuse au-delà de toute mesure. Et en plus, j'avais toujours adoré danser, même au XVe siècle, quand j'étais encore humaine.

Nous faisions la queue devant la boîte, qui s'appelait *Le Désir*, en attendant d'être admis. Autour de moi, les gens portaient des vêtements moulants. Certaines filles étaient en minijupe et débardeur. Nous étions début novembre, et je savais qu'elles frissonnaient, même si cet automne était anormalement chaud.

J'en étais là de mes pensées lorsque je perçus le chatouillis au creux de mon ventre et l'assourdissement de tous les sons. Oui, on m'épiait. Étant donné la mise en garde de Suleen, ce n'était pas surprenant. La taille toujours serrée par le bras de Justin, je scrutai la rue. Tout paraissait en ordre. Des hommes et des femmes erraient de boîte en boîte, un marchand de hotdogs faisait son métier. Des taxis et des voitures passaient et la musique sourde qui sortait des clubs faisait vibrer l'air. Tout était normal.

Ne nous voilons pas la face. Les vampires – du moins ceux qui, comme Vicken, ont dépassé un siècle et demi d'âge –, voient jusqu'à l'horizon. Il était peut-être à des lieues de moi. Moi-même, bien que ma vue vampirique se fût affaiblie, je voyais encore à plus de trois kilomètres. À cinq ou six rues de nous, des couples marchaient ensemble. L'air sentait la cigarette, l'alcool et les hotdogs. Je passai en revue les alentours, attendant que mon regard rencontre celui de Vicken, ces yeux bruns qui me fascinaient et défiaient mon âme, au XIXe siècle. Peut-être était-ce en fait Suleen qui passait voir si tout allait bien ? Cette idée m'apaisa momentanément.

– Est-ce que tu vas nous dire un jour ce que signifie ton tatouage ? me demanda Claudia.

J'avais retiré ma veste en oubliant que la marque de mon cercle serait visible.

– Ma mère ne veut pas que je me fasse tatouer, se plaignit-elle.

– Ah, bah... commençai-je.

Mais je n'eus pas à répondre, car nous étions enfin arrivés à la porte et Justin me glissa dans la main quelque chose de dur, comme une carte de crédit.

– Tu leur montres ça, me dit-il à l'oreille. En principe, il faut avoir vingt et un ans pour entrer.

Oh... quelle ironie du sort !

Je regardai l'objet. C'était un permis de conduire du Massachusetts, avec ma photo et une fausse date de naissance indiquant que j'avais l'âge requis.

– C'est Curtis qui l'a fait, ajouta Justin alors que je tendais l'objet à un videur musclé.

Le videur était très baraqué, et visiblement adepte du body-building. Gavin, la dernière fois que je l'avais vu, était encore plus impressionnant. Je gratifiai l'homme d'un sourire innocent et il me fit signe d'entrer.

Une fois dans le club, je sentis les basses vibrer sous mes côtes. Tout mon corps en tremblait. Des centaines de personnes, peut-être mille, étaient rassemblées. Le rez-de-chaussée était en réalité l'étage du haut ; c'était une vaste galerie qui faisait tout le tour des lieux et donnait sur la piste, à l'étage au-dessous. D'immenses peintures décoraient les murs : elles décrivaient des couples s'adonnant à la passion. Je m'accrochai à la balustrade. Justin était à ma gauche.

– Tu as encore la bouche ouverte, me dit-il avant de regarder en bas.

Sa peau passait du vert au jaune, au rouge et au noir sous les spots accrochés au plafond.

– Je n'avais jamais rien vu de tel.

Au-dessous de nous, les gens dansaient comme s'ils étaient tous en train de faire l'amour. Les corps étaient si serrés que je n'aurais su dire ce qui appartenait à qui. Les mains et les jambes se mêlaient au rythme de la musique assourdissante qui sortait d'énormes enceintes, tout autour de la salle. À mon époque, jamais on n'aurait dansé ainsi. Puis la musique changea. Le rythme n'était plus le même. Il était si rapide qu'il ne pouvait pas être produit par un humain. De la musique faite par des machines.

Boum. Boum. Boum. La foule se mit à sauter sur place. Tous les corps présents bondissaient ensemble. Il y eut une ruée vers la piste.

Claudia, que je n'avais pas vue sur ma droite, poussa une exclamation de plaisir.

– Oh mon Dieu ! J'adore ce morceau !

Immédiatement, elle rejoignit un Escalator pour descendre.

– Allez viens, Lenah !

Elle me sourit et je ressentis un tiraillement dans ma poitrine. Elle avait très envie de partager ce plaisir avec moi, mais je me sentais incapable de bouger mon corps comme le faisaient les autres.

Curtis, Roy et Kate suivirent Claudia. D'ailleurs, la plupart des gens se déplaçaient vers les escaliers mécaniques, aux deux bouts de la galerie.

Alors, Justin me prit par la main.

– Allons-y.

Je m'écartai.

– Pas question. Je ne sais pas danser comme ça.

– Personne ne sait ! me lança-t-il en me guidant vers l'Escalator.

Pendant la descente, je tentai de m'expliquer.

– Au dernier bal où je suis allée, les disques n'existaient même pas encore. À l'époque, si on voulait de la musique, il fallait aller au concert. Justin !

Avant d'avoir eu le temps de dire ouf, je me retrouvai sur la piste. Le morceau de musique passait sans cesse d'un rythme lent à un rythme rapide, puis de nouveau lent, et ainsi de suite. À notre arrivée, c'était lent. Justin et moi étions noyés dans la foule, pressés entre les corps, et tout le monde ondulait en attendant la reprise d'un tempo sur lequel on puisse se trémousser. Pour le moment, on n'entendait qu'une pulsation grave.

– Ferme les yeux, me conseilla Justin. Le morceau ralentit un peu et après ça reprend à fond. À ce moment-là, tu verras, ça va être la folie.

Je serrai mes bras autour de son dos. J'avais peut-être les genoux un peu fléchis, mais comparée à lui j'étais pratiquement immobile. Lui était incroyable, il arrivait à mouvoir son corps sur ce rythme difficile. Le tempo accélérait peu à peu, et les corps suivaient.

À côté de nous, une fille dansait les yeux fermés en levant les bras en l'air. Elle aussi oscillait parfaitement en rythme, et elle bougeait tellement les bras et les hanches que je dus lâcher Justin. Il y avait tant de nouveaux arrivants sur la piste, et les basses étaient si puissantes, que je fus arrachée à lui sans même savoir ce qui m'arrivait.

– Lenah ! cria-t-il.

Mais j'étais coincée entre deux couples, complètement écrasée. En me haussant sur la pointe des pieds, je vis Curtis sauter sur place, mais pas Justin. La musique accélérait toujours, si forte qu'elle m'ébranlait la poitrine.

J'étais ballottée en tous sens. Les autres dansaient, moi je restais simplement debout. C'est alors que j'entendis chuchoter mon nom. « Lâche prise », disait la voix, sans que je sois sûre qu'elle s'adressât à moi.

C'était peut-être dans ma tête. Je ne sais pas. Peut-être ce chuchotement me disait-il de me calmer. J'inspirai à fond. Je flairai de l'alcool, des parfums capiteux, des odeurs corporelles. La dernière fois que je m'étais trouvée dans une salle aussi bondée, j'avais livré à la foule une femme sans défense. Quelqu'un à tuer. « Lâche prise, laisse-toi aller. »

J'obéis. Je me trouvais au centre de la piste. Je fermai les yeux, laissai le rythme de la musique m'emporter, et au moment où la chanson reprit vraiment et où tous les danseurs se déchaînèrent, je suivis le mouvement. Je levai les mains au-dessus de ma tête. J'ondulai. Je sautai. J'appuyai mon dos contre de parfaits inconnus, et je les sentis faire de même. Malgré le rythme étourdissant, j'avais l'impression que mes mouvements étaient lents. Mes épaules en effleurèrent d'autres, et quelqu'un me prit même par la main. La sueur coulait sur mon nez et dans mon dos, et j'étais perdue dans un océan de silhouettes anonymes. Je ne savais même plus à quoi je ressemblais. Je m'en fichais. Je compris enfin, car seule une telle expérience pouvait m'en faire prendre conscience. Pas le saut à l'élastique, ni la solitude forcée.

J'étais Lenah Beaudonte. Je n'étais plus un vampire de la pire espèce. Je n'étais plus la souveraine d'un cercle de vagabonds nocturnes.

J'étais libre.

Chapitre 21

Un vase de Chine se fracassa contre un mur, dans un salon plongé dans la pénombre. Vicken reprit son souffle et se laissa tomber dans un fauteuil.

– Où est-elle ? gronda-t-il entre ses dents serrées.

– Rhode a peut-être rencontré une difficulté en l'éveillant, raisonna Gavin.

– Fadaises, cracha Vicken. Elle n'a jamais été là-dedans. Ou si elle y a été, elle n'y est pas restée longtemps.

Il se leva et se mit à faire les cent pas. Ils se trouvaient dans la bibliothèque. Chacun des volumes présents sur les gigantesques rayonnages traitait d'occultisme, d'histoire ou de tout autre sujet que le cercle jugeait utile de maîtriser. J'avais passé des siècles à peaufiner cette collection. Un feu ronflait dans un coin de la pièce. Le cercle était réuni, mais deux sièges étaient vides : celui de Vicken et le mien.

Vicken marchait de long en large d'un pas fluide, les mains dans le dos. Il avait une allure positivement décadente avec ses vêtements de grand couturier et sa coupe de cheveux moderne. Il tenait un morceau de papier calciné. Dessus, un seul mot : « Wickham ».

Ses mains étaient couvertes de terre, il en avait aussi sous les ongles. Il avait creusé le sol à mains nues.

– Elle est peut-être morte, suggéra Gavin.

– Imbécile. Tu ne penses pas qu'on le sentirait ?

Heath acquiesça et Song confirma d'un grognement.

– Avons-nous cherché dans toutes les archives ? demanda Vicken. Recommencez. Je veux connaître toutes les définitions possibles de ce qu'est ou de qui est ce Wickham.

– Je pense que Rhode est mort. C'est ce que je ressens, dit Gavin.

Ce fut au tour de Vicken de hocher la tête.

– Et personne n'a vu ni eu de nouvelles de Suleen ?

– Il a ignoré toutes nos tentatives pour le joindre. Tu crois vraiment qu'il se montrerait à nous ? objecta Heath. Il ne se mêle pas de ces affaires.

– Il est le seul qui puisse répondre à mes interrogations.

– Non, pas le seul, intervint Song. D'autres pourraient nous être utiles.

– Je ne ferai appel à personne d'autre, à moins de ne pas avoir le choix, expliqua Vicken. En outre, Suleen a une connexion intime. Il *connaît* Rhode.

Il y eut un silence collectif.

– Le temps est venu, conclut Vicken en se rasseyant. Nous allons la retrouver.

Je hoquetai et ouvris les yeux. La brise froide qui entrait par la portière me caressait la joue. J'avais appuyé la tête contre la vitre et m'étais endormie avant l'entrée de l'autoroute. Je sentis qu'on me pressait le genou. Je vis Justin, et les images de mon rêve s'envolèrent.

– Ça fait une heure que tu dors.

Je constatai que nous étions de retour à Lovers Bay. Nous avions atteint le campus et Justin se gara sur le parking de Seeker Hall. Il avait déposé chacun à son dortoir sans que je me réveille.

– Tu as dansé ? me demanda-t-il en ouvrant le toit de son 4 x 4.

Je levai la tête vers le ciel automnal.

– J'ai passé un des meilleurs moments de ma vie, répondis-je en me renfonçant dans mon siège. Dommage que Tony n'ait pas été là.

Je passai la main dans mes cheveux en essayant nerveusement de recoiffer les mèches emmêlées et poisseuses qui me collaient aux épaules et au front.

– En tout cas, merci. On peut y retourner la semaine prochaine ?

Justin éclata de rire. Il me pressa l'épaule, et nous gardâmes le silence une minute. J'écoutais les bruits de Wickham la nuit. Quelque part au loin, les vagues se brisaient sur la plage.

– Il y a une chose que je veux te demander depuis un bon moment.

Il descendit sa main dans mon dos et me poussa un peu en avant.

– Que signifie ton tatouage ?

La question me prit par surprise, oui, mais s'il y avait une personne à qui je pouvais en parler, c'était bien Justin. Je supposai que c'était par respect qu'il ne m'avait jamais interrogée à ce sujet. Ou peut-être ne voulait-il pas connaître la vérité. Je pris ma respiration.

– Il y a très longtemps, Rhode, le vampire que tu as reconnu sur la photo, appartenait à un ordre de chevaliers. Au XIVe siècle, les hommes, des hommes en pleine santé, se sont mis à mourir en masse. De la peste noire. D'énormes pustules leur recouvraient le corps. Les enfants enduraient des souffrances inimaginables. Ayant vu les ravages de la peste noire, Rhode a décidé de se faire vampire. Je ne connais pas tous les détails de l'histoire, mais en retournant vers son seigneur, le roi Édouard III, il lui dit ce qu'il avait fait. Ce n'est pas facile de cacher une transformation en vampire.

– Pourquoi ?

Justin, la main toujours posée dans mon dos, me caressait du pouce.

– Nous avons un aspect différent. Nos traits prennent une qualité éthérée. Le plus surprenant, dans l'histoire de Rhode, c'est que le roi Édouard l'a accepté. Imagine, découvrir que ton chevalier favori, ton numéro un, a décidé de rejoindre les forces démoniaques ! En s'expliquant devant son roi, Rhode lui dit : « Honni soit qui mal y pense », et c'est ainsi que la devise est née. Pour Rhode, la mort était l'ultime...

Je me tus. Ma voix se brisait. Je déglutis, les yeux brûlants. Je battis des paupières, et la brûlure se calma. Je regardai Justin, dont le sourire s'était envolé. L'air épuisé, il me contemplait calmement.

– La mort était une chose qu'il ne pouvait pas affronter. Alors il s'en est protégé, terminai-je.

– Il est devenu vampire pour ne jamais mourir ?

Je regardai par la fenêtre. L'allée qui menait à Seeker était plongée dans le noir et les branches des arbres remuaient doucement. Quelle paix...

– Mais il est mort pour toi.

– Oui, c'est vrai. Quoi qu'il en soit, cette devise, « Honni soit qui mal y pense », est devenue celle de l'ordre de la Jarretière, qui existe encore en Angleterre à ce jour. Elle est aussi devenue celle de mon cercle. Même si je l'ai totalement dévoyée.

Je ramenai mes jambes contre ma poitrine et posai le menton sur mes genoux. Je regardai fixement le tableau de bord jusqu'à ce que tous les petits voyants soient flous.

– Rhode le croyait vraiment. Que pour faire le mal, il fallait le vouloir. Sincèrement. De toute son âme.

– C'est ce que tu faisais ?

– Oui.

Dans ma tête, je revis Rhode sur le canapé de mon salon. Ses joues creuses et sa mâchoire carrée étaient si osseuses, si fragiles. Et ses yeux... leur bleu intense était imprimé dans mon sang depuis des années. Mais cette nuit-là, ils s'étaient éteints. Je voyais encore cette

311

couleur partout, dans les fleurs, dans le ciel et dans tous les détails du monde. Je tentai d'avaler ma salive, mais me rendis compte que j'en étais incapable. Il fallait que je sorte : le 4 x 4 de Justin était trop exigu. Mon corps aussi. J'allais éclater.

– Il faut que je rentre, dis-je en ouvrant la portière.

Je fis quelques pas dans le parking. Justin descendit sa vitre et me rappela.

– Lenah ! Attends !

J'entendis le moteur se taire, la porte côté conducteur s'ouvrir et se refermer, et ses pas me rejoindre. Je me retournai face à lui, les poings serrés. Les lumières de Seeker Hall éclairaient les bancs et, derrière moi, l'entrée du bâtiment.

Je devais faire peur à voir, car Justin s'arrêta à quelques pas de moi. La mâchoire crispée, les yeux plissés, fixés au sol, je soufflais comme un taureau, par le nez.

– Quoi ? me demanda-t-il. Qu'est-ce que j'ai dit ?

– Rien. C'est moi. J'ai envie d'éclater. De prendre mon âme et de la jeter dans un autre corps. Je voudrais oublier tout ce que j'ai fait jusqu'à il y a trois mois.

Je dis tout cela entre mes dents serrées. Je crachais de l'écume, mais je m'en fichais.

Je lus sur le visage de Justin de la panique pure. Les coins de sa bouche retombèrent un peu, il baissa la tête et me dit :

– C'est comme sauter à l'élastique.

– ... Quoi ?

Voilà qui était pour le moins déroutant.

312

– Tu es debout au bord du pont, et tu sais que tu vas faire quelque chose de complètement idiot. Mais tu le fais quand même. Il le faut. Pour ressentir quelque chose. Parce que faire quelque chose d'aussi fou, c'est mieux que rester là, à vivre sa vie avec toutes ses erreurs et ses responsabilités imbéciles. Tu sautes parce qu'il le faut, parce qu'il te faut cette poussée d'adrénaline. Tu sais que si tu ne le fais pas, tu deviendras dingue.

– Tu es en train de me dire que décider de redevenir humaine après avoir passé six cents ans à être un vampire sans pitié, c'est comme le saut à l'élastique ?

Nous nous tûmes un moment.

– Tu ne vois pas le rapport ?

Je ne pus m'empêcher d'éclater de rire. Comment faisait-il ? Comment arrivait-il à me faire voir les choses ainsi ? Au plus profond de mon tourment, il me faisait comprendre que cette vie, celle qui était la mienne en ce moment, était pleine de joie et de bonheur.

Je me jetai à son cou et je l'embrassai si passionnément que lorsqu'il gémit, je sentis la vibration du sang et j'en frémis des pieds à la tête. Je le sentais jusqu'au bout de mes orteils. Je l'embrassai dans la nuque, et dans le petit creux entre le cou et l'épaule. Puis je m'éloignai de quelques centimètres.

– Monte avec moi, lui glissai-je à l'oreille avant même de m'en rendre compte.

– Tu es sûre ?

Je fis oui de la tête. J'étais certaine.

Justin se faufila au nez et à la barbe de la gardienne et me retrouva en haut de l'escalier. Je glissai un doigt dans le bouquet de romarin, et j'en cueillis une feuille. Je la tendis à Justin.

– Presse-la. Garde-la dans ton portefeuille. Quand tu la regarderas... tu te souviendras de ce soir.

Nous nous retrouvâmes face à face au milieu du salon. Autour de moi, j'avais tous mes talismans. L'épée, les photos, le flacon de cendres de Rhode autour de mon cou.

– Je suis heureuse que tu connaisses la vérité, lui dis-je à voix basse. Tu n'as pas idée. Tu ne peux pas savoir ce que cela voulait dire pour moi, ce soir, sur la piste de danse.

Justin s'approcha de moi et posa une main sur ma joue. Des vagues de frissons me descendirent dans les bras. Quel délicieux contact... Le contact de *Justin*. Je n'étais plus certaine de pouvoir m'en passer.

– Je t'aime, Lenah.

Je constatai, stupéfaite, qu'il avait les larmes aux yeux.

– Je n'ai jamais dit ça à un humain, répondis-je en baissant la tête.

Je n'osais pas tourner les yeux vers le bureau, où je croiserais le regard de Rhode. Cet amour-ci était différent : je pouvais le sentir avec mon cœur battant.

– Ce n'est pas grave. Ne te force pas.

Il se pencha pour m'embrasser de nouveau. Je posai une main sur sa poitrine pour l'arrêter, et je me reculai.

314

Il fallait que je retire de mon cou les cendres de Rhode. C'était une question de respect. Peut-être une histoire de vampirisme. Je posai le pendentif sur la table basse.

Lorsque Justin m'embrassa, puis lorsqu'il me souleva et que mes jambes enlacèrent sa taille, je sus qu'il se dirigeait vers ma chambre. Une fois à l'intérieur, il referma la porte avec son pied.

Chapitre 22

– Lenah ? chuchota Justin.

Il me caressait les cheveux. La tête posée sur sa poitrine, j'écoutais son cœur battant revenir à une vitesse normale. Dehors, le ciel s'emplissait d'étoiles.

– Oui ?

Je somnolais sous ma couette chaude et moelleuse.

– Tu veux venir au bal d'hiver avec moi ?

– Bien sûr.

J'étais sur le point de m'endormir.

– Justin ?

– M-mm ? fit-il, à peine plus éveillé.

– C'est quoi, le bal d'hiver ?

Il éclata de rire, si fort que ma joue rebondit sur son torse.

La matinée tirait à sa fin, et la lumière filtrait à travers les rideaux de la chambre. Il y avait quelque chose de changé. Tout me paraissait un peu flou. En me frottant les paupières, je sortis du lit le plus discrètement possible. Justin dormait encore, sur le ventre, le torse découvert. Je pris une nuisette en coton noir sur un cintre, dans ma penderie, et l'enfilai. Je me frottai de nouveau les yeux en m'approchant de la fenêtre. C'est là que je remarquai à quel point mon univers avait changé en une nuit.

Les arbres semblaient tout d'une pièce. Je ne distinguais plus les fibres de l'écorce. Les herbes ondulaient dans le vent par milliers, mais je ne voyais plus que leur masse, et non chaque tige une par une. J'apercevais la plage au loin, mais plus les grains de sable. Je ne voyais plus les écailles de la peinture de la chapelle, de l'autre côté du campus. Je me frottai encore les paupières, mais rien ne changea. Rhode avait prédit les choses correctement : j'avais perdu ma vue vampirique et j'étais enfin devenue l'être humain que j'avais tant rêvé d'être.

Il me sembla passer des heures assise à la fenêtre, à contempler le campus. À un moment, je posai une couverture sur mes épaules. Et je continuai de regarder, fixement, encore et encore. Puis j'entendis les draps remuer derrière moi.

– Lenah ? marmonna Justin d'une voix ensommeillée.

Je pivotai pour l'admirer dans le lit, les cheveux en bataille, la poitrine nue. Tenant le drap sur ses hanches, il me rejoignit à la fenêtre.

– Qu'est-ce qu'il y a ?

Je le regardai dans les yeux.

– C'est fini.

– Quoi ? Qu'est-ce qui est fini ?

– Mes superpouvoirs.

318

Il soupira.

– Tu m'as fait peur.

Il y eut un silence.

– Est-ce que c'est, euh... ma faute ?

Je faillis éclater de rire, mais je me retins. Je lui souris.

– Non.

Je reportai mon attention sur l'océan scintillant et sur les rouleaux des vagues.

– C'est peut-être pour ça que les humains sont tellement absorbés par leurs pensées, dis-je, le regard fixe. Ils ne voient pas à quoi ressemble réellement le monde. S'ils le voyaient, ils s'élèveraient au-dessus leurs petites préoccupations.

Comme Justin se taisait, je me tournai vers lui. Ses yeux, ces beaux iris verts qui cherchaient en permanence un nouvel exploit à réaliser, étaient calmes.

– Je t'aime, Lenah.

Je pris ma respiration : c'était mon choix d'aimer, désormais. Mon choix de décider si j'étais sincère ou non. Ce n'était pas un sort qui me liait pour l'éternité.

– Moi aussi, je t'aime.

Aussitôt, Justin m'arracha la couverture.

Au cours des trois semaines qui suivirent Halloween, l'automne fit subitement place à l'hiver. Tout le monde restait à l'intérieur, au chaud, et Justin et moi aussi. Nous étions devenus inséparables. Je pensais de moins en moins au cercle. Peut-être que Suleen s'était trompé. Peut-être qu'ils n'avaient pas vu les cendres dans la cheminée. Suleen pouvait-il être mal informé ?

C'est incroyable, les histoires que l'on peut se raconter quand on veut fuir la réalité.

J'assistais aux derniers entraînements de crosse en extérieur. Les vacances de Thanksgiving commenceraient dans quelques jours, et bientôt il faudrait s'entraîner au gymnase. De la musique s'échappait des chambres. Les élèves entraient et sortaient de la serre. Je n'avais plus de fleurs dans mes poches. Ma seule amulette était le flacon de cendres que je portais au cou. Ce jour-là, j'étais assise au bord du terrain de crosse. Un cahier posé sur le genou, je terminais le brouillon d'une dissertation d'anglais. Justin courait sur le terrain en faisant des passes aux autres joueurs.

Claudia arriva du foyer avec un café pour moi et un thé pour elle. Elle s'installa près de moi.

– Tony Sasaki est contre le bâtiment Hopper. Il regarde par ici.

Je pris le café et le cherchai des yeux.

Un gros chêne poussait à côté de la porte de Hopper. Comme tous les arbres, il commençait à perdre ses feuilles, qui viraient au rouge et à l'orange. Et Tony était dessous, coiffé d'un bonnet de laine noir. D'un petit geste de la main, il me fit signe d'approcher.

Je me levai.

– Je reviens tout de suite, dis-je à Claudia.

Son expression indiqua clairement que tout cela ne lui disait rien de bon. Il y avait des semaines que Tony se montrait glacial avec moi.

– Salut, dis-je à Tony.

– Je peux te parler de quelque chose ?

Contrairement à moi, il me regardait bien en face. Ses lèvres étaient crispées.

– Ça doit faire un mois que tu ne veux pas me parler, rétorquai-je. Trois semaines, précisément.

Une bourrasque glacée fouetta mes cheveux autour de ma bouche et de mes joues. Je serrai les doigts sur mon gobelet de café.

– Viens, entrons.

Il se tourna vers le bâtiment Hopper. Je jetai un coup d'œil vers le terrain de sport. Justin me voyait ; en réponse à son interrogation muette, je haussai les épaules. Puis je suivis Tony dans l'escalier de la tour des arts.

Son pas avait toujours ce rythme asymétrique que je connaissais bien. Pour ma part, je faisais beaucoup moins de bruit, même si je portais également des bottes.

En entrant dans l'atelier, Tony partit sur la gauche. Le portrait était encadré, à présent, et accroché au mur. Tony se plaça à droite d'un chevalet. Derrière lui se trouvaient les grands casiers ouverts où les élèves rangeaient leurs fournitures. Le sien était caché derrière le chevalet.

Je croisai les bras.

– Alors, de quoi veux-tu me parler ? lui demandai-je sans trop m'avancer dans la pièce.

– Il fallait que je sache. Ça n'arrange rien, mais il fallait que je sache. Je veux dire, pendant tout ce temps. Tu avais quelque chose de changé, dit Tony comme s'il réfléchissait à voix haute.

– Quoi ?

– Quand tu t'es mise à passer tout ton temps avec le Trio et avec Justin. Ce n'était pas toi. Enfin du moins, je ne pensais pas que tu aimais le genre de gens qui se moquent de tout le monde. De moi.

– J'ai appris à les connaître, Tony. Toi aussi, tu es sorti avec eux. Ils ne sont pas méchants, surtout Justin.

– C'est toi qui m'as obligé à sortir avec eux. Moi, je ne voulais pas.

Je sentis mes joues s'embraser. Je me refusais à le regarder. Ses doigts, comme toujours tachés de peinture et de fusain, poussèrent le chevalet, dont les pieds de bois raclèrent le sol. Derrière, le casier de Tony était fermé par un rideau de velours rouge.

– Qu'est-ce que c'est ? lui demandai-je.

Il tira le rideau. À l'intérieur, une pile de huit ou neuf livres. Sur le dessus, un gros ouvrage que je connaissais bien. La reliure de cuir, les pages dorées sur tranche. C'était l'ouvrage de la bibliothèque sur l'ordre de la Jarretière. Et dessus, la photo de Rhode et moi.

– Je sais ce que tu vas me dire, Lenah. C'est mal. Je sais. Et je ne suis pas fou, ni rien. Mais quand je suis parti en courant l'autre jour, après t'avoir dit que je t'aimais... (Il prit le livre et la photo dans le casier et les posa sur une table à dessin.) Il y a quinze jours, je rangeais mes photos, je les classais, enfin bref. Sur chacune d'elles, tu es si pâle ! Je veux dire, tu te caches physiquement du soleil. C'était mon premier indice. Alors je suis allé chez toi et j'ai frappé. Mais tu n'avais pas fermé à clé. J'ai tourné la poignée, en pensant que tu ne m'avais peut-être pas entendu. Je suis entré pour t'attendre. Je me suis assis dans ton canapé et j'ai attendu, pour m'excuser d'être parti comme ça après t'avoir dit... après t'avoir dit que je t'aimais. Et c'est là que... que j'ai vu ça.

Un ruban rouge marquait une page du livre, et lorsque Tony le toucha, je sentis mon cœur faire une embardée. Il ouvrit le volume à la page de la gravure de Rhode. J'eus un haut-le-corps, une sorte d'énorme hoquet, le souffle coupé par la surprise.

– Ce livre était ouvert sur la table. Je l'avais déjà aperçu, mais je n'avais jamais fait le lien. Alors, j'ai regardé la page à laquelle il était ouvert. Et puis, par un pur hasard, j'ai regardé vers ton bureau. Et j'ai vu le même type, en photo.

– Tu me les as volés ? Quand ?

– Tout à l'heure. Je ne savais plus quoi faire. Je voulais te parler, redevenir ton ami, mais une fois que j'ai vu ça, j'ai perdu le contrôle. Je ne pensais plus qu'à cette image, dit-il en désignant la gravure. Il faut que tu m'expliques, Lenah. Comment un type qui était en vie en 1348 peut-il se retrouver en photo avec toi ? Et l'épée au mur. Le flacon de cendres que tu portes au cou. Tu vis dans l'ancien appartement du professeur Bennett. Tu détestes le soleil.

– Comment as-tu osé ? crachai-je, les oreilles en feu, les doigts tremblants. Tu ne veux même pas me parler. C'est *toi* qui m'as refusé ton amitié.

Tony me déballa tous les indices... tous mes secrets. Puis il retira son bonnet pour se passer la main dans les cheveux. J'étais toujours à la porte. Les yeux écarquillés, j'avais du mal à respirer. Je transpirais sous mon bonnet.

– Alors... J'ai du mal à croire que je te pose cette question, mais... tu es un vampire ?

Je ne répondis rien ; nous étions figés comme des statues, les yeux dans les yeux. Dehors, quelque part, des élèves bavardaient, écoutaient de la musique. Je passai ma langue sur mes lèvres. Elles étaient sèches.

– Allez, Lenah. Tu es restée à l'ombre tout l'automne ; et tu le fais encore. Tu t'y connais en système sanguin, en biologie, tu sais disséquer un chat...

– Arrête.

– Tu aimes les couteaux, et le jour où on s'est rencontrés, tu m'as dit que tu parlais vingt-cinq langues. Je t'ai entendue en parler au moins dix.

– J'ai dit : arrête.

– Tu es un vampire ! Avoue !

Une rage folle bouillonnait en moi, accumulée depuis si longtemps que lorsque je traversai la pièce pour plaquer Tony contre les casiers, il fut pris par surprise. Je le tenais par la gorge avec mon avant-bras. Il aurait sans doute pu me repousser, mais il n'en fit rien. Il me regarda au fond des yeux, les lèvres entrouvertes.

– Tu veux la vérité ? Tu veux savoir ce que je pense ? Je pense que tu es un pauvre amoureux transi, et que tu es jaloux. Tu avais déjà des tas de superstitions. Tout ça n'arrange pas ton cas. Tu m'aimes ? Tu crois me connaître ?

Je le lâchai et reculai, sans le quitter des yeux. Je pris la photo sur la table à dessin. Tony se frottait la gorge.

– Tu étais mon ami, ajoutai-je.

Je laissai le silence s'attarder entre nous, puis tournai les talons et partis en courant le plus vite possible.

Chapitre 23

La plage de Wickham était déserte, mais j'allai quand même m'asseoir sur le mur. Les vagues, petites, se brisaient sur un rythme réconfortant. Il y avait des moutons d'écume dans la baie. J'étais réaliste. Si Tony avait découvert mon secret, bientôt tout le monde saurait. Le temps de courir de Hopper à la plage, j'avais décidé d'aller déposer mes trésors et mes photos dans un coffre à la banque. Et il était temps que je songe à revoir la déco de mon appartement.

Je retirai les cendres de Rhode de mon cou et les tins dans le soleil. Elles miroitaient et scintillaient aussi vivement que le jour de sa mort. Un moment, je caressai l'idée de ranger le pendentif dans ma poche, mais je n'étais pas prête à perdre un morceau de Rhode. Pas encore. Je rattachai le flacon autour de mon cou. Pour l'instant, redécorer mon logis suffirait.

Alors, quelqu'un s'assit à côté de moi.

J'étais tellement perdue dans mes pensées que je n'avais vu personne approcher. Quelques mois plus tôt, je l'aurais senti, mais tout avait tellement changé...

C'était Tony.

– Je suis... un imbécile de classe internationale.

Je ne répondis rien. Il eut un petit rire.

– Un vampire ! Et puis quoi, encore ? Je me demande ce que j'avais dans le crâne.

– Je ne sais pas.

La honte me rongeait le cœur. Je me détestais de lui mentir ainsi.

– Je ne savais plus quoi faire, je suppose. Et puis, tu as raison. Je suis trop superstitieux.

Je gardai le silence.

– Mais le type de la photo ? C'est fou comme il ressemble à celui de la gravure.

La photo en question était toujours dans ma poche.

– C'est un dessin, Tony. Une coïncidence, peut-être.

– Une coïncidence.

– Laisse tomber, tu veux ? Je suis une fille comme les autres.

Il hocha la tête.

– Je te paie un café ?

– Ouais.

Tony se leva, me tendit la main et m'aida à descendre du mur, dont les pierres étaient froides.

J'avais envie de tout lui dire, croyez-moi. Mais à cause de la mise en garde de Suleen et de la traque du cercle, je devais garder le silence. Pour moi.

Tony et moi nous installâmes à une table au milieu du foyer.

– Je t'ai dit que j'étais désolé ? me demanda-t-il en posant son plateau, chargé d'une montagne de dinde, de sauce, de purée et de farce, le menu traditionnel de Thanksgiving.

– Quatre cents fois, à peu près.

Il enfourna une énorme bouchée de dinde : on aurait dit un gamin qui a les yeux plus grands que le ventre.

– Tu m'as manqué, continua-t-il après avoir avalé.

En rougissant.

Je souris et baissai la tête ; j'aperçus alors ses bottes sous la table.

– Dis, je voulais te demander un truc.

– Quoi ?

Il recracha involontairement un bout de salade.

– Elles sont neuves, tes bottes ? Tu les as depuis longtemps ? J'ai toujours eu un peu envie d'une paire de rangers.

Il avala encore une bouchée.

– En fait, c'est marrant. J'en ai perdu une l'année dernière... j'étais furax. Mais j'ai eu de la chance. Je suis retourné au magasin, et ils avaient les mêmes en solde, à moitié prix. Alors j'en ai racheté une paire et j'ai mis la botte en trop dans mon aquarium, chez moi. Mes têtards l'adorent.

Soudain, il se raidit et laissa tomber sa fourchette. Je me retournai pour suivre son regard. Tracy passa avec une bande de filles de terminale qui avaient pris

329

l'habitude de me toiser haineusement depuis que je sortais avec Justin Enos.

– Tony ?

Il ne bougea pas. Ensuite, il se passa quelque chose d'incroyable. Tracy tourna la tête et sourit à Tony. Pas un grand sourire, mais un sourire complice. Un sourire qui disait : « Allez, viens te servir. »

Je me penchai en avant.

– Tony ! répétai-je tout bas.

Il baissa vivement les yeux sur son assiette.

– Tu sors avec Tracy Sutton ?

– Non, se défendit-il la bouche pleine.

– Menteur !

Le sourire aux lèvres, j'attaquai mon assiette. Tony avait une lueur malicieuse dans l'œil, et le monde semblait de nouveau en ordre.

– Bon, peut-être bien qu'elle est passée me dire bonjour l'autre jour. Et le lendemain, et le surlendemain...

– Tu lui fais confiance ?

– Elle est assez sympa, en fait, admit Tony en haussant les épaules.

– Tu passes du temps avec elle ? Vous avez des *conversations* ?

Il gardait les yeux rivés sur son assiette.

– Tu es amoureux ! dis-je en souriant.

Il posa sa fourchette.

– N'importe quoi.

Je ris en reprenant une bouchée.

– Lenah, tais-toi. Ce n'est pas vrai.

330

– Mais bien sûr...

Je riais encore.

Il y eut un silence, puis Tony dit :

– J'ai encore les photos d'elle en bikini.

Je faillis tout recracher dans mon assiette. Oui, le monde était de nouveau en ordre.

Chapitre 24

Une boule de neige vint en sifflant me frapper en plein front. Claudia et Tracy retombèrent sur les congères qui recouvraient le campus de Wickham, écroulées de rire. Tony façonnait un nouveau projectile tandis que je m'essuyais le visage avec mes moufles bien chaudes. Nous étions le 15 décembre, et ce soir, c'était le bal d'hiver à Wickham. Dans deux semaines, les vacances de Noël arriveraient. Je les passerais au campus. Ce n'aurait pas été prudent de trop m'éloigner. À présent que la Nuit Rouge était passée, et surtout depuis ce rêve que j'avais fait au retour du club, je devais rester le plus près possible de Wickham.

À ma droite, Justin lança une boule de neige à Tony avant de se rapprocher de moi.

– Mais tu n'as rien entendu ? me demanda-t-il à l'oreille.

Je secouai négativement la tête.

– Ce type, Sul...

– Suleen.

– Ouais. Il t'a bien dit qu'ils viendraient. On n'est pas censés se préparer ?

Nous nous baissâmes pour éviter un projectile.

– Que veux-tu préparer contre les quatre vampires les plus doués de la Création ?

Justin se décomposa. Ce n'était pas que je me désintéressais du problème. Simplement, je serais totalement sans défense contre eux. Il n'y avait rien à faire.

– Si le cercle vient, c'est après moi qu'il en aura.

– S'ils viennent te chercher, qu'ils me prennent aussi. Est-ce qu'ils vont essayer de te tuer ?

– D'instinct, je pense que non. Ils ne savent pas vraiment que je suis humaine.

Quelques jours plus tôt, je lui avais expliqué le rituel de mon mieux. Bien sûr, Justin avait du mal à se faire à l'idée.

– Tu m'as dit que le rituel de Rhode était secret. Tu sais comment il a fait ?

– Un peu. D'abord, il faut avoir au moins cinq cents ans. Ensuite, il faut laisser l'autre vampire vous vider de votre sang. La magie du rituel réside dans le vampire. Dans l'intention. Si tes intentions ne sont pas pures, le rituel échoue et c'est la mort pour les deux.

J'avais du mal à déchiffrer l'expression de Justin.

– Alors, qu'est-ce qu'on fait ?

– Essayons de ne pas y penser tant qu'on n'y est pas obligés.

La vérité, c'était que si le cercle venait – et je commençais à croire qu'il n'en ferait rien –, ce serait eux contre moi. J'abandonnerais Justin s'il le fallait, pour le protéger. Et Tony aussi.

334

Une boule de neige vint s'écraser sur le nez de Tony.

– Attention les yeux ! Je suis un dieu de la boule de neige ! cria-t-il en courant autour de la pelouse du bâtiment Quartz.

Il fondit sur Tracy et la plaqua au sol.

– Tony ! glapit-elle.

Il l'aida à se relever et l'embrassa sur la joue.

– Allez viens, Lenah ! m'appela Claudia. Il faut qu'on aille se faire coiffer.

– Oui, je me suis pris assez de boules de neige pour la journée, ajouta Tracy.

Depuis que Tracy et Tony étaient ensemble, mes relations avec le Trio s'étaient consolidées. Je n'étais pas la meilleure copine de Tracy, mais nous étions polies l'une envers l'autre. J'ignorais si elle s'intéressait vraiment à Tony ou si c'était la compagnie du groupe qui lui manquait. Je crois qu'elle savait ce que j'éprouvais, car elle n'était plus jamais méchante avec moi. Quoi qu'il en soit, du moment que Tony était heureux, cela me convenait. Tracy lui donna un dernier baiser et Claudia, Kate, Tracy et moi laissâmes les garçons poursuivre leur bataille devant le bâtiment Quartz.

Claudia passa son bras sous le mien.

– Laisse-moi deviner, Lenah. (Elle m'adressa un sourire entendu.) Au hasard, ta robe est... noire, pas vrai ?

Je lui serrai le bras un peu plus fort.

Une fois arrivée à la chambre de Tracy, je m'habillai. Ma robe était noire, en effet, et longue jusqu'aux pieds. Tony m'avait aidée à la choisir. Je tins une paire de pendants d'oreilles contre mon visage. Dans la glace, je regardai la main qui tenait les boucles contre ma joue. Mes yeux s'attardèrent sur la bague en onyx de Rhode.

– Elles sont parfaites, Lenah, dit Claudia, m'arrachant à mes pensées.

Dans sa robe du soir rose vif, elle ressemblait à une star de cinéma.

Elle partit aider Kate et Tracy à se maquiller, si bien que j'eus une minute de tranquillité. Je m'observai dans le miroir en pied, derrière la porte. Avec ma robe, je portais des escarpins noirs. Je n'avais jamais vu de talons aussi hauts. Je laissai retomber mes cheveux sur mes épaules. Ils soulignaient ma silhouette longiligne. La robe moulait mes courbes. Je m'examinai longuement, durement, dans les yeux. Puis je détachai le flacon de mon cou. Je l'élevai en l'air et contemplai le scintillement d'or dans les cendres.

Partout où tu iras, j'irai...

Ces paroles résonnaient dans ma tête.

– Pardon, dis-je aux cendres.

Délicatement, je rangeai le pendentif dans mon sac. Puis je regardai de nouveau mon reflet. Je touchai le point de ma poitrine où le pendentif avait reposé pendant de longs mois. Comme un tambour lointain, je sentais battre mon cœur sous le bout de mes doigts.

Quelques minutes plus tard, nous descendîmes attendre nos cavaliers dans le hall. Curtis et Roy, en smoking, arrivèrent. Chacun tenait une boîte en carton avec une fleur dedans. Tony apparut juste après, et en voyant Tracy il lui décocha son plus beau sourire, celui qui me réchauffait le cœur. Tout en l'embrassant, il me regarda. Son amour pour moi était évident dans son expression, mais c'était le genre d'amour qui durerait toute une vie. Le genre d'amour que partagent deux amis intimes. C'est alors que Justin, avec sa haute silhouette et sa démarche tranquille, fit son entrée.

Nous nous approchâmes lentement l'un de l'autre. Il était en smoking, le visage encore bronzé. Il me sourit et je me sentis saturée d'amour, d'admiration pour son appétit de la vie, pour son envie de m'aimer, et parce qu'il m'avait montré comment m'ouvrir au monde.

Il s'arrêta tout près de moi.

– Tu es... tu es si belle que je ne peux pas. Je ne trouve pas les mots...

Je baissai la tête. Dans la boîte qu'il me tendait, une orchidée était attachée à un élastique. Toutes les autres filles avaient les mêmes.

– Ça se porte au poignet, m'expliqua Justin en soulevant le couvercle en plastique. Euh, tu m'as dit...

Il était nerveux, c'était trop mignon ! Il lançait des regards à droite, à gauche. Il était tout gêné.

– Tu m'as parlé du langage des fleurs. Alors j'ai choisi une orchidée parce qu'elle symbolise...

– L'amour.

Le bal d'hiver se tenait dans la salle de réception du campus.

337

– Ils auraient pu casquer un peu plus, quand même, râla Tony. Faire ça dans un grand hôtel, au moins.

Nous avions tous pris en groupe l'allée enneigée qui menait à la salle. Elle se trouvait dans un bâtiment moderne avec de grandes baies vitrées qui donnaient sur l'océan.

Devant l'entrée principale, c'était un vrai ballet de camionnettes de livraison. Nous pénétrâmes dans un long couloir. Un DJ diffusait déjà de la musique. En entrant dans la salle, je levai les yeux. Elle était entièrement décorée de flocons de neige d'un blanc étincelant taillés dans des matériaux de toutes sortes. Des paillettes argentées et des boules disco jetaient des milliers de points de lumière partout. Par les larges fenêtres, je voyais une étendue liquide infinie. Enfin, je ne voyais plus à l'infini, mais l'océan était là, et la lune se reflétait sur ses eaux glacées.

– Ça te plaît ? me demanda Justin en me prenant la main.

– C'est parfait.

Le dîner fut vite terminé, et bientôt nous dansions à nous en faire mal aux jambes. Nous formions un grand cercle. Nous étions impénétrables. Tony se mit à faire le pitre et à gesticuler comme s'il subissait une crise d'épilepsie. Mrs Tate et d'autres professeurs étaient là, y compris l'insupportable Lynn. Ils nous surveillaient depuis la périphérie de la salle. Tout le monde était beau, et grâce à la musique, presque personne ne restait assis.

La soirée était déjà bien avancée, et je transpirais comme une folle. Mon chignon commençait à se défaire, si bien que je quittai le cercle des danseurs pour aller me rafraîchir un peu.

– Je vais me recoiffer ! criai-je à Justin.

Il était luisant de sueur. Il me fit un signe de tête et je m'apprêtai à partir.

– Non, attends, Lenah ! intervint Tony en se trémoussant devant Tracy. Pas de pause pipi. Tu n'as pas encore vu mes meilleurs pas de danse.

Tracy portait une superbe robe bleu canard. Elle tapait sur les fesses de Tony en rythme, et je riais à m'en décrocher la mâchoire.

Mes amis m'avaient tellement fait rire qu'une fois arrivée à la porte de la salle, je dus m'arrêter un instant pour reprendre haleine. Je me retournai pour souffler un baiser à Justin. Il me sourit sans cesser de danser avec les autres. Il fut obligé de reculer un peu pour laisser de la place à Tony.

Je fis un pas dans le couloir, et à cet instant précis mon âme de vampire se réveilla. Il y avait bien longtemps que je ne l'avais perçue, depuis ce frais matin de novembre, dans le Rhode Island, où Suleen m'était apparu. Soudain, mes cheveux devinrent électriques. Même ma vue était plus affûtée. Je respirais un air brûlant.

Il y avait un vampire dans le bâtiment.

Je m'arrêtai juste derrière la porte. Lentement, très lentement, je tournai la tête vers la droite.

Vicken était là, adossé au mur, au bout du couloir. Il avait les cheveux courts, tel un jeune homme moderne. Son visage pâle, blanc, me coupa le souffle.

Je tremblais de tout mon corps. La brûlure aux yeux qui m'avait tourmentée pendant des siècles se répandit enfin, en larmes inconsolables, sur mes joues. Je portai mes doigts à mon visage : je n'en revenais pas de pleurer enfin, juste à ce moment. Je regardai les larmes sur mes doigts ; elles miroitaient dans la lumière vive des néons. Des gouttelettes minuscules et superbes roulèrent de mes doigts dans ma paume. Mes mains tremblaient, mes yeux étaient écarquillés : il y avait six cents ans que je n'avais pas vu mes larmes. Vicken s'approcha, si lentement que je tremblais violemment lorsqu'il arriva à ma hauteur.

– C'est donc vrai, ce qu'on raconte.

J'avais presque oublié le son de sa voix. Son lourd accent écossais et son timbre grave me faisaient fondre, auparavant. Mais aujourd'hui, au contraire, ils me glaçaient le sang. « Ce qu'on racontait », c'était que j'étais humaine, et mes larmes venaient de me trahir.

Il s'appuya au mur et se pencha en avant jusqu'à ce que ses lèvres pleines et sa large bouche ne soient plus qu'à quelques millimètres des miennes.

– Un lycée ? Vous vous ridiculisez, Altesse, cracha-t-il entre ses dents.

Je soutins son regard noir.

– Si tu es venu me tuer, vas-y.

Je claquais des dents.

340

Il se baissa encore pour me chuchoter à l'oreille :

– Vingt minutes, Lenah. Je t'attends dehors. Sinon, le garçon mourra.

Je m'effondrai au sol. À genoux, je regardai Vicken disparaître au bout du couloir sans se retourner. Dans la salle, le volume sonore était poussé au maximum. Les autres s'en donnaient à cœur joie, et moi je pleurais, dos à la porte. Je compris soudain ce que j'avais fait après la mise en garde de Suleen. Je nous avais tous mis en danger : moi, Justin, Tony et toute la bande. J'aurais dû leur dire à tous... J'aurais dû les protéger. N'avais-je donc rien appris ? Ferais-je toujours passer mes intérêts en premier ?

Je me forçai à respirer à fond. Il fallait que je me ressaisisse. Je n'avais que vingt minutes. La musique était trop forte, et j'avais besoin de réfléchir. De faire des choix. Je ne pouvais pas imaginer pire que la mort de Justin. J'avais perdu Rhode, faudrait-il à présent que ce soit son tour ? Impensable.

Je me remis debout et séchai mes larmes. J'allais faire mes adieux, et laisser mon destin m'emporter. J'avais fait tant de choses incompréhensibles qu'il était temps de payer pour le bain de sang que j'avais provoqué. C'était à moi de tout perdre.

Je ne sais comment, je réussis à mettre un pied devant l'autre. Je ne pouvais plus contenir mes larmes. Il était trop tard. Je me retins à la porte. Le DJ passait un slow. Curtis et Roy rejoignirent Kate et Claudia ; Tony et Tracy étaient déjà étroitement enlacés. Elle nichait son nez dans le creux de son cou. Je voyais ses longs cils pointés vers le sol. Je m'étais peut-être trompée sur son compte... peut-être avions-nous tous besoin de quelqu'un qui soit là pour nous. Justin se leva de notre table. Lorsqu'il croisa mon regard, son sourire s'évanouit d'un coup. Il vint me rejoindre en courant.

– Qu'est-ce qu'il y a ?

– Danse avec moi.

Je ne voulais pas faire de scène, et je savais qu'il ne me restait que quelques minutes.

– Bien sûr.

Nous nous avançâmes sur la piste. Nous étions entourés de couples, et les mains fortes de Justin autour de ma taille allégèrent un instant ma peine.

Nous commençâmes à danser, et les larmes revinrent.

– Écoute-moi bien. J'ai quelque chose de très important à te dire.

Chaque minute comptait.

– Lenah, qu'est-ce qui ne va pas ?

Il tenta d'essuyer mes larmes, mais elles coulaient sans discontinuer, et pour rien au monde je n'aurais voulu les retenir.

– Le cercle ? me demanda-t-il à l'oreille.

– Il faut que tu m'écoutes très attentivement.

Justin acquiesça.

– Si c'est le cercle...

– Chut. Laisse-moi parler. Tout ce qui s'est passé. Notre rencontre. Ce que tu as fait pour moi.

Son visage était dévasté. Il ignorait complètement pourquoi je pleurais. Je ne pouvais pas le lui expliquer. Je ne voulais pas. Je n'allais pas déchaîner sa colère et sa volonté contre un cercle de vampires prêts à ne faire qu'une bouchée de lui.

– Tu m'as appris à vivre. Tu sais ce que ça signifie pour un vampire ? Tu le sais ?

– Je ne comprends pas.

– Tu m'as ramenée à la vie.

Je pleurais à chaudes larmes et il ne me restait presque plus de temps. Je lâchai son corps pour poser mes mains sur ses joues. Je le regardai intensément dans les yeux, puis l'embrassai de toutes mes forces pour trouver la volonté de m'en aller.

– Je vais prendre l'air. Je reviens tout de suite.

– Lenah...

– À tout de suite, murmurai-je en sanglotant.

Je partis sans me retourner. Je quittai la salle de bal, empruntai le long couloir. Je relevai la tête, serrai les poings, et sortis dans la nuit glacée. Juste devant moi, dans l'allée, je vis ma voiture, la luxueuse voiture bleue qui était restée au parking depuis des semaines. Vicken était au volant de *ma* voiture. La vitre descendit, et il me dit :

– Monte.

Sa voix était froide et dure comme la glace.

Je m'exécutai. Vicken démarra et traversa le campus comme s'il était chez lui. Je jetai un long regard

343

mélancolique vers Seeker Hall, et la voiture tourna dans Main Street.

Je refusais de penser à lui. Je posai une main sur la vitre froide en voyant mes lieux préférés défiler à toute vitesse. La confiserie, l'esplanade du marché, les restaurants, les boutiques de fringues.

– Il y a beaucoup à dire, déclara Vicken.

– Où m'emmènes-tu ?

Ma voix avait repris un peu de force. Pas question qu'il me voie encore pleurer. Je sus, à cet instant, que Justin était dehors, devant la salle de réception, et qu'il criait mon nom.

– Voyons, chérie. À la maison.

Deux heures plus tard, nous étions dans un jet privé. J'étais partie.

Deuxième partie

Ma largesse, comme la mer, est sans limites
Et mon amour aussi profond. Plus je te donne,
Plus je possède, car tous les deux sont infinis.

William Shakespeare,
Roméo et Juliette, acte II, scène II[1].

---

1. Trad. Victor Bourgy, Robert Laffont, 1995.

Chapitre 25

Deux jours après mon retour à Hathersage, appuyée contre une fenêtre des étages supérieurs, je contemplais les prés. Derrière moi, un lit aux pieds griffus, garni de draps écarlates et d'un édredon assorti. Sur la table, une carafe en cristal, vide. Je savais ce qu'elle contiendrait, bien assez tôt.

Le temps était couvert et une lumière lugubre baignait la pièce. Les stores étaient blancs, modernes. Je les avais complètement remontés. J'avais bien envisagé de m'enfuir par la fenêtre mais, du temps où j'étais vampire, je n'avais jamais installé de poignées. Elle ne s'ouvrait pas. La ventilation centrale maintenait perpétuellement la température intérieure à 18 °C.

Le bal d'hiver était donc passé depuis deux jours. Tout en regardant le paysage, je pensai à Tony dansant avec Tracy, à leur expression sous les lumières scintillantes de la salle. Je repensai à notre bataille de boules de neige et au goût du café dans ma bouche. J'étais bien nourrie depuis mon retour à Hathersage, mais je n'avais pas le droit de sortir du château. On me commandait des repas dans les restaurants de la ville.

Je n'avais même pas imaginé qu'il y aurait à présent un quartier commerçant. Il avait dû se développer pendant mon sommeil de cent ans. À notre arrivée, Vicken m'avait fait entrer dans les cuisines et avait appelé le lycée pour dire que je ne reviendrais pas avant le printemps. À ce moment-là seulement, je pourrais aller récupérer mes affaires. Personne à Wickham n'avait protesté quand Vicken avait offert à l'administration une forte somme, une somme qui ne se refuse pas. Je me demandais si la nouvelle s'était répandue. Je me demandais si Justin était venu frapper à ma porte, s'il avait attendu, espéré que je répondrais quand même.

Les prés, devant ma fenêtre, s'étendaient toujours à perte de vue. Mes précieuses prairies avaient échappé aux développements de l'ère moderne.

– Honni soit qui mal y pense, dit Vicken depuis la porte, derrière moi, sans que je me retourne. Tu y crois encore ?

Il entra d'un pas tranquille. J'étais en jean et tee-shirt, mais la qualité du tissu m'indiquait qu'ils étaient haut de gamme. Vicken ne lésinait jamais sur les vêtements.

Je me détournai de la fenêtre et m'adossai à la vitre froide. La puissance de Vicken était indéniable. Il contrôlait sa force : des mouvements lents, un regard calculé. J'avais oublié l'angle aigu de sa mâchoire et la forte pointe de son menton. Avant, j'adorais passer ma main le long de son dos en lui demandant de nommer les constellations – ne fût-ce que pour m'oublier un instant. Non, même là, adossée à cette fenêtre, je n'oubliais pas pourquoi je l'avais choisi.

– Je te l'ai dit : si tu comptes me tuer, vas-y.

Je constatai avec étonnement que le reste du cercle s'était massé dans l'encadrement de la porte. Gavin à droite, Heath à gauche, Song dans le couloir.

– Rhode gardait tous ses papiers ici, m'expliqua Vicken.

Je les fixais tous du regard, même si chaque atome de mon corps palpitait de frayeur.

– Pourtant, continua-t-il, il n'y avait rien. Rien dans cette chambre, à l'exception du fragment que nous avons retrouvé dans les cendres de la cheminée. (Il caressait l'édredon entre son pouce et son index.) En réalité, il n'avait aucune intention de revenir.

À sa manière de le dire, c'était presque une question. À laquelle je ne répondrais jamais.

– Laissez-nous, dit-il aux autres.

Ils lui obéirent et fermèrent la porte. Vicken vint me rejoindre contre la fenêtre.

– Il n'avait laissé aucune trace. Aucune information sur le moyen de te réveiller de ton hibernation. J'aurais dû me méfier.

Il passa la main dans ses cheveux. Comme je ne réagissais pas, et que je ne baissais pas les yeux, il se jeta sur moi, m'agrippa par la nuque et m'embrassa. Je crus suffoquer. Ses lèvres forcèrent les miennes à s'ouvrir. Sa langue, froide et fade, s'enroula autour de la mienne. Je pensai à Justin, à notre retour du club, à la facilité

349

avec laquelle il m'avait soulevée pour que je l'entoure de mes jambes.

Vicken me repoussa et mon dos heurta la vitre.

– Tu oses penser à cet humain lamentable ? cracha-t-il.

Mon cœur battait dans ma poitrine, comme pour me rappeler à quel point il aurait préféré être là-bas, à quel point il avait besoin que je reste en vie. J'avais oublié que l'amour de Vicken pour moi était une malédiction : un lien qui le rendait incapable de me tuer. Il pouvait facilement refaire de moi un vampire, et cela me tuerait d'une certaine manière, mais il ne pouvait pas me faire de mal pour le plaisir. Le sortilège était ainsi fait, et il l'avait trahi.

Il eut un rire qui ressemblait plutôt à un coassement.

– Oh... Ce lamentable humain. Toutes mes excuses.

Il se mit à arpenter la pièce.

Je m'assis sur le lit, tête baissée. Les talons de ses chaussures cliquetèrent sur le parquet puis s'immobilisèrent devant moi.

– Mon Dieu. Regarde-toi. Que va-t-on faire de toi ? Le vampire le plus puissant du monde n'ose même plus regarder ses valets en face. Consternant.

Je connaissais sa tactique. Taper sur les émotions de l'autre, jusqu'à ce qu'il plie. Qu'il veuille être soulagé de sa douleur. Ce n'était que la première phase. Mais je m'en fichais. J'étais comme engourdie. Rhode n'avait pas voulu laisser d'indices. Il l'avait fait pour me protéger. Il avait même effacé toute trace du rituel.

– Dis quelque chose, m'ordonna Vicken en élevant la voix.

Je relevai enfin la tête.

– Je n'ai rien à te dire.

– Pourquoi n'as-tu pas peur ? Bats-toi !

Il criait si fort que le lustre en trembla.

– La mort est inévitable, quoi que je fasse, répondis-je.

Ma voix, toutefois, trahissait mes intentions. Je chancelai légèrement. Vicken revint lentement s'asseoir sur le lit à côté de moi. Nous nous regardions au fond des yeux, et la noirceur qui était dans les siens me rappela qu'il n'y avait pas d'âme dans ce corps. Tout ce que j'espérais, c'était que son amour pour moi puisse, même faiblement, rendre ce qui allait suivre un peu moins douloureux.

– Tu n'as pas peur de mourir ?

Il observa ma gorge, puis de nouveau mes yeux.

Je secouai la tête, et une larme solitaire roula sur ma joue. Vicken la regarda avec envie descendre jusqu'à mon menton. Que ne donnerait pas un vampire pour verser une larme ; quelle liberté il serait prêt à donner pour soulager sa peine, ne fût-ce qu'un instant !

– Pourquoi ? insista-t-il.

Je l'étudiai attentivement. Intensément. Quelque part, sous le monstre, se cachait encore le jeune homme qui aimait les cartes et la navigation. Qui avait fait la guerre et chantait dans les tavernes.

– Parce que j'ai enfin vécu.

351

Vicken se pencha pour presser ses lèvres contre mon cou. Il se mit à m'embrasser : de petits baisers le long de la nuque, puis de la gorge. De nouveau, il me regarda au fond des yeux. Et soudain, il plongea ses crocs dans ma gorge et me pompa le sang avec une force suffocante.

Mes battements de cœur me résonnaient aux oreilles. Cette pulsation... je n'entendis plus qu'elle, jusqu'à ce qu'elle s'affaiblisse. Aucune douleur : rien qu'un souffle chaud et poisseux dans la région de mon cou, là où Vicken me vidait de mon sang vital. Bientôt, je serais de nouveau un vampire et je ne désirerais plus que la souffrance et la haine. Je ressentis un picotement dans les doigts, puis un engourdissement, et les muscles de mon cou se contractèrent. Une douleur aiguë : je pouvais à peine tenir ma tête. Vicken la prit entre ses mains. Puis ma respiration se noya, le sang monta, s'insinua dans mes poumons.

Je me concentrais sur mes pensées. Du moins, tant que j'avais encore toute ma tête. C'était ce qui partait en dernier.

Le visage de Justin au bal. Son déhanchement calqué sur le mien, pendant le slow, sur la piste de danse. L'odeur d'herbe fraîche de sa peau, la moue de ses lèvres. Ensuite, je perdis la vue ; les images n'existaient plus que dans ma tête. Je vis Vicken la nuit où je l'avais pris, en Écosse. Son père lui pinçant la joue. J'aurais dû le laisser repartir avec sa famille. Même s'il était en train de me tuer, je ne lui souhaitais que la paix et la liberté. Enfin, c'est mon ouïe qui céda et les bruits de succion se turent. Dans le silence, je vis Rhode. J'espérais, par-dessus tout, que son âme, où qu'elle fût, était protégée. Qu'il était libéré de l'inquiétude et de la peine.

J'espérais que toutes les âmes iraient au paradis, même celles des vampires victimes de leur propre mal. Peut-être, un jour, irais-je aussi là-bas. Et à cet instant mortel, je pensai que je ne serais peut-être jamais absoute de mes atrocités, que, peut-être, je mourrais et que la transformation échouerait. L'enfer ne pouvait pas être si terrible, si ? J'y avais envoyé des milliers d'individus. Si je mourais, je ne pourrais plus faire souffrir. Je ne tuerais plus, je ne profanerais plus.

Puis tout vira au noir.

À mon réveil, je clignai des yeux. J'ignorais où je me trouvais, mais j'étais couchée sur le dos. Je pensais me retrouver dans la chambre, avec Vicken, mais le ciel était au-dessus de moi. Il était trop bleu, presque comme s'il était peint, de la couleur d'un océan très profond. Il n'y avait pas de soleil, et pourtant c'était le jour. J'avais les mains le long du corps. De l'herbe tout autour de moi. Mais elle était d'un vert dur, trop vif. Je regardai mes jambes. Je portais la robe verte, celle de la dernière Nuit Rouge.

Je me redressai d'un coup. J'avais retrouvé ma vue vampirique. J'étais dans les prés, chez moi, en Angleterre, mais il y avait quelque chose de changé. C'était comme dans un rêve. J'étais au pied de la colline, à Hathersage. Devant moi, à un kilomètre ou deux, un troupeau de biches s'ébattait. Si les biches étaient là, et la robe verte... était-il possible que...

Mon cœur, à cet instant, vola en éclats. Je fis volte-face.

Rhode était là, au sommet de la colline. Je souris, à m'en faire mal aux joues. Les larmes me montèrent aux yeux mais, comme je pouvais m'y attendre, elles ne coulèrent pas. Aucune douleur : j'étais peut-être au paradis.

Il était là. Il portait un long manteau et ses cheveux étaient courts et ébouriffés, comme la dernière fois que je l'avais vu à Wickham. Il semblait plein de vie et de santé.

Remontant mes jupes, je gravis la colline en courant. Mon château aurait dû être derrière lui, mais il n'y avait qu'une étendue d'herbe, à perte de vue. Très semblable à celle qui s'étendait devant le dortoir Quartz.

J'étais fascinée. Je ne le quittais pas des yeux. La joie que j'éprouvais, le pur étonnement de le voir devant moi formaient tout un univers que je ne comprenais pas. Pourrais-je rester là à jamais ? Oui, sûrement, je ne voulais pas en douter.

– Prête pour l'aventure ? me demanda Rhode lorsque je l'eus rejoint.

Quelques centimètres nous séparaient.

– Tu es vraiment là ? dis-je dans un souffle.

Il posa une main tiède sur ma joue. Soudain, la honte m'envahit.

– Je dois te décevoir, déclarai-je sans le quitter des yeux.

– Me décevoir ? s'étonna-t-il avec un regard rieur. C'est tout le contraire.

– J'ai échoué. Vicken m'a retransformée en vampire. J'en suis presque sûre.

– Nous n'avons pas beaucoup de temps, je serai bref.

Il se mit à marcher et je lui emboîtai le pas, le long de la crête où se rejoignaient les prés et la pelouse qui ressemblait à celle de Wickham.

– Dis-moi. À quoi as-tu pensé pendant que Vicken te reprenait ?

– Je ne sais pas. Je ne veux pas en parler. Tu es là...

Je lui pris la main. Je ne voulais plus jamais la lâcher.

– Il le faut, Lenah. Réfléchis.

Je fermai les yeux et tentai de me remémorer mes pensées. Le visage de Justin m'était apparu brièvement, son sourire le soir du bal, Tony dansant comme un fou. Puis j'avais pensé à la famille de Vicken, à sa maison en Écosse et, bien sûr, à Rhode, dans le verger de mes parents. Je n'envisageais pas d'évoquer Justin. C'était étrange d'imaginer lui parler d'un autre amour.

– J'ai pensé à toi. Où que tu sois... j'espérais que tu étais en sécurité.

Du regard, il m'encouragea à continuer.

– Ensuite, j'ai pensé à Vicken. J'ai regretté de ne pas l'avoir laissé libre ce soir-là. Il aurait dû vivre sa vie.

De nouveau, je m'interrompis. Le léger sourire de Rhode m'indiquait qu'il était déjà au courant pour Justin.

– En fait, j'ai d'abord pensé à Justin. J'ai regretté la peine que je lui imposais. Comme à tous mes amis. Pourquoi ces questions ?

Rhode poussa un soupir de soulagement.

– Parce que tu as réussi. Et que cela fait toute la différence.

– Je ne comprends pas. Où sommes-nous ? Tous les vampires finissent-ils ici ?

– Non. Je t'ai envoyé chercher. Mais je savais que tu ne pourrais pas venir si tu n'étais pas en mesure de réussir cette épreuve. Et tu as réussi, même mieux que je ne pouvais l'imaginer.

Puis il se tut. Il me contemplait avec une telle intensité que le monde se brouilla. Rien d'autre n'existait, à cet instant, que le bleu de ses yeux.

– Je suis venu pour te mettre en garde, reprit-il. Les mois qui viennent vont te poser des défis incroyables. Tu vas recevoir certains... pouvoirs. L'un d'entre eux sera puissant et dangereux. Ne crains pas de l'utiliser, quoi que tu fasses. Il te sauvera la vie.

– Quand je reviendrai à moi, je serai un vampire. Je serai de nouveau maléfique. (J'eus un instant le souffle coupé.) Vais-je tuer ceux que j'aime ? Justin ? Tony ?

À cette idée, je serrai les mains sur mon cœur.

– Tu dois te rappeler ce que je t'ai dit. Quoi qu'il arrive, tout est dans l'intention.

– Mais le mal sera en moi. Ça n'aura pas d'importance.

– Je pense que tu t'apercevras que c'est différent cette fois.

Il passa une main sur ma joue, visiblement absorbé par une nouvelle idée.

– Tu m'as manqué, me confia-t-il tout bas.

Il regarda de nouveau mes yeux, puis le ciel, où il vit quelque chose qui m'échappait.

– À ton avis, pourquoi t'ai-je demandé à quoi tu avais pensé pendant le rituel de Vicken ?

De nouveau, il me sondait.

Je secouai la tête. Du coin de l'œil, je constatai que les biches étaient revenues, tout près de nous, à quelques mètres.

– Vicken te prenait ta vie, et pourtant tu pensais à *son* malheur. Tu le pleurais. Ensuite, tu as pensé à moi, non pas pour me faire des reproches mais en espérant que j'étais en paix. Et Justin, ce garçon ? Tu voulais lui épargner la peine et le chagrin. Tu n'as pas pensé à toi.

– Ça, je l'ai assez fait.

– Tout est dans l'intention. Ne l'oublie jamais.

Il déposa un baiser sur mon front. Je fermai les yeux un instant. Lorsque je les rouvris, Rhode reculait vers la pelouse.

– Resterai-je humaine ?

Il s'arrêta.

– Non, mon amour. Même moi, je ne peux pas contrôler une magie si ancienne.

Il pointa le doigt dans la direction des prés.

– Regarde. Des biches.

Je tournai la tête : l'une des bêtes était si près de moi que j'aurais pu lui caresser le museau. Quand je me retournai vers Rhode, il était bien plus loin, mais je distinguais encore ses traits.

Les yeux écarquillés, je fis un pas en avant.

– Tu t'en vas ?

– Au contraire. C'est toi qui t'en vas.

Il s'éloigna encore. Je courus vers lui, mais curieusement, il était bien trop loin pour que je puisse l'atteindre. Je m'arrêtai au bout de quelques pas.

– J'ai tant de choses à te dire ! Tu me manques.

Il eut un petit sourire malicieux. Il était presque hors de vue.

– Te reverrai-je ? demandai-je d'une voix rauque.

– Que ta grandeur ne t'étonne pas, Lenah Beaudonte. Ce qui doit t'étonner, c'est que personne ne s'y attende.

Chapitre 26

Un battement des cils. Puis un autre.

Je passai ma langue sur mes dents. Elles étaient lisses comme de la glace. Puis j'ouvris les yeux. Les caissons du plafond étaient d'un noir brillant. Je tournai la tête vers ma table de nuit. Dessus, une carafe en cristal était emplie de sang rouge sombre. Je la soulevai sans me soucier de la coupe posée à côté et bus directement au goulot. Je buvais vite, goulûment. Le sang était épais, plus lourd que de la résine, et plein de fer. Il sentait la rouille, il avait un goût céleste. Mais après deux ou trois gorgées seulement, je me trouvai rassasiée. Pleine à éclater, à vrai dire, au point de ne plus rien pouvoir avaler. Bizarre. Auparavant, il m'en fallait des coupes et des coupes – au moins le contenu d'un corps entier – pour atteindre cette satiété, et je devais recommencer au bout de quelques jours. Trois lampées me suffisaient, à présent ?

Je reposai la carafe sur la table de chevet. Mes perceptions étaient de retour. Tout était silencieux, et je savais que le cercle attendait mon réveil. Je bougeai lentement les bras et touchai délicatement les objets, en prenant soin de ne pas faire de bruit. Un moment de solitude, c'était exactement ce qu'il me fallait pour me réhabituer à mon environnement.

Qu'entendait Rhode, au juste, lorsqu'il m'avait parlé de pouvoirs ? Tout en retournant dans ma tête mes interrogations sur ma brève rencontre avec lui, je me rallongeai sans faire grincer le sommier. Je reconnaissais ma vieille armoire ; j'étais sûre que Vicken l'avait abondamment garnie de vêtements pour moi. Face au lit, un téléviseur à écran plat était accroché au mur ; la télécommande était sur la table de chevet. Je voyais les fibres du parquet et les bulles d'air microscopiques piégées dans la peinture du plafond. Il y avait un ordinateur portable, un bureau en acajou précieux, et le parquet était si brillant qu'il me brûlait presque les... Oh ! Je cessai d'un coup d'observer la chambre, prenant conscience que... j'avais *des pensées humaines*. J'avais conservé mon âme. Ha ! Je gloussai, puis plaquai mes mains sur ma bouche. Il me fallait encore du temps, seule, pour y réfléchir. La nuit était tombée, il devait être huit ou neuf heures du soir. L'éclat des étoiles, dehors, me le disait. Je me redressai et tirai les rideaux. Par terre, à côté de mon lit, j'avisai le petit sac à main que j'avais au bal. Je n'avais même pas besoin de regarder dedans : il contenait de l'argent, mon carton d'invitation, le flacon de cendres de Rhode, et le thym séché que m'avait donné Suleen. Je glissai la pochette sous mon oreiller. Mes jambes étaient solides, mes abdominaux fermes. J'étais dure comme le roc, un vrai vampire. Et pourtant, mon esprit était à cent pour cent humain.

Je me rallongeai, étirai mes jambes. Plus rien n'avait de texture. Le tissu glissant contre mon bras ne pouvait plus affecter mes nerfs, me donner le frisson. J'étais de nouveau engourdie, mais de mémoire, je savais que ce lit était moelleux. J'attendis, écoutai, mais mon cœur était muet. Je me remis à contempler le plafond.

Que ta grandeur ne t'étonne pas, Lenah Beaudonte. Ce qui doit t'étonner, c'est que personne ne s'y attende.

Qu'est-ce que cela voulait dire ? J'étais un vampire qui, apparemment, n'avait besoin que d'un minimum de sang pour subsister, et j'étais capable de conserver mes pensées humaines. Était-ce cela, mon pouvoir ? La combinaison était étrange. J'étais sur le point d'allumer la lampe de chevet lorsqu'un éclair illumina le rideau fermé sur la fenêtre. Je me redressai brusquement, le dos droit. Je regardai vers la coiffeuse surmontée de son miroir, puis de nouveau la table de nuit. Les meubles étaient plongés dans la pénombre. Il n'y avait qu'une lampe, la lampe de chevet, et elle était éteinte. D'où était venue cette lumière ?

Je tendis de nouveau le bras vers la lampe pour l'allumer. La paume tournée vers la fenêtre, je pliai les doigts sous l'abat-jour. Un nouvel éclair illumina le rideau !

C'est alors que je perçus la chaleur qui émanait de mes paumes.

Je m'assis sur le bord du lit pour les examiner. Ma vue vampirique avait repris toute sa force, et je distinguais le moindre détail. Mais en y regardant de plus près, je constatai un changement. Les pores de ma peau scintillaient. Un scintillement étrange, comme s'ils étaient emplis... de lumière.

Je me levai. L'anxiété me traversait par vagues. Pleine de l'énergie donnée par le sang, je regardai fixement mes paumes et jetai mes bras en avant, le plus fort possible, les doigts tendus au maximum. La lumière traversa mes mains et se projeta sur le mur et les rideaux. Je recommençai. Une lumière vive comme le soleil du matin.

On frappa à la porte.

Je me retournai vivement en cachant mes mains sous mes bras.

– Lenah ?

C'était Gavin. La poignée de la porte pivota. Gavin avait toujours été le plus doux des quatre. Je pris ma respiration, en me répétant de ne pas baisser ma garde. Il ne fallait pas qu'ils sachent que j'avais conservé mon âme. S'ils l'apprenaient, je serais tuée dans l'instant. Cela faisait partie de l'orchestration de la magie du cercle. Si l'un de ses membres gardait ne fût-ce qu'un semblant d'humanité, il était le maillon faible. La faiblesse devait être éradiquée, puis remplacée. J'avais formé ce cercle pour que nous soyons puissants, sans *rien* pour nous retenir. Je me devais d'être malfaisante, comme eux. Après tout, c'était leur reine qu'ils attendaient.

– Entre, dis-je en me tournant vers la porte.

Mes cheveux me descendaient sous les épaules et j'avais toujours les bras croisés sur la poitrine, les mains protégées sous mes aisselles. Gavin mesurait au moins un mètre quatre-vingts. Il avait des traits juvéniles. Je l'avais fait vampire en 1740, en Angleterre.

Il laissa la porte ouverte derrière lui et s'inclina, très légèrement, si bien que je vis le dessus de ses courts cheveux châtains.

– Comment te sens-tu ? me demanda-t-il.

Je m'approchai de lui sans cesser de le fixer des yeux. Je l'embrassai sur la joue.

– Parfaitement bien.

Et avec un sourire sournois, je sortis de la pièce.

L'esprit toujours aux aguets, j'enfilai le couloir. Je dois avouer que durant mon séjour à Wickham, j'avais oublié la splendeur de mon château. Il comptait trois étages, chacun décoré différemment. Celui-ci était réservé à mon usage personnel. Il y avait des pièces entièrement capitonnées de velours, d'autres soulignées d'onyx noir. Je disposais d'une chambre privée, d'un bureau, d'un salon et d'une salle de bains, que je n'utilisais jamais. Ma pièce préférée était l'armurerie, un étage plus bas.

J'entendais les pas de Gavin derrière moi. Au pied d'un grand escalier, je trouvai Vicken, les bras croisés, encadré de Heath et de Song qui semblaient monter la garde. Je le pris par les épaules et l'attirai à moi. Nous nous étreignîmes sous le regard des autres, puis il se recula juste assez pour m'observer au fond des yeux.

363

Son amour pour moi coulait dans mes bras et se répandait dans mon nouveau corps comme une chaleur réconfortante. Mais je le savais : de mon côté, quelque chose était cassé. Au moment où Rhode m'avait rendue humaine, le lien entre nous s'était brisé. J'espérais, sous son regard scrutateur, qu'il ne s'en rendrait pas compte.

– Bienvenue chez toi, me dit-il en me prenant par les bras.

Il y avait de la ferveur dans sa manière de me toucher, et je sentais qu'en effet, ils étaient tous heureux. J'embrassai chacun d'eux en veillant bien à les regarder dans les yeux afin de leur assurer que j'étais redevenue le redoutable vampire Lenah. Je gardais l'esprit concentré. En entrant au salon, je vis la neige tomber par la fenêtre, et mon cœur se serra un instant. Je ne pouvais pas me le permettre. Le cercle et moi étions de nouveau liés par la magie, et les autres risquaient de percevoir mes sentiments.

Vicken me retint par la main.

– Est-ce vraiment toi ? me demanda-t-il.

Pendant ce temps, les autres allumaient un feu et plaçaient des chaises dans le salon. Vicken semblait m'implorer du regard. C'était en réalité pour lui-même qu'il m'avait retransformée en vampire. J'aurais fait la même chose à sa place.

– Espèce d'idiot, répliquai-je.

Je le menai jusqu'au salon. Il eut un petit rire et me pressa la main.

Il n'y avait rien. Pas de brûlure dans mes joues. Pas de désir de nourriture. Il n'y avait qu'un désir lancinant de revenir. Si Rhode avait pu exécuter le rituel, pourquoi pas moi ? Il fallait que je m'occupe l'esprit, que je trouve le moyen de rentrer chez moi. À Wickham.

Je consacrais mes journées à mes recherches sur le rituel de Rhode. Cela m'aidait à passer le temps et me donnait une excuse pour rester seule. Je faisais de la désinformation. Je mentais sur ma connaissance du rituel. Je racontais que quand je m'étais réveillée à Wickham, Rhode avait disparu... tout était bon pour les lancer sur de fausses pistes. Vicken s'intéressait particulièrement au rituel et passait des journées entières à mes côtés, pendant que je travaillais dans la bibliothèque.

Les jours passèrent, puis les semaines... La neige tombait, le cercle donnait des fêtes en mon honneur, et je ne mettais pas le pied dehors. Pour tout dire, je ne suis pas certaine que j'en aurais eu le droit. C'était le cercle qui décidait de mon emploi du temps. En descendant le matin, je pouvais trouver des cadavres plein le salon un jour, et mon cercle tranquillement occupé à lire le lendemain. Me contentais-je vraiment de cela autrefois ?

Bien sûr, j'aurais pu reprendre le pouvoir à tout moment. C'était moi qui les avais faits, j'avais créé la magie qui les liait. Mais je ne testais pas mes limites, et eux non plus. Si je l'avais fait, ma vraie nature aurait été révélée et ma supériorité hiérarchique anéantie. C'était la règle. Si un vampire de notre cercle conservait son humanité, sa capacité à penser rationnellement, il devait mourir. Reine ou pas. En conservant mon humanité, sous quelque forme que ce fût, j'affaiblissais le lien.

Je ne savais pas précisément ce qu'il m'était arrivé dans le pré avec Rhode. Au début, je buvais un verre de sang de temps en temps, à quelques jours d'intervalle. Je ne demandais pas aux garçons d'où il venait. Je les laissais se le procurer pour moi. Égoïste, oui, mais je savais de quoi j'avais besoin et ne souhaitais tuer personne. Avec le temps, ma soif de sang s'estompa. Il ne m'en fallu plus qu'une fois par semaine, puis une fois par mois. Le 1er avril, j'en bus un verre et me trouvai rassasiée. Un seul verre pour tout le mois. Le cercle continuait de m'en apporter mais je le vidais dans le lavabo.

Comme je l'ai dit, tout était amplifié : ma vue, ma facilité à comprendre les pensées, dans lesquelles je lisais vite et facilement. J'étais un supervampire.

C'est fin avril que je commençai à craindre que Vicken ne me soupçonne de ne pas être moi-même. Je me trouvais dans la bibliothèque, située au rez-de-chaussée du château. J'étais assise à une longue table, et un feu ronflait dans mon dos. Le silence n'était brisé que par la pluie qui tambourinait sur les fenêtres. Des chandelles anciennes, dans de grands chandeliers de bronze, éclairaient la table.

Le livre que je lisais était en hébreu. Je suivais le texte de droite à gauche :

Le vampire ne peut briser les liens de l'existence vampirique qu'à partir de sa cinq centième année...

Tout cela, je le savais déjà. Je refermai le grimoire d'un geste sec. Un nuage de poussière s'éleva de la reliure, envoyant des particules dans la flamme des chandelles. En trois mois, je n'avais rien découvert de nouveau.

– Encore en train de lire ?

Je levai la tête. Vicken entra, longea la longue table et s'assit en face de moi.

– Alors, des trouvailles ? insista-t-il avec un demi-sourire.

– Si je te disais que oui, que j'ai découvert le secret sur ce rituel, que ferais-tu ?

Il posa les mains sur la table et se pencha en avant.

– Je te suivrais partout. C'est pour ça que je suis là, dans cette bibliothèque.

– Bah, répondis-je en baissant les yeux sur le livre posé devant moi, même si je trouvais quelque chose, je ne pourrais rien en faire. Il faut avoir cinq cents ans pour exécuter le rituel, et moi je suis revenue à la case départ, un vampire nouveau-né.

– Tu étais très puissante : l'âge n'est peut-être pas un problème pour toi.

– Que dis-tu ?

– Tu ne penses pas que cela fonctionnerait quand même ?

C'est moi qui me penchai vers lui, cette fois.

– Tu es en train de me proposer d'essayer, alors que je risque une mort douloureuse en cas d'échec ?

Il ne répondit rien. D'une manière subtile, j'avais repris le pouvoir par ma réaction, et il n'osait plus me défier.

Je rouvris le grimoire au hasard. Je contemplais les caractères, mais sans déchiffrer les mots écrits en hébreu.

– Je n'ai rien trouvé.

– Peut-être que tu ne cherches pas au bon endroit, observa-t-il, en regardant d'abord les flammes de chandelles, puis moi. Tu sais, nous avons fait installer l'électricité quand elle a été inventée.

– Et la télé, et des ordinateurs, ajoutai-je en me renversant en arrière dans mon siège.

– Dis-moi ce que tu as trouvé, je sais que tu as trouvé quelque chose, il y a des mois que tu cherches. Mon intuition me le dit, m'avoua-t-il sans même que je l'aie interrogé.

Ayant été créé par moi, il était incapable de me dissimuler cette information. Mais son aveu avait fait surgir une émotion à laquelle je ne m'attendais pas chez lui : de la nostalgie.

– Pourquoi est-ce que tu t'y intéresses tant ? Il te faudrait des années avant de pouvoir exécuter le rituel.

– Comment était ta vie à Wickham ?

Je reconnais que l'honnêteté de sa question me stupéfia. Ma première réaction vint en images : le campus verdoyant, Justin sortant de l'eau après avoir gagné la course de bateaux, et le portrait de Tony.

– Tu m'en veux de ne pas t'avoir emmené avec moi ?

Son regard était hypnotisant, et je sus immédiatement ce qu'il éprouvait. Ses émotions me submergeaient par vagues successives. Il n'était pas fâché : il était fou de douleur de ne pas avoir été informé de mon projet d'humanité.

– Tu as envie de redevenir humain ? Tu ne me l'avais jamais dit.

– Tu n'étais plus là. Je n'avais jamais pensé à mon humanité, jusqu'au moment où j'ai compris que tu ne serais plus là avec moi chaque jour. C'est seulement à ce moment-là que j'ai désiré faire machine arrière.

– On ne peut pas faire machine arrière, Vicken. Même avec le rituel. Pas vraiment. Chaque époque sera toujours un univers auquel nous n'aurions jamais dû prendre part.

Un silence tomba entre nous. Pourtant, il y avait quelque chose dans l'air, quelque chose de lourd. Peut-être était-ce le poids des nombreux souvenirs et intentions qui avaient empli cette bibliothèque. Ou peut-être était-ce toutes les années invisibles qui avaient passé entre Vicken et moi, du temps où nous étions ensemble.

– Tu n'es plus comme avant, me lança-t-il.

Malgré l'angoisse qui montait dans mon cœur mort, je me penchai vers lui.

– Je t'avais prévenu que j'avais changé pendant mon existence humaine. C'est toi qui t'es mis en tête que je serais encore la même.

– Tu ne te nourris pas, tu n'as même pas le désir d'infliger de la souffrance. Comment arrives-tu à gérer tes pensées ?

Je me levai pour remettre le livre en place. J'en pris deux autres, que je posai sur la table. Vicken ne me quittait pas des yeux.

– Ce que je choisis de faire, à mon rythme, Vicken, ne te regarde pas.

Il baissa la tête, l'air sombre.

– Bien sûr, cracha-t-il entre ses dents en se levant.

Avant d'avoir atteint la porte, il ajouta :

– Ce soir, il y a une surprise spéciale pour toi, Lenah.

J'attendis qu'il fût sorti pour ouvrir un nouveau grimoire.

Toute la soirée, je m'isolai. Je ne répondis ni aux coups frappés à ma porte ni à mon nom crié dans l'escalier. C'était quand le cercle était occupé que je pouvais penser au campus de Wickham. Aux arbres. Au visage de Justin. Comme mon cœur souffrait ! Comme j'avais envie de fracasser les fenêtres et de partir en courant à travers champs, jusqu'au bout de mes forces ! J'essayais de rêver encore de Rhode, mais son apparition, ou quoi que ce fût, avait été un moment unique. Précieux, même. Je le savais à présent, il était parti pour toujours.

Quand j'étais seule dans ma chambre, je m'entraînais. Je tendais les doigts devant moi, et un puissant rayon de lumière en sortait. Une fois, j'avais tapé involontairement dans mes mains et il y avait eu une telle explosion que je m'étais retrouvée par terre et que le miroir de la coiffeuse s'était fêlé. Heureusement, le cercle ne se trouvait pas au château quand c'était arrivé.

Pour ce soir, Vicken m'avait promis une « surprise spéciale ». Je regardai la luxueuse voiture du cercle s'éloigner dans l'allée sinueuse. J'y vis une chance d'aller farfouiller dans la chambre de Rhode. Je n'avais pas encore eu l'occasion de le faire, car je n'aurais pas pu rester assez concentrée pour être entièrement sur mes gardes. Mais là, puisque le cercle était parti faire une course, je montai au dernier étage.

Il n'y avait qu'une chambre là-haut. Elle se trouvait au bout d'un long corridor. J'avançai pas à pas. Je posai la main sur la porte, qui s'ouvrit en grinçant. Le lit de fer n'était garni que d'un matelas rayé. Les murs étaient nus, et il n'y avait qu'un tapis d'Orient au sol. J'entrai sur la pointe des pieds, comme si le moindre bruit risquait de troubler la paix de cette pièce dépouillée.

Je m'assis sur le matelas.

Mais Rhode n'avait rien laissé.

Avait-il pu avoir la légèreté de ne pas envisager cette possibilité ? Que Vicken me retrouve ?

En face du lit se trouvait une penderie. Elle ne contenait que des cintres vides, accrochés à la barre. Attendez... oui, il y avait quelque chose sur la paroi du fond. Un dessin gravé dans le bois. Un dessin du soleil et de la lune. Je me levai pour aller voir de plus près. J'entrai dans la penderie. Je savais que le cercle avait vu ces dessins. Une image de Gavin et Heath passant les mains sur les parois surgit directement dans ma tête. Je prolongeai mon observation, même en sachant que si ces dessins avaient eu quelque chose de particulier, ils l'auraient déjà découvert. Peut-être que les convictions de Rhode à propos de l'intention s'appliquaient ici aussi. Si leur intention était de comprendre le rituel et de l'utiliser... ils ne trouveraient jamais. Encore de la magie.

D'instinct, je levai la main droite et cognai doucement à la paroi. D'abord le soleil. Cela sonnait plein. Au moment où mes phalanges frappèrent le bois, je compris que Vicken, lui aussi, s'était tenu là, à examiner les motifs.

Reste... dit alors une voix dans ma tête. Une voix qui était celle de Rhode.

De nouveau, je frappai contre le soleil. Cette fois, comme une pièce de jeu pour enfants, la forme ronde se souleva dans le bois. Du bout de mes doigts, je m'efforçai de la retirer. Un mauvais mouvement, et elle risquait de se renfoncer, ou peut-être de se bloquer.

Les doigts bien accrochés autour de la forme, je la fis glisser de son logement. Le petit soleil entouré de ses rayons était au creux de ma main. Derrière, dans une cavité noire, il y avait une feuille de parchemin roulée, scellée par un ruban rouge.

La désagréable sensation de la présence du cercle s'insinua dans mon esprit. Ils étaient en train de revenir. Je les voyais en pensée. Je me concentrai sur le parchemin. Je le déroulai et trouvai deux feuilles. Sur la première, on pouvait lire une recette :

Ingrédients
Résine d'ambre
Chandelles blanches
Sang d'un vampire âgé de cinq cents ans au moins

Je la lus : il me faudrait des herbes variées, du thym et un couteau en argent pour exécuter le rituel. En bas, il était écrit en gros, de la main de Rhode : *L'INTENTION*.

Sur la seconde page, on pouvait lire un poème... non, en lisant mieux, je compris que c'était une incantation. Celle que Rhode avait dû prononcer en se livrant au rituel.

Je te libère, —————— (nom du vampire).
Trancher le poignet à l'aide d'une lame en argent.
Je te libère, ——————.
Je monte la garde auprès de toi. Je renonce à mon existence pour toi.
Le vampire doit laisser l'autre prendre le sang de la vie.
Je renonce à ma vie. Prends ce sang.
Garde espoir... et sois libre.

Sous l'incantation, qui était très facile à retenir, il y avait encore des instructions concernant l'utilisation des chandelles et des herbes à brûler avant le rituel. Tout en bas de la page, je trouvai encore une phrase, et je sus que Rhode avait pensé à tout pour moi.

Lenah, garde-toi du danger.

J'ignorais s'il avait tracé ces mots pour que je les trouve, ou si c'était juste la pensée qu'il avait eue en tête à ce moment-là. J'espérais qu'ils m'étaient spécialement destinés.

– Lenah !

La voix de Heath, qui m'appelait depuis le rez-de-chaussée. Je fourrai les parchemins dans la poche de mon pantalon.

– Lenah !

– J'arrive !

Chapitre 27

– Viens, m'ordonna Heath.

Il m'entraîna dans le long couloir qui menait à la salle de bal. La salle où j'avais tué la Hollandaise. La porte était fermée, et le corridor baignait dans une lumière grise. Les lampes étaient éteintes. Heath appuya sur la poignée, qui figurait toujours une dague pointée vers le sol. La salle de bal était plongée dans la pénombre, uniquement éclairée par des chandelles accrochées aux colonnes qui soutenaient le plafond. Des chandelles rouges, dont le reflet vacillait sur le parquet ciré.

Au centre de la salle, recroquevillée en boule, je découvris une fillette, une enfant aux cheveux couleur d'herbes des dunes blanchies par le soleil. Les membres du cercle, debout autour d'elle, me souriaient. La petite gisait au sol en position fœtale. Il me fallut toute ma volonté pour ne pas courir la serrer contre mon cœur.

Vicken, Gavin et Song formaient un demi-cercle. Je déglutis au moment où Heath referma la porte derrière moi. Je jetai un regard à Vicken ; il l'avait fait exprès. La rage vampirique enflait en moi. Des pensées irrationnelles brûlantes m'obscurcirent l'esprit un instant. Je m'avançai en ondulant des hanches. D'un pas léger, je me rapprochai de la petite fille. Le cercle était satisfait. Je vis que l'enfant n'avait pas plus de cinq ou six ans. Elle avait mouillé sa robe rose. Je la montrai du doigt.

– C'est mon cadeau de bienvenue ?

Les membres du cercle, y compris Vicken, relevèrent la tête pour acquiescer.

– Quatre mois en retard, crachai-je.

L'atmosphère changea. Song déglutit. Je veillai à garder mes mains dans mes poches.

– Nous ne savions pas quoi faire, Lenah, tenta-t-il d'expliquer. Tu étais si lointaine...

– Laissez-nous.

Le cercle ne bougea pas.

La petite fille gardait les mains sur ses yeux.

– Laissez-nous ! criai-je sans leur laisser d'autre choix qu'obéir.

J'étais leur créatrice, leur reine. Ils tournèrent docilement les talons. Vicken était le dernier. Je me retournai, les dents serrées ; j'aurais voulu lui cracher du feu.

– Elle est à moi ! grondai-je en dévoilant mes crocs. Et que je ne vous entende pas traîner derrière la porte !

J'attendis qu'ils se soient éloignés en grommelant. Seul Gavin semblait apprécier ma soudaine colère. Une fois qu'ils furent montés à l'étage, je me précipitai vers la petite.

– Regarde-moi, lui dis-je tout bas.

Elle tremblait si fort que je la serrai contre moi jusqu'à ce que ses frissons se soient apaisés.

– Je veux mon papa et ma maman, pleurnicha-t-elle dans mon giron.

Je sentais ses larmes tremper mon tee-shirt. J'aurais pu en verser des torrents avec elle. Je relevai son menton et, en m'observant de ses petits yeux bleus, elle éclata de nouveau en sanglots.

– T'as l'air bizarre, remarqua-t-elle. Tu es comme eux.

– Comment t'appelles-tu ?

– Jennie.

– Bien, Jennie. Je vais te ramener chez toi.

Son visage s'éclaira et elle cessa de pleurer un instant. Elle ne faisait plus que hoqueter en silence.

– Où habites-tu ?

– À Offerton.

Super. Offerton était un bourg proche de Hathersage. Ces idiots n'avaient même pas changé de comté.

Dès l'instant où j'emmènerais cette fillette dans la voiture, ce que j'avais fait serait évident. Ce serait la preuve absolue que je n'étais pas un vampire comme les autres. Un seul acte, et je ne serais plus leur reine, car j'aurais conservé mon humanité. Cela signait ma mort instantanée, et cela n'avait aucune importance. Il fallait que je le fasse. Je fuirais plutôt à pied, pour gagner un peu de temps. Je me levai et Jennie me suivit en remontant sa jupe. Ses souliers vernis cliquetaient sur le parquet.

– Jennie, il va falloir que tu m'aides. Quand je te le dirai, tu vas crier très, très fort. Le plus fort possible. Comme si tu étais tombée du toboggan. D'accord ?

Elle fit oui de la tête.

– Je vais casser le carreau et nous sortirons par la fenêtre.

Un nouveau hochement de tête.

Je pris une chaise métallique contre le mur. L'une des nombreuses chaises utilisées pendant la Nuit Rouge.

– Prête, Jennie ? Quand je la jette à travers la fenêtre, tu hurles.

J'espérais qu'ils croiraient que je la torturais, comme au bon vieux temps. Mais ce n'était qu'un espoir. Je soulevai la chaise et la précipitai contre le double vitrage. Jennie hurla à tue-tête, et je ressentis l'intérêt du cercle. Ils étaient en train de redescendre. J'enroulai un coin du rideau autour de ma main et fis tomber les éclats de verre du châssis. La petite monta sur mon dos et je sortis. Nous partîmes en courant, toutes les deux, dans les ténèbres nocturnes.

– Pourquoi ces hommes m'ont-ils enlevée à mon papa et à ma maman ?

Nous étions dans les bois et marchions à l'écart d'une grande route. Jennie me prit par la main.

– Ils sont dangereux. Si jamais tu les revois, il faut t'enfuir très loin.

– Qu'est-ce qu'ils croyaient que tu allais me faire ?

Je laissai sa question sans réponse.

Nos pas nous menèrent au bout de la grande route. Au-delà du dernier virage, nous nous retrouvâmes dans une rue. Une dizaine de voitures de police étaient garées devant une petite maison. Un homme d'âge moyen, en tenue de soirée, faisait les cent pas. Une femme aux cheveux aussi blonds que ceux de Jennie, assise sur le perron, oscillait d'avant en arrière, les genoux remontés contre la poitrine, ses escarpins jetés devant la porte.

– Jennie, écoute-moi bien. Tu peux me promettre quelque chose ?

Elle hocha vivement la tête.

– Ne parle de moi à personne, d'accord ?

– Où tu vas ? Tu retournes au château ?

– Non, je pense que je n'y retournerai jamais.

Elle me serra dans ses bras, m'embrassa délicatement sur la joue et partit en courant dans la rue. Sa jupe rebondissait à chacun de ses pas.

Un instant plus tard, la femme assise poussait un hurlement.

– Jennie !

Les policiers s'attroupèrent autour de la fille et de la mère, et je m'en retournai vers les bois. J'entrai dans les fourrés, entre les buissons et les arbres de la sombre forêt. La police n'allait pas tarder à patrouiller dans les rues, il fallait que je disparaisse. Je m'enfonçai encore plus loin dans les bois. Je finirais bien par retrouver mon chemin, je m'en fichais. *Je vais peut-être tomber sur Suleen*, songeai-je.

Il y eut un mouvement sur ma droite, vers la route.

Je pivotai. Vicken était là, dissimulé dans les branchages. La forêt ombrageait son menton pointu et les courbes douces de ses lèvres. Ses cheveux et ses longs favoris étaient d'un noir d'encre. Je voyais sa douleur à la tension de sa mâchoire.

– Qu'es-tu donc devenue ? gronda-t-il entre ses dents.

– J'ai changé.

– Que s'est-il passé ?

– J'ai conservé mon âme. Mes facultés d'émotion et de pensée. Mais je ne ressens pas la douleur.

Je ne voyais aucune raison de mentir.

– Quand ?

– Quand tu m'as recréée.

– Tu simules ta condition de vampire, constata-t-il calmement, sans émotion.

– Je connais la règle.

Il fit un pas vers moi. Nous n'étions plus qu'à quelques dizaines de centimètres l'un de l'autre, sous l'auvent des branches feuillues.

– Lenah, mon amour pour toi m'empêche de te faire du mal. Mais je ne peux pas leur mentir ni te sauver de ce qu'ils te feront. Tu sais ce qui va arriver. Ils sont déterminés à te tuer.

Des flashs de ses pensées me traversaient l'esprit : la côte écossaise, la robe pervenche que je portais le soir où je l'avais pris, mon profil souligné par la lune tandis que nous étions couchés sous les étoiles, à des milliers d'occasions.

Puis mes propres pensées reprirent le dessus : Justin me souriant au bal du lycée. Une autre nuit, en revenant de la boîte : l'aspect de ses bras quand il m'avait soulevée pour m'emporter dans ma chambre. Un nouveau souvenir succéda à celui-là : une image dangereuse, le parchemin que j'avais dans la poche, le rituel tracé de l'écriture languide de Rhode.

Je secouai la tête et regardai Vicken dans les yeux. Il soutint mon regard, la mâchoire soudain ferme.

– Toi, chuchota-t-il. Tu l'as.

Les branchages nous cachaient la splendeur du ciel nocturne, mais en revanche je voyais la douleur de la trahison dans les pupilles de Vicken. Une douleur que nul être humain n'aurait jamais la capacité de comprendre.

Je voulus répondre, mais ne trouvai pas les mots. J'entrouvris les lèvres, mais rien n'en sortit. Pendant ce temps, le visage de Justin s'obscurcit dans mes pensées, et je sus que Vicken allait voir et ressentir ce que je vivais.

Les éclairs bleus et rouges des gyrophares de la police éclairaient la moitié de son visage.

– C'est sans importance que tu aies le rituel. Je sais où tu iras.

– Je serais partie de toute manière.

Je voyais dans le brun de ses iris qu'il était lié aux hommes restés au château. Ce lieu où je ne remettrais plus les pieds. Je savais où j'irais, où je serais probablement allée quoi qu'il arrive, dès lors que je me serais échappée de cette demeure.

– Alors je te suggère de te préparer, conclut-il.

Je ne sais pas bien si les pensées qui surgirent ensuite étaient celles de Vicken ou les miennes, mais le large torse de Justin et la manière dont il brillait dans le soleil me vinrent à l'esprit. Des mots déjà entendus résonnèrent dans ma tête : *Vingt minutes, ou le garçon mourra.*

Si Vicken avait l'intention de tuer Justin, pas question de mettre sa vie en jeu. Ce combat était le mien, pas celui de mon amour.

– Tout est joué, déclara Vicken en reprenant des mots que j'avais déjà prononcés. La nuit où j'avais fait de lui un vampire.

Il voulait dire que c'était le commencement de la fin, la fin de tous les choix que j'avais faits, qui m'avaient menée jusqu'à ce moment dans les bois. Laisser partir une petite fille que je n'étais pas assez maléfique pour tuer était simplement la preuve que ce qui m'était arrivé lors de cette seconde transformation était réel et permanent. Vicken partit, et avant que j'aie pu réagir il s'était fondu dans les ténèbres.

Peut-être que cela devait finir ainsi, pensai-je. *Par un combat à mort.*

Je ne m'attardai pas. Je fis demi-tour et m'enfonçai dans la forêt.

C'était la fin de l'après-midi à Lovers Bay. Il y avait quatorze heures que j'avais quitté Vicken dans les bois.

J'avais suivi la route et, en arrivant à l'aéroport, pris un vol matinal pour rejoindre Wickham en fin de journée. À présent que le cercle me savait en vie, j'avais de nouveau accès à mon argent. Je ne me souciais pas qu'ils retrouvent mon nom dans la liste des passagers : de toute manière, ils savaient où j'allais.

Je m'arrêtai devant le portail du lycée. Je voyais le parc, les pelouses, et la brique rouge des bâtiments. Le tout baignait dans un coucher de soleil rose qui illuminait les herbes et tout ce que j'avais en moi. Chaque feuille minuscule scintillait en jaune, puis en vert. Chaque bourrasque faisait courir des vagues d'or sur la verdure. *Si jamais j'allais au paradis*, me dis-je, *ce serait exactement comme ceci.*

Le moment était venu : je franchis le portail de l'entrée. Au sommet de la grille, les pointes métalliques se dressaient vers le ciel. Il fallait que je calcule mes mouvements. Chaque arbre de Wickham était une cachette accueillante. Les vampires savent naturellement trouver des lieux où se fondre dans le paysage, et ces lieux ne manquaient pas à Wickham.

Deux heures s'écoulèrent et les étoiles se mirent à scintiller dans le ciel bleu-gris. Des élèves passaient devant moi, mais je ne leur prêtais aucune attention. Je cherchais Justin, rien que Justin. Vers vingt-deux heures, je commençai à m'inquiéter. Je savais que le cercle me suivrait. Je n'entendais pas leurs pensées mais je les savais informés que j'avais conservé ma nature humaine. C'était une transgression des règles du cercle, les règles que j'avais établies moi-même. J'étais un vampire indigne de confiance, je devais donc mourir. Je savais Vicken incapable de me tuer, à cause du lien d'amour qui existait entre nous, mais les autres membres du cercle le pouvaient, et ils le feraient, sans difficulté.

Je dépassai le foyer des élèves. Il était fermé et plongé dans le noir. Je traversai l'allée éclairée devant le bâtiment Quartz. Je m'arrêtai sur la pelouse, ma nouvelle silhouette restant cachée dans le noir. Curtis Enos franchit l'arche et alluma une cigarette. Il sortit de sa poche un téléphone portable et composa un numéro. Puis il se dirigea vers Seeker Hall et le parking des élèves, et je le suivis en silence.

– Salut, dit-il dans son téléphone. Vous êtes toujours à la taverne ? Vous allez encore rater l'extinction des feux.

La *Taverne de Lovers Bay* était un bar situé tout au bout de Main Street. Je savais que beaucoup de premières et de terminales allaient boire là-bas avec des permis falsifiés. La fumée de la cigarette s'élevait en volutes de sa main gauche. Je ne l'avais jamais vu fumer. Je me demandai quand il avait commencé.

– Mon imbécile de frère est encore là ? demanda-t-il.

Arrivé au parking, il tourna à droite. Des élèves descendaient de voiture et se dirigeaient vers l'allée de Seeker Hall. Si jamais on me reconnaissait, j'ignorais comment j'expliquerais ma nouvelle apparence. La dernière chose que j'entendis fut Curtis qui disait :

– Il y est pratiquement tous les soirs, en ce moment.

Je reculai dans l'ombre.

En ville, l'heure tardive me facilita la tâche. Je pouvais plus aisément marcher sans être vue. Je me tins à l'écart de la foule, glissant contre le mur. J'essayais de ne pas me faire remarquer. Pour ceux qui me voyaient, j'étais plus éthérée que toute autre chose. J'avais la peau blanche à présent, et des yeux bleus et durs comme des billes. Je passai devant les boutiques simples que j'adorais : le magasin de fringues, la confiserie, la bibliothèque publique et enfin, au bout de la rue, j'arrivai à la taverne. Je scrutai la rue qui, à part quelques clients fumant dehors, était pratiquement déserte. Une fois la porte fermée, je sortis de l'ombre des arbres et traversai la rue.

Je venais de toucher la poignée lorsque Justin sortit. Je me reculai brusquement. Je retraversai la rue en courant et l'observai, cachée dans l'ombre du mur.

Je demeurai sous les arbres. Il y avait un réverbère sur ma droite, assez éloigné pour ne pas m'éclairer. Je poursuivis mon observation. Justin était encore plus costaud que la dernière fois que je l'avais vu. Son torse était mieux défini, mais il n'était pas rasé et ses cheveux n'étaient plus courts ni bien coiffés. Il avait de longues mèches de travers qui lui retombaient dans les yeux. Où était passé le joyeux garçon bien dans sa peau que j'avais quitté cet hiver ? Une main sur le ventre, il se plia en deux et vomit dans un coin, tout près de la porte.

385

Il s'assit par terre, les jambes étendues devant lui. Il cracha une fois à côté de lui et appuya la tête contre le mur de briques. Puis il ferma les yeux. Alors, je sortis de l'ombre et traversai rapidement la rue. Il renifla, fronçant son nez fin.

Je m'accroupis juste devant lui. Justin souleva ses paupières, mais ses iris verts se révulsèrent. Il tenta de lever la tête et lorsqu'il y parvint enfin, il regardait droit devant lui. Ses yeux se posèrent sur moi et il plissa les paupières. Fronça les sourcils. Pointa le menton pour mieux me voir. Ses yeux s'agrandirent et il se mit à rire – à rire comme un fou.

– Alors ça, c'est la meilleure !

Il me montrait du doigt, riait, me désignait encore.

Nous n'étions séparés que par quelques centimètres.

– Qu'est-ce qu'il y a de drôle ?

J'inclinai la tête sur le côté. La connexion entre nous me faisait l'effet d'un rayon de lumière dorée qui nous reliait comme un fil brûlant.

– Tu es là. Mais je sais que tu n'es pas là.

Il gloussa et appuya la tête contre le mur. Il s'esclaffait si fort qu'il avait les joues toutes rouges.

– Bon, allez, dis-je en le prenant sous les bras.

Dans mon état de vampire, surtout en ce moment, j'étais assez forte. Pas surhumaine, mais forte. Je le remis debout ; il chancelait, mais je l'aidai à garder son équilibre.

– Roy. Frangin. Merci, mon pote. (Il pouvait à peine marcher mais je le retenais.) Mon pote. Je vais encore gerber.

Il tituba jusqu'à la rue et vomit. Il posa une main sur la voiture, et lorsqu'il eut terminé, se coucha par terre. Appuyée au capot, je croisai les bras. Il était tard et je ne me souciais plus de ce qu'on pouvait penser de ma nouvelle apparence de vampire. Justin était là avec moi, c'était tout ce qui comptait.

Il me regarda d'en bas, les yeux mi-clos.

– Purée, Roy... j'y vois pas clair. Mais là, tu ressembles carrément à Lenah.

Je le soulevai de nouveau et nous partîmes cahin-caha vers le campus.

La chambre de Justin n'avait pas changé. Le sol était jonché de bâtons de crosse, dont le plus beau était bien rangé au fond de son placard. Des dizaines de chaussures de sport dépareillées gisaient devant ledit placard. Il y avait des uniformes et des casques aux couleurs de l'équipe, tachés d'herbe, en vrac dans tous les coins. Quelque part au rez-de-chaussée, de la musique sortait d'une fenêtre ouverte. Je me demandai où étaient les surveillants du dortoir à cette heure-ci. Je levai la tête : il y avait un élément nouveau. Justin avait collé au plafond de petites étoiles phosphorescentes. Je le contemplai sur le lit. Il ne dormait pas encore, mais ne bougeait pas. Il porta la main à sa tête et poussa un gémissement. Je me couchai auprès de lui, doucement, en silence, pour qu'il ne le sente pas. Mais il se tourna sur le côté et ouvrit les yeux. Je vis avec surprise qu'ils étaient pleins de larmes. Je savais qu'il serait horrifié que je le voie ainsi, si bien que je ne dis rien. Il scruta mon visage et les larmes débordèrent sur ses joues.

– Je sais que tu n'es pas là, dit-il. Mais tu me manques.

Je pris son visage entre mes mains, que je retirai aussitôt.

– Lenah... grogna-t-il dans un soupir alcoolisé.

Et dès la seconde suivante, il dormait.

Chapitre 28

Dans le bâtiment Quartz, la manière dont le soleil filtrait à travers les stores n'était pas du tout la même qu'à Seeker. Quartz était isolé au milieu d'une pelouse, sans aucun vis-à-vis, et la lumière était forte et vive. Je m'assis sur l'appui de la grande fenêtre, les genoux contre la poitrine. J'appuyai ma tête en arrière, dans le plein soleil. C'était *bon*. Comme des prairies infinies couvertes d'herbes. Comme l'été dans un verger de pommiers. Comme la voix de Rhode à mon oreille. Dans cette lumière, je me sentais chez moi.

Je guettais sans cesse, mais ne voyais aucun signe du cercle. Je n'avais qu'une journée pour tout expliquer à Justin et le mettre hors de danger. Je ne doutais pas une seconde que le cercle était déjà arrivé à Lovers Bay. Simplement, je ne savais pas où. Eux aussi étaient sur leurs gardes.

Juste au moment où je pensais devoir réveiller Justin, il bougea.

– Beuh, grogna-t-il en se prenant la tête à deux mains.

Il sortit mollement ses jambes du lit et posa les coudes sur ses genoux en regardant par terre.

– Combien de verres tu as bu hier soir ? lui demandai-je sans le quitter des yeux.

– Aaaaah !

Il se leva d'un bond et se jeta contre le mur. Une expression de compréhension horrifiée passa sur ses traits.

Bouche bée, il rit nerveusement pendant quelques secondes, puis son visage devint complètement impassible. Je ne l'avais pas remarqué avant, mais un petit flacon rempli d'un liquide transparent était posé sur la table de nuit. Il retira le bouchon et me jeta le liquide, qui éclaboussa le sol. Le flacon se brisa et des éclats de verre sautèrent partout.

– Tu es dingue ? lui demandai-je.

Il arracha une croix de son cou et la tint devant lui.

– Arrière !

– Ça va pas, la tête ?

C'était comme un assaut de tous les clichés sur les vampires. Il attrapa la ficelle du store et la tira, si bien que toute la chambre s'éclaira et que je me retrouvai en plein soleil. Cela me fit l'effet d'un bain chaud après une matinée froide. Il me lança une gousse d'ail, qui alla rebondir sur le mur du fond.

– Justin, arrête.

Il était dos au mur, les mains plaquées contre le lambris. Il haletait. Il ouvrit le tiroir de la table de chevet et en sortit un autre flacon de liquide transparent. Il tira sur le bouchon de liège, tout en tenant sa chaîne et sa croix de ses doigts tremblants. Il me jeta le contenu du flacon au visage. Je l'essuyai lentement du dos de la main et reculai d'un pas.

Justin se balançait sur la pointe des pieds.

– N'avance pas, m'ordonna-t-il.

– C'était de l'eau bénite ? Tout ça ne risque pas de marcher. Les vampires sont plus vieux que le Christ.

– Tu m'as dit que si tu redevenais vampire tu serais dangereuse... que le mal serait en toi.

Toujours sur la pointe des pieds, il se déplaça en crabe jusqu'à la porte.

– C'est vrai. Je t'ai dit ça. Mais en fait, je suis différente.

– Comment ça ?

– Il est arrivé quelque chose pendant la transformation. J'ai conservé mon humanité, mon âme.

Il s'immobilisa, la main toujours levée, un crucifix tendu vers moi.

– Comment ça se fait ?

– Aucune idée.

Les yeux plissés, il m'observa attentivement.

– Je te jure. La seule chose que tu puisses faire, c'est te fier à moi.

Un silence. Les voix des élèves matinaux résonnaient dans le couloir. Justin laissa retomber ses mains.

– Tu as changé, marmonna-t-il.

Ses yeux passaient du sol à moi, puis de nouveau au sol.

– Les pores se bouchent pendant la transformation. Les canaux lacrymaux aussi. C'est ce qui nous donne cet aspect luisant, cireux.

La lumière du matin se reflétait sur le parquet. On aurait dit que toutes les affaires de Justin étaient suspendues dans le temps, figées.

– Le temps nous est compté, et je dois te dire pourquoi je suis ici.

Je lui indiquai le lit.

Justin, les mains toujours contre le mur, se déplaça prudemment et s'assit, adossé contre la cloison. Je pris place à l'autre bout. Je ne parlai pas immédiatement.

– J'ai beaucoup pensé à ton retour, m'informa Justin. Peut-être que j'avais tout rêvé. Mais d'autres gens se souvenaient de toi et je savais que tout le lycée ne pouvait pas avoir perdu la tête. Je me suis dit que c'était peut-être moi qui perdais la boule.

– Ce n'est pas le cas.

– J'aimerais bien.

Aïe, c'était cinglant.

– Le fameux soir, le soir du bal...

– Je commençais tout juste à remettre de l'ordre dans ma vie, me coupa Justin.

– Je n'ai jamais voulu te la gâcher, dis-je tout bas.

– Ton absence me l'a gâchée. (Une honte brûlante m'envahissait la poitrine.) Où étais-tu partie ?

– J'étais en Angleterre.

Il y eut un infime silence mais je continuai.

– C'est pour ça que je suis ici. Le fait que j'aie conservé mon âme pose un petit problème dans le monde des vampires.

Je lui parlai de Vicken, du cercle, de tout. Je lui parlai de la fillette, en Angleterre, et du fait que j'avais fui aussitôt que Vicken avait découvert ma vraie nature.

– Le lien qui tient le cercle unit magiquement Vicken à moi. Il ne peut pas me faire de mal.

– Parce que vous vous êtes aimés il y a cent ans ?

– Oui.

– Mais toi, tu peux lui faire du mal ?

J'opinai de la tête.

– Quand j'ai repris forme humaine, les liens amoureux ont été brisés. Tu comprends ?

Je m'enhardis jusqu'à poser une main sur le lit à côté de son pied. Comme il ne bougeait pas, je la laissai là et continuai.

– Une fois qu'un vampire tombe amoureux, il est lié. Pour l'éternité.

– Et toi, es-tu liée, hum, à des humains ? me demanda Justin en piquant un fard.

– Non. Seuls les vampires sont soumis à cette magie particulière.

– Alors toi et moi, nous ne sommes pas liés.

– Pas de cette manière, non.

Il appuya du bout des doigts sur ses tempes et les massa en petits cercles.

– C'est pas le jour pour avoir la gueule de bois, fit-il remarquer en se levant.

Il observa le campus ensommeillé par la fenêtre.

– Je suis ici pour te protéger, lui expliquai-je.

– Alors ils vont venir me chercher ?

Il avait demandé cela d'un ton factuel, dénué de peur, presque un peu désinvolte.

– Non. C'est après moi qu'ils en ont.

– Je ne comprends pas. Pourquoi venir jusqu'ici ?

– Le soir du bal d'hiver, je suis certaine de t'avoir sauvé la vie. Vicken m'a dit que si je ne partais pas avec lui, tu mourrais. Il y a quelques jours, le soir où ma vraie nature a été révélée... il a lu dans mes pensées. Du moins je le crois. Le premier endroit où j'ai pensé aller, c'était ici. Vicken sait que je ferais n'importe quoi pour te protéger. Si je n'étais pas venue, ils seraient venus quand même, rien que pour vérifier, et ils t'auraient tué au passage. Tu ne pouvais pas gagner.

Un vent de panique souffla sur son visage. Il déglutit, la gorge serrée.

– OK, dit-il en s'emparant d'un bâton de crosse dans le fond du placard et en faisant les cent pas. (Inconsciemment, il le tenait comme s'il y avait une balle dans le filet.) Alors, il nous faut un plan. Comment fait-on pour venir à bout d'un vampire ?

Soudain, il ressemblait de nouveau au Justin que je connaissais.

– On peut utiliser la lumière du soleil. Les autres moyens classiques sont la décapitation et le pieu dans le cœur.

– Je n'ai jamais compris ça. Le coup du soleil.

– Les vampires ne supportent pas le soleil parce qu'ils ne sont pas complets. Comme je te l'ai dit, nos pores sont scellés pour protéger la magie intérieure. Lorsqu'une lumière blanche frappe notre peau, de petits feux s'embrasent. Le soleil ouvre nos pores en les brûlant, exposant la magie noire au plein jour et l'éteignant, comme si elle n'avait jamais existé. Nous sommes froids comme la glace à l'intérieur, conservés dans le noir. Le soleil fait fondre ces protections.

– C'est très clinique, ce que tu racontes.

– Nous naissons tous de la terre. C'est normal qu'un élément naturel puisse tuer les vampires.

– Et les gousses d'ail ? Et le sommeil dans les cercueils ?

– Les écrivains aiment bien s'amuser avec les vampires. Seuls les éléments naturels peuvent nous tuer. Et nous pouvons aussi nous tuer les uns les autres.

Un nouveau silence. Justin se rassit sur le lit à côté de moi, son bâton toujours dans les mains.

– Alors ça, c'est toi en vampire ? Ça n'a pas l'air si terrifiant.

Ses yeux brillaient de cet éclat léger qu'ils avaient lorsqu'il parlait d'une voix douce. Il leva une main et la posa sur mon genou gauche. De l'autre, il me toucha la joue et tourna ma tête vers lui. Nous nous regardâmes et je sus, avec ma perception extrasensorielle et avec mon cœur, qu'il avait envie de m'embrasser. Il se pencha, et moi aussi. Juste au moment où ses lèvres s'entrouvraient, je me reculai.

– On ne peut pas, dis-je en piquant du nez.

– Parce que tu es redevenue vampire ?

Je me levai.

– En gros, oui. Mais il y a autre chose. Une chose que tu dois savoir.

Je rapprochai mes mains ouvertes à plat, tranchant contre tranchant. Les lignes de vie étaient en parfaite continuité. Je tendis mes paumes au point de faire trembler mes doigts, comme s'ils vibraient. Puis, avec un bourdonnement grave, mes pores s'ouvrirent et se mirent à rayonner. Un léger écoulement lumineux se transforma en puissant rayon, qui alla éclairer le plafond.

Je vis la chair de poule hérisser les bras de Justin. Il se releva et scruta mes mains. Sans détourner les yeux de la lumière qui en émanait, il me dit :

– Je croyais que les vampires mouraient sous les rayons du soleil ?

Je laissai retomber mes mains le long de mon corps, brisant la connexion et replongeant la chambre dans la lumière matinale.

– Ce don est très particulier.

Justin avala sa salive sans rien dire.

– Dans la journée, tu ne crains rien, le rassurai-je. Vicken est le seul à être assez fort pour supporter le soleil. Il ne prendrait pas le risque de s'y exposer dans un lieu qu'il connaît mal. Si pour une raison ou pour une autre nous sommes séparés, quand le soir commencera à tomber, ne reste pas dehors et enferme-toi à clé.

Il eut encore une petite vague de chair de poule. Il jeta un regard rapide à la fenêtre et au jour qui pointait au-dessus des frondaisons.

– C'est le matin, constata-t-il. Tout a changé.

Et c'était vrai.

Chapitre 29

Je mis une heure à convaincre Justin qu'il devait vaquer à ses occupations toute la journée comme si je n'étais pas là.

– Je te retrouverai après ton entraînement de crosse. Dans les bois entre le terrain et la plage. Viens à la lisière. Je te verrai.

Lorsque je partis enfin ce matin-là, je tâchai de garder un profil bas. Je portais une des casquettes de baseball noires de Justin, un jean et un tee-shirt noir. Je touchais fréquemment la poche de mon jean, juste pour m'assurer que le rituel y était toujours, en sécurité. Il était six heures du matin : je savais bien que le campus serait à peu près désert.

Une neige de pétales de fleurs de cerisiers tombait des arbres qui longeaient les allées. Les parterres étaient couverts de tulipes et de marguerites, et l'herbe était plus verte que jamais. Je dépassai la serre, qui regorgeait de végétation.

Pendant que Justin se douchait et se préparait pour sa journée, j'avais quelque chose à aller voir. La tour des arts. Ce n'était pas que je n'avais pas pensé à Tony pendant mon séjour à Hathersage. Bien au contraire. Mais s'il avait trop occupé mes pensées, j'aurais perdu toute ma concentration et mes véritables intentions auraient été révélées au cercle. C'était déjà une lutte de ne pas penser à Justin chaque fois que je clignais des yeux.

Je gravis les marches en colimaçon que je connaissais si bien. Je regardais par les étroits fenestrons, une peine sourde dans le cœur. Je montais en silence. Je savais qu'il y avait une rampe sous ma main, mais je ne sentais ni la texture du bois ni la fraîcheur de l'atmosphère. Je savais juste qu'il y avait de l'air dans la cage d'escalier.

Enfin arrivée au sommet, je pénétrai dans l'atelier. Là, à l'autre bout de la pièce, au même endroit que cet hiver, trônait mon portrait. Je m'en approchai. Contrairement à jadis, où mon odorat se limitait au sang, à la chair et parfois aux herbes, cette fois toutes les odeurs étaient amplifiées. Par exemple, je flairais séparément chaque ingrédient de la peinture. Rien qu'en reniflant, je pouvais dire lesquels correspondaient à quelle couleur. Il y avait plus d'ammoniac dans la peinture verte que dans la rouge. Les pinceaux avaient une odeur de propre, de savon. Il y avait précisément 5 564 craquelures dans le bois du mur où était accroché le tableau. En ce moment, la précision de ma vue et la puissance de mon odorat étaient insupportables. C'était encore une douleur que je devais endurer.

Je contemplai le portrait. C'était incroyable de voir avec quelle précision Tony avait défini les muscles de mon dos et la courbe exacte de ma bouche. Et le tatouage sur mon épaule, aussi. Tony avait reproduit l'écriture de Rhode. Mes cils, également, et la teinte dorée de ma peau.

Boum boum, boum boum. Quelqu'un montait. À l'oreille, je sus que son corps pesait davantage du côté droit que du gauche, et je me rappelai les bottes dépareillées de Tony. Il entra dans la pièce.

Tony poussa un cri étouffé. Je restai dos à lui en tournant la tête, pour qu'il confirme de lui-même que c'était moi. Puis je me retournai vers le portrait. Lui, de son côté, voyait toujours mon dos. Je sentais l'intensité de son regard. Les humains ne voient pas l'aura des vampires, mais ils la perçoivent inconsciemment.

L'air était immobile. Le seul bruit était celui du vent qui s'engouffrait par les fenêtres ouvertes. Un bruissement, puis plus rien.

– Rhode Lewin, dis-je.

Tony ne fit pas un geste.

– C'était un vampire depuis le XIVe siècle. (Je scrutais les traits de mon portrait.) Membre fondateur de l'ordre de la Jarretière. Un cercle de chevalerie, sous le règne d'Édouard III.

Tony vint se placer à côté de moi pour contempler le portrait. Nous n'échangeâmes pas un regard.

– C'est de lui que vient la devise « Honni soit qui mal y pense ». C'était lui sur la gravure et sur la photo. Il est mort en septembre.

Je tournai la tête et, cette fois, nos yeux se rencontrèrent. Il m'observa attentivement. Mon apparence de vampire devait lui faire peur : la peau scellée, l'aura qui en irradiait. Comme un fantôme lumineux. Le bleu de mes iris évoquait du verre roulé par la mer : dur et mat. Tony déglutit sans broncher. Dans cet état, dans une pièce sombre, mes pupilles étaient presque entièrement fermées, comme celles d'un chat dans une lumière vive.

J'étudiai le visage de Tony pour la première fois depuis des mois, depuis que je l'avais vu danser un slow avec Tracy, au bal d'hiver. Il n'avait pas changé, sauf que ses cheveux étaient plus courts et qu'il avait de plus gros trous dans les oreilles. Ses lobes étaient plus larges qu'une pièce de 25 *cents*.

En reportant mon attention sur le tableau, je remarquai cette fois la ligne de mon épaule. Tony l'avait reproduite avec exactitude. Avec la petite fossette à la jointure. Je sentais l'énergie qui émanait de lui, sa chaleur, les changements soudains dans son corps. Je ne lui faisais pas peur du tout ; il était impatient.

– Rhode m'a dit un jour que quand nous, les vampires, sommes venus au monde, nous n'étions que des cadavres remplis de sang. Ensorcelés par la magie noire qui est notre malédiction. (Je me tus pour le regarder.) Mais nous avons évolué, comme toute chose.

Nous échangeâmes un petit sourire réconfortant. Il y eut un bref silence pendant lequel j'observai les traits de mon ancien moi. En tournant les talons pour partir, j'ajoutai :

– Qui sont-ils pour juger les damnés ?

Dans mon dos, Tony me rappela.

– Alors c'est tout ? Tu vas partir, comme ça ?

Je me retournai vers lui, qui était resté devant le portrait.

– Je suis venue te dire la vérité, comme j'aurais dû le faire il y a des mois.

– Tu étais un vampire, à ce moment-là ?

– Non. Quand je suis partie, ce fameux soir de décembre, on m'a retransformée.

Tony déglutit encore. Je revins vers lui mais, une fois tout près, je vis qu'il avait enfin peur. Il fit un pas en arrière, mais je posai fermement les deux mains sur ses épaules.

– Regarde-moi, lui chuchotai-je en laissant mes crocs s'abaisser.

Ils n'étaient pas longs ; ils étaient petits, mais meurtriers.

Tony avait la tête baissée.

– *Regarde-moi !*

Il me jeta un regard fugace avant de repiquer du nez.

– Tu méritais la vérité. Sur moi, sur Rhode, sur tout.

Les yeux de Tony, ces yeux bruns qui m'avaient montré de la gentillesse quand j'en avais le plus besoin, étaient pleins de larmes.

– Tu as tellement changé...

C'est tout ce qu'il réussit à dire. Il faisait la grimace, sans doute pour se retenir de pleurer. Les dents serrées, les narines dilatées.

– Je sais, soupirai-je.

– Pourquoi tu ne me l'as pas dit plus tôt ?

– J'ignorais ce qui arriverait. Tu semblais si décidé à découvrir la vérité... Je trouvais ça dangereux.

– Tu vas rester ?

– Non. Il faut que je parte dès que je le pourrai sans danger.

– Pour où ? Je viendrai te voir.

Une onde de terreur me parcourut.

– Non. Non, Tony. J'aimerais bien. Mais tu dois me promettre que tu ne me chercheras pas. Me connaître te tuerait. Je ne veux pas te faire courir ce risque.

– Je veux t'aider. Je veux te protéger.

Une larme réussit à s'échapper pour rouler sur sa joue. J'aurais dû m'y attendre. J'agrippai ses épaules, pas fort, juste assez pour qu'il cesse d'essayer de parler.

– Tu ne comprends pas ! Je suis pourtant claire, non ? Je suis ici pour protéger Justin, dis-je d'un ton pressant. Et moi-même.

– Pourquoi ?

– J'appartenais à un cercle de vampires. Ils m'ont vue avec Justin au bal d'hiver. Je les ai trahis, et maintenant ils sont en route pour venir me chercher.

– Ici ? s'exclama-t-il d'une voix éraillée. À Wickham ?

– Oui. En ce moment même.

Soudain, une image mentale de Tony gisant par terre, couvert de marques de morsures, saigné à blanc, me coupa le souffle. Je pris le temps de choisir soigneusement mes mots.

– Il n'y a pas moyen de me protéger contre eux, Tony. Tu serais tué, et ta mort... Seigneur, je ne veux même pas y penser.

J'avais la bouche pâteuse. La peine, la malédiction, tout remontait du fond de mon âme. En lieu et place de larmes, les feux de l'enfer flambaient dans mon corps. Le soulagement des pleurs ne coulerait jamais plus sur mon visage. Je lâchai les épaules de Tony pour me plier en deux. Je tenais mon ventre douloureux à deux mains. C'était la malédiction des vampires. La punition pour avoir voulu autre chose qu'un désespoir absolu.

Une fois la crise passée, je me redressai. Tony essuya ses larmes du bout de ses doigts. J'éprouvai une impulsion forte, celle de le protéger. J'aimais tant de choses chez lui : ses doigts toujours tachés de peinture ou de fusain, son humour désinvolte et sa loyauté sans faille, jusqu'au bout... même alors que je lui avais tant menti. Il pinça les lèvres, ce qui fit saillir ses pommettes.

– Ce n'est pas un secret que j'essaie de te cacher, lui dis-je. Il y a un groupe d'hommes dangereux, qui seront là d'ici à ce soir dans un seul but. Me tuer. Je ne veux pas que tu t'interposes.

– Que vas-tu faire ? Comment vas-tu les arrêter ?

– J'ai quelques cartes dans ma manche.

La lumière s'était déplacée sur le parquet sombre. Je levai les yeux vers la fenêtre.

– Il faut que j'y aille.

– Mais il est encore tôt.

Lui aussi regarda dans la direction de la fenêtre.

– À l'instant où le soleil se lève, il commence aussi à se coucher. Au moment de notre naissance, nous commençons à mourir. Toute la vie est un cycle, Tony. Quand tu auras compris que les vampires sont exclus du domaine de la vie naturelle, tout sera clair. Je suis désolée, mais il faut vraiment que je parte.

– Je ne comprends pas. Je t'en prie, reste...

– Je te promets que je viendrai te voir et que je te raconterai tout. Ma naissance, ma mort, et la manière dont je suis arrivée à Wickham. À condition que tu me promettes de ne pas te mêler de ce qui arrivera ce soir.

– Quand reviendras-tu ?

– Quand tu seras assez vieux pour croire que tu as peut-être imaginé tout cela.

– Je ne l'oublierai jamais. Je ne t'oublierai jamais.

Je soutins longtemps le regard de Tony, et au moment où je me tournais pour partir, il ajouta :

– Ça t'a fait mal ? D'être retransformée ?

– Ceci fait bien plus mal encore.

Les commissures de ses lèvres s'affaissèrent et les larmes se mirent à couler sur ses joues. J'avais envie de le prendre par la main, de sortir en courant, d'être de nouveau dans ma vie.

– Tu es toujours ma meilleure amie, Lenah. Quoi qu'il arrive.

– Je vais t'avouer quelque chose. Je ne crois même pas me l'être avoué à moi-même. Mais je peux te le dire. Parce que tu es toi.

Je souris, un très bref instant. Le silence me donnait de la force, il propulsait mes paroles dans l'air.

– Je regrette d'être sortie dans le verger cette nuit-là. (J'inspirai profondément pour rassembler la force de continuer.) Je voudrais être morte au XVe siècle, comme je l'aurais dû. Au lieu de quoi je suis ici, à essayer de réparer les dégâts.

Tony ne comprendrait jamais ce que je voulais dire, mais cela n'avait pas d'importance. Le fait qu'il ne connaisse pas l'histoire de ma transformation en vampire ne comptait pas. Tony me comprenait, et c'est pourquoi j'avais prononcé ces mots. Je le regardai dans les yeux le plus longtemps possible. Puis je fis demi-tour, descendis l'escalier en colimaçon, et sortis dans le monde.

Chapitre 30

– Du romarin, s'il vous plaît, demandai-je à l'herboriste.

Je me trouvais sur Main Street, et il était environ
treize heures.

Elle confectionna un bouquet serré qu'elle lia par un
ruban rouge. Je m'en emparai et marchai dans l'ombre
des arbres. Des humains passaient près de moi et personne ne savait, ou du moins personne ne semblait
s'apercevoir, que j'avais changé. Casquette sur la tête,
je gardais les yeux baissés.

Une fois sortie du marché, je consultai de nouveau
la position du soleil, pour m'assurer qu'il me restait
assez de temps avant l'arrivée du cercle. Je m'éloignai
de la portion commerçante de la rue et me dirigeai vers
le cimetière, le bouquet de romarin à la main. Je le serrai
plus fort, traversai et entrai.

Le silence dominait, malgré les voitures qui passaient derrière moi dans la rue. Certaines pierres tom-
bales étaient ornées de sculptures élaborées, usées par
le temps, tandis que d'autres étaient sobres et modernes.
Je parcourus les allées herbues. Mes pensées roulaient

entre le visage de Justin, la promesse de Tony et mon espoir de revenir en arrière, le rituel en poche. Peut-être...

J'avais fait graver et installer la stèle avant mon départ précipité pendant l'hiver, mais je ne l'avais jamais vue de mes yeux. *C'est là*, me dis-je. Je marchais lentement vers le bout de la rangée. Face à moi, tournée vers les vastes pelouses, je découvris une dalle de granit. Elle était posée à même le sol et non à la verticale comme ses voisines. À ma droite, il y avait un épais sous-bois de chênes. Quelques branches s'étendaient jusqu'au-dessus de la pierre, comme pour la protéger de la pluie, ou peut-être du soleil.

Rhode Lewin
Mort le 3 septembre 2010
Honni soit qui mal y pense

Les oiseaux gazouillaient et la brise légère faisait voleter mes cheveux autour de mon visage. Je relus le nom de Rhode. Un silence menaçant engourdit mes oreilles et je sus qu'un vampire était proche. Ce sinistre silence. Cette certitude instinctive que quelque chose de très ancien et de mort erre à proximité. Je jetai un lent regard circulaire, en veillant à garder mes mains dans mes poches, par crainte de mon nouveau « pouvoir ». Je scrutai attentivement les bois.

Traversant d'épais fourrés et une végétation dense, Vicken surgit d'entre les arbres. Même si je l'avais déjà vu en tenue moderne à Hathersage, son apparence contemporaine me surprit à Lovers Bay ; il ressemblait à Monsieur Tout-le-monde avec ses lunettes noires et sa chemise à manches longues. Quelles que soient les circonstances, néanmoins, ses larges épaules et son physique puissant le rendaient magnifique. Je repris ma méditation sur la pierre tombale, comme si sa présence ne faisait aucune différence pour moi. Il s'approcha en silence et vint se placer à ma droite. Ensemble, nous contemplâmes la stèle de Rhode.

On n'entendait que le chant des oiseaux et le bruissement des feuilles agitées par le vent. Puis il prit la parole.

– Alors comme ça, tu es venue protéger le garçon.

J'examinais attentivement les mentions gravées dans la pierre, sans rien dire. Il tourna la tête vers moi.

– C'est d'une bêtise monstrueuse.

J'étais toujours muette.

– Tu sais aussi bien que moi que quelle que soit mon envie, je ne peux pas te tuer. Même si le cercle est venu précisément pour cela.

Là, c'est moi qui le regardai bien en face.

– Alors tu te retrouves dans une impasse, dis-je avec froideur.

Il serra les dents.

– Tu me demandes de trahir mon cercle ?

– Ton cercle ? *Ton* cercle ? Non, ingrat, criai-je. C'est *mon* cercle, né des idées les plus noires. Des croyances les plus viles. Et de la peur.

– Ils vont te tuer. Tu ne vois pas ? Tu ne vois donc pas ce que tu me fais ? Ce que tu m'as fait il y a quelques jours avec cette enfant ? Les sortilèges de Rhode t'ont peut-être libérée de notre lien, toi, mais pas moi !

– Je m'en fiche.

C'était au tour de Vicken de crier. Sa voix résonna dans le cimetière silencieux et ensoleillé.

– Ils vont te tuer et je vais devoir assister à ça ! Tu as donc encore le mal en toi, pour désirer me torturer ainsi ?

Je ne répondis rien. Il avait raison, sur toute la ligne.

– Il fut un temps, poursuivit-il, où tu m'as promis de rester avec moi. À jamais. Comme tu l'as vite oublié au retour de Rhode ! Mais moi, je suis resté. J'attendais ton réveil.

Je hochai la tête, rapidement. Je voyais mon reflet dans le miroir de ses lunettes.

– Que fais-tu ici ? lui demandai-je. C'est très courageux de t'exposer au soleil.

– Je n'ai plus peur de ça.

– Et le cercle ?

– Tu sais bien qu'ils ne peuvent pas s'y exposer.

J'éprouvai un soulagement momentané en comprenant que si Vicken était avec moi, Justin ne risquait rien.

– S'ils doivent me tuer, pourquoi es-tu venu ?

– Tu as le choix, lâcha Vicken d'un ton calme. Tu te tues toi-même, ou tu les laisses faire.

De nouveau, je regardai la tombe de Rhode ; mes nouvelles mains si puissantes étaient toujours enfoncées dans mes poches.

– Au moins, j'ai le choix, dis-je d'une voix dégoulinante d'ironie.

Alors, Vicken tourna tout son corps vers moi.

– J'essaie de passer un marché avec toi, Lenah.

– Les vampires ne passent pas de marché, répliquai-je du tac au tac.

– Sers-toi du rituel. Rends-moi humain et meurs de ta propre volonté. Sinon, le cercle vous tuera, le garçon et toi. Ta mort est inévitable. Tu ne peux pas regagner le monde des vampires.

Je sentais la chaleur du feu que je portais en moi, le blanc de la lumière qui résidait désormais dans mon âme et l'amour que j'éprouvais pour Rhode, Justin et, autrefois, pour Vicken. J'inspirai à fond. Je ne les laisserais pas faire de mal à Justin. Vicken releva ses lunettes noires et je plongeai dans ses yeux cuivrés. Je connaissais bien la vérité qu'ils dissimulaient et pendant un bref instant, je compris Vicken, entièrement. Nous aurions pu nous trouver dans les prairies d'Hathersage. J'aurais pu être Rhode.

– Cette humanité que tu convoites, ce n'est pas moi qui peux te la donner. Tu te souviens de ce que je t'ai dit ? Il faut que le vampire ait au moins cinq cents ans, et moi je viens tout juste de renaître.

– Mais tu es puissante. Cela fonctionnera peut-être quand même.

– Je ne pense pas.

– Fais-le.

– Pour quelqu'un qui prétend m'aimer, tu disposes un peu vite de mon existence.

– De toute manière, ils te tueront.

– Rhode est mort pour ceci ! hurlai-je à pleine voix.

Après un silence, je m'expliquai :

– Le rituel exige l'absolu sacrifice de soi. Tu sais ce que ça signifie ?

– Nous étions amants, jadis.

Caché quelque part dans l'ombre, mon cercle se préparait à me combattre.

– Pourquoi veux-tu cela ? lui demandai-je.

Il réfléchit un moment.

– C'est pour toi que je suis devenu ce monstre. Mais tu n'es plus là. Je suis obligé d'aimer ton fantôme, quoi qu'il arrive.

– Alors que si je meurs, tu seras entièrement libéré de moi ?

– Je le mérite, Lenah. Tu ne trouves pas ?

– Si... mais le rituel est clair. Il n'y a pas que mon âge et mon sang. La personne qui l'exécute doit sincèrement désirer la mort. Je ne peux pas donner cela à toi seul. Mon cœur est brisé en trop de morceaux.

Vicken paraissait véritablement déconfit. Ses yeux sombres, le regard intime qu'il me lança, celui qui me désirait et me haïssait en même temps... Il rabaissa ses lunettes noires.

– Alors fais tes adieux.

Il tourna les talons et disparut entre les arbres.

Je pensai le rappeler, l'appeler parmi les branches et les fleurs qui, je le savais, sentaient si bon. S'il en avait été autrement, s'il en avait été comme j'aurais pu le vouloir, je me serais assise auprès de mon ami Vicken, et je lui aurais expliqué qu'à Lovers Bay la terre se soulevait pour venir à la rencontre de mes pieds comme nulle part ailleurs. Mais je ne pouvais pas. À ma grande surprise, c'est lui qui me héla.

– Avance-toi, me dit-il, caché quelque part dans les bois. Dans les ténèbres et dans la lumière.

Le terrain de crosse était baigné d'une lumière abricot, le genre de lumière de fin d'après-midi qui illumine tout. Mais je l'observais depuis les ombrages. Les feuilles me protégeaient, et même si je ne craignais plus soleil, je préférais ne pas m'y exposer directement. Je contemplais des morceaux de ciel qui se découpaient entre les anges géométriques formés par les feuilles. Je voyais à la position du soleil qu'il était près de quatre heures de l'après-midi. Je m'adossai contre l'écorce d'un grand chêne. Depuis ma conversation avec Vicken, j'imaginais très bien la bataille qui aurait lieu. Song tenterait de m'affronter à mains nues, Gavin tâcherait de me poignarder, Heath emploierait le langage pour essayer de me déconcentrer. Mais Vicken serait spectateur, immobilisé par le lien qui nous unissait. La lumière était la réponse, la seule réponse.

Je reportai mon attention sur le terrain.

Justin transpirait sous son casque et je voyais des gouttelettes de sueur sur sa lèvre supérieure. Il avait les bras tendus en l'air, si bien que ses biceps contractés dépassaient des manches courtes de son maillot. Une rangée de filles, y compris le Trio d'origine, étaient assises sur les bancs à l'admirer. Une jalousie brûlante flamba en moi, mais je secouai rapidement la tête. Voilà qui était plus que tout déplacé, en un moment pareil.

Au-delà du terrain, je voyais la serre. Je me demandai si dans un monde magique j'aurais pu y entrer, m'y cacher, et dormir parmi les capucines et les roses. Puis Justin passa dans mon champ de vision. Il ne portait pas sa tenue de compétition mais simplement un maillot et des épaulettes. Il rattrapa la balle dans son filet, slaloma entre les autres joueurs et marqua un but. Au moment où il sautait sur lui-même, victorieux, l'entraîneur siffla la fin de l'entraînement.

Justin retira son casque et, ce faisant, regarda vers les arbres. Il sortit du terrain au pas de course, son équipement de crosse sur l'épaule. Mais il s'attarda à la lisière des arbres qui définissaient le périmètre du terrain. À ma droite, il y avait encore des bois et, au-delà, la plage.

Il entra dans le bosquet et, alors que la lumière du ciel frappait la terre, je me rappelai la première fois que je l'avais vu. La course de bateaux, la plage, son scintillement. Il brillait toujours : c'était moi qui n'étais plus là. Après avoir fait quelques pas dans les épais fourrés, il me vit adossée au chêne.

– Le moment est venu, dis-je.

– Quel est le plan ? Qu'est-ce que tu as fait toute la journée ?

– Ton bateau est disponible ? Je veux aller au port, à côté de Wickham.

– Pourquoi ?

– J'aimerais surveiller le campus. Je pense qu'ainsi on pourra garder une longueur d'avance. Mais je t'expliquerai tout ça plus tard. Il faut qu'on parte. Le temps est vraiment capital.

Je m'avançai vers le terrain de crosse.

– Je... hum... j'ai faim, m'avoua-t-il d'un air penaud.

Il était resté près du chêne et remontait son équipement sur son épaule.

– Oh, bien sûr, j'avais oublié, je suis confuse...

– J'en ai pour une minute, me coupa-t-il avec un signe de tête en direction du foyer. Je vais prendre un sandwich à emporter.

– Le soleil se couche à huit heures, donc il faudrait qu'on soit à bord de ton bateau à...

– Je sais, je vais faire vite, Lenah, me dit-il avec un sourire.

Comment pouvait-il me sourire ? J'étais un monstre.

– D'accord. Allons-y.

Chapitre 31

– Par ici, me dit Justin.

De nouveau, je vérifiai la position du soleil. Il était orange vif, et presque posé sur l'horizon : près de six heures. Dans une heure, il serait couché et je voulais être au port bien avant cela. Car dès la tombée de la nuit, le cercle se mettrait en chasse. Je descendis de voiture. Justin verrouilla les portes et rangea ses clés dans sa poche. Le gravier crissait sous les solides semelles de mes bottes. Nous marchions vers la jetée.

– Il veut redevenir humain ? demanda Justin en parlant de Vicken.

– C'est ce que désirent la plupart des vampires. Revenir en arrière. Toucher, sentir... ressentir. Penser rationnellement. Le plus souvent, tous ceux qu'ils aimaient finissent par mourir au fil des ans et le désir de redevenir humain s'estompe. C'est alors que la folie prend le dessus.

– Que se passe-t-il quand un vampire devient fou ?

– Je te ferais trop peur si je t'expliquais qui sont ces vampires. Je préfère ne pas en parler.

Justin ne demanda rien de plus. Nous montâmes à bord de son bateau, où il gardait des boissons dans une petite glacière. Comme il tournait la clé et allumait les moteurs, je descendis dans la panse douillette de l'embarcation. Nous étions d'accord sur le fait que le port, situé face au lycée, était l'endroit d'où je pouvais le mieux observer le campus tout en restant à distance du cercle. Jamais mes anciens compagnons n'y penseraient spontanément. J'espérais les voir de loin et conserver ainsi une longueur d'avance.

J'enfilai l'étroit couloir jusqu'à la cabine du fond et m'assis au bord du lit. Tout était tel que je l'avais laissé la dernière fois. La seule chose qui eût changé était mon reflet dans la glace au-dessus du lavabo. Je sentais le balancement de l'eau sous la coque et je baissai les yeux vers mes pieds. Il y avait une petite tache sur la moquette bleue, d'un saphir plus profond. C'était la tache de crème solaire. L'huile avait imprégné les longues fibres.

Les moteurs ralentirent, et leur rugissement se mua en simple ronronnement.

– On y est, me cria Justin.

Je l'entendis ouvrir la trappe et jeter l'ancre. Je remontai sur le pont.

Nous nous trouvions dans le petit port où nous étions allés faire de la plongée. Grâce à ma vue vampirique, j'observai les détails de la plage de Wickham, les minuscules étincelles de lumière jetées par les grains de mica dans le sable, les bouteilles de soda vides débordant de la poubelle à côté de l'allée. Je scrutai le campus.

420

Je guettais l'instant où le cercle surgirait. Une heure s'écoula, et rien. Je savais que Vicken rongeait son frein. Je savais qu'il attendait le bon moment, celui de la traque. Si je fermais les yeux et tentais d'entrer en contact avec lui, le lien qui nous unissait me permettrait de voir exactement où il se trouvait. La magie l'obligerait à se révéler. Mais, la connexion fonctionnant dans les deux sens, je ne voulais pas prendre ce risque.

Les alentours du portail de l'entrée étaient déserts et les voitures des vigiles faisaient leur ronde. La plupart des pelouses et des allées étaient vides, hormis quelques élèves qui se dirigeaient ici et là vers leur dortoir ou vers la bibliothèque. Justin était assis à la proue du bateau. Je décidai que je pouvais aller le rejoindre, du moment que je restais face au campus. La mer était d'huile, c'est à peine si elle faisait bouger notre embarcation. Je humais tous les parfums de la chair de Justin.

– Alors, on y est... ?

– Pour eux, c'est presque impossible de retrouver notre trace sur l'eau, expliquai-je. On doit les surprendre. Ils ne s'attendront jamais à ce que nous venions de la plage. Mais il faut que je te prépare à ce qui arrivera quand nous débarquerons.

Justin leva la tête. La lune projetait des miroitements mouvants à la surface de l'eau.

– Qu'est-ce que tu comptes faire ?

J'eus une hésitation.

– On les suit, et on les attire dans un lieu clos. Je pensais au gymnase. S'ils nous poursuivent, on aura de bonnes chances de les amener là où on veut.

– Mais si on fait ça, qu'est-ce qui se passe ? Qu'est-ce que tu deviens ?

Je contemplai un instant la douce houle.

– Je ne sais pas ce que je deviens.

Je réfléchis à ce que cela signifiait pour Justin : je sentais son regard peser sur moi.

– Tu sais, dis-je, je pensais avoir une chance de revenir ici. Mais maintenant, je comprends que c'est impossible.

– Revenir ? Comment ça ?

– Le rituel.

Justin écarquilla les yeux, puis se rappela ce dont je parlais.

– Il sait que tu l'as ?

Je confirmai d'un hochement de tête.

– Ça n'a pas d'importance, il faut que je les tue tous. Même Vicken.

– Mais tu disais que tu étais liée.

– Le lien est brisé de mon côté. Parce qu'il est encore vampire, Vicken, lui, est attaché à jamais.

– Le veinard !

Je souris, juste à peine, pendant le silence qui suivit.

– Alors on va tous les combattre en même temps ? s'enquit Justin.

– On ?

Il me regarda bien en face.

– Évidemment ! Tu ne penses pas que je vais rester les bras ballants pendant que tu te bats contre cette bande de dingues !

Je souris plus franchement.

– Comme tu l'as vu dans ta chambre, je ne suis pas vraiment désarmée.

En passant l'index sur le garde-corps métallique du bateau, je fis naître une traînée d'étincelles.

– La lumière ?

– Un bon éclair devrait faire l'affaire.

Il tendit la main vers moi et je sentis sa chaleur corporelle irradier à ma droite. Les doigts tremblants, il hésita une milliseconde avant de prendre ma main sur le garde-corps pour la tenir dans la sienne.

– Elle est chaude, s'étonna-t-il.

Il prit mes deux mains pour mieux les observer. Son regard était détendu et réconfortant. Puis il fit ce à quoi je m'attendais le moins : il porta mon majeur et mon index à ses lèvres et embrassa le bout de mes doigts.

Une douleur atroce parcourut tout mon corps. Mes muscles se tendirent, mes nerfs se contractèrent. Il posa ses paumes sur mes joues. Je fermai les yeux. Je supportais mal qu'il examine de près tout ce qui avait changé en moi.

– Tu es encore toi-même, murmura-t-il comme s'il lisait dans mes pensées.

Je finis par rouvrir les paupières. Il avait pleuré. Peut-être craignait-il que les larmes ne le rabaissent ; pourtant, c'était le meilleur homme que j'aie jamais connu. Sa lèvre inférieure frémit et ses narines se dilatèrent légèrement.

– J'ai tant voulu que tu reviennes, me dit-il d'une voix tremblante. J'en avais besoin.

Puis il passa ses mains dans mes cheveux.

Même si je ne sentais rien, je retrouvais le contact familier que j'aimais tant. Même sous cette forme, j'aimais Justin plus que je ne pourrais le dire. Une main sur ma nuque, il m'embrassa à pleine bouche. Nos lèvres trouvèrent le rythme parfait... jusqu'au moment où un hurlement s'éleva du campus de Wickham.

Justin démarra les moteurs et fonça vers la plage.

Sers-toi de ta tête... Je réfléchissais à toute vitesse. *Où est la victime ?* Mon plan se retournait contre moi. Je savais que c'était un guet-apens. Ils m'attiraient vers cette victime uniquement pour que je sois la suivante. Aussitôt le bateau amarré à la jetée, je sautai par-dessus bord et partis en courant.

– Justin ! criai-je. Il faut que tu restes avec moi ! Je ne veux pas te perdre de vue !

– Lenah !

Pas le temps de réagir. La bataille avait commencé. Justin amarra le bateau. En jetant un coup d'œil en arrière, je fus momentanément réconfortée de le voir suivre mes pas. Il me rattraperait. En tant que vampire, je n'avais pas à me soucier de mon cœur ni de mon souffle. Je courais à toute allure, le plus vite possible ; je passai devant les labos de sciences, la serre, la pelouse. Justin arriva à ma hauteur. L'herbe était écrasée par de lourdes traces de pas. Je projetai mes paumes devant moi pour éclairer le sol. Pas de doute, il s'agissait des pas de Song.

Je courais vers le bâtiment Hopper. D'instinct. Je poussai la porte et nous entrâmes d'un coup. Elle se referma avec un claquement assourdissant.

Dans l'entrée, il faisait presque noir. Il n'y avait que de petites veilleuses au-dessus de nous. Justin, pantelant, s'efforçait de reprendre son souffle.

– Comment sais-tu, me demanda-t-il d'une voix hachée, que ça venait d'ici ?

– Je sais, c'est tout.

Je fouillai du regard le long corridor. J'étais sûre, sans l'ombre d'un doute, que le cercle était réuni au bout. Puis, un sentiment nouveau m'envahit lentement. L'appréhension.

Oh non...

Non. Non. Non. Non. Pas là-haut. Mais le cercle me permettait de voir. Ils permettaient, peut-être même insistaient pour que je sache qu'ils avaient assassiné quelqu'un dans la tour des arts. Quelqu'un que j'aimais.

Je levai la tête vers le dernier palier. Je savais que je devais monter, car chaque fibre douloureuse de mon corps me disait que Tony se trouvait au sommet de ces marches.

Vingt minutes, ou le garçon mourra.

M'étais-je trompée ? Ces paroles désignaient-elles en réalité Tony ?

Marche après marche, nous montions. Je tendis le bras en arrière, Justin me prit la main. Alors, l'odeur métallique vint électrifier mes instincts vampiriques. Mes crocs commencèrent à descendre. Je secouai la tête pour me débarrasser de l'entêtant fumet du sang frais.

Oh non, Tony, espèce d'idiot... Pitié, faites que ce soit quelqu'un d'autre.

– Non !

Tony traversa la pièce en chancelant. Il trébucha et alla s'écraser dans le mur de casiers. Il était couvert de sang. Des pieds à la tête. Sa chemise bleue était à présent rouge et poisseuse. Déboutonnée, elle laissait voir son torse. Criblé de trous.

– Lenah ! s'écria-t-il, les yeux agrandis par le soulagement de me voir.

Il toussa du sang, puis s'effondra sur un chevalet, l'envoyant à terre. Il tomba à genoux.

Je courus jusqu'à lui. Il était sur le dos, comme je l'avais vu si souvent lorsqu'il prenait le soleil. Le pauvre, il avait un crucifix à la main. Pourquoi n'avais-je pas songé à le prévenir que c'était inutile ?

Je me retournai vers Justin.

– Reste où tu es. N'entre pas dans cette pièce.

– Lenah ! Tony est mon ami...

– La criminologie moderne va t'impliquer si on retrouve tes empreintes. Reste où tu es.

Je baissai les yeux. Tony respirait à peine. Sa poitrine ensanglantée se souleva. Il était couvert de morsures. Partout. Le long des côtes, des bras, de ses doigts fins.

426

Il suffoquait au point que des caillots de sang s'échappaient de sa bouche et maculaient son cou et sa poitrine. Ils ne l'avaient pas transformé en vampire. L'idée me traversa l'esprit un instant. Mais devenir vampire suppose une métamorphose, des rituels. Ils l'auraient emmené avec eux, dans ce cas.

Non, c'était un assassinat pur et simple – en mon honneur. Le cercle s'était abattu sur Tony pour le détruire. Ils ne s'étaient interrompus que parce que j'étais arrivée. Je soulevai sa tête et glissai mes jambes dessous.

– Len...

– Non, ne dis rien.

Je posai mes doigts sur sa bouche.

– Je...

Du sang coula de son cou sur mon pantalon.

– Je pensais pouvoir t'aider à les combattre, mais ils m'ont trouvé en premier.

– Tu as été très courageux.

Je glissai mes mains sous son dos et soulevai son corps mourant contre moi. J'entendis des sanglots à la porte et sus que Justin nous regardait. Tony eut un hoquet et du sang lui coula sur le menton. Les marques imprimées dans son cou saignaient aussi. C'était fini.

– J'ai froid, Lenah, me dit-il tout bas en nichant sa tête contre ma gorge.

Il tremblait de tous ses membres.

Je posai mes doigts sur ses paupières, et la chaleur qui émanait de moi le réchauffa un peu. C'était tout ce

427

que je pouvais faire pour adoucir ses derniers instants. Puis, le souffle frémissant, il écarquilla les yeux. Il ouvrit la bouche pour me dire quelque chose, et... et il s'en alla.

J'avais passé de si longs mois à me documenter sur le rituel... pour me ramener, *moi*. J'aurais mieux fait de chercher comment protéger ceux que j'aimais le jour où le cercle, mon cercle, leur tomberait dessus. Pourquoi avoir tenté de revenir ? C'était encore un acte égoïste. Et une fois de plus, un garçon que j'aimais était mort.

Je me penchai sur lui et l'embrassai.

– *Gracias tibi ago, amice*, dis-je en lui frottant le front avec mon pouce.

« Merci, mon ami », en latin.

Je posai la tête un instant sur sa poitrine. Son cœur ne battait plus, je le savais. Et pourtant, je collai ma joue contre les muscles pleins, qui bientôt seraient rigides, froids, et ne seraient plus Tony.

– Il est mort ? s'enquit Justin dans un souffle.

Il était dans l'encadrement de la porte, visiblement en état de choc.

Là, dans le silence, dans cette tour pleine de courants d'air, alors que dans les entrailles du bâtiment la chaufferie ronronnait, parmi les bruits de Wickham et de la vie estudiantine, un vampire nommé Vicken Clough éclata d'un rire dément. Ce rire résonna dans le couloir et gravit les marches, et je l'entendis, fort et parfaitement clair. La mort de Tony était une vaguelette de soulagement dans sa souffrance infinie.

Alors, le vampire qui était en moi se réveilla en rugissant. Je me redressai, toute droite, le dos raide. Je posai le corps de Tony au sol et relevai vivement la tête. Et lorsque ma rage surgit de moi comme un torrent, mes crocs descendirent si vite que Justin s'aplatit contre le mur, estomaqué.

– Allons-y, dis-je, plus clairvoyante que jamais.

Je remarquai de la poussière de craie par terre sous le tableau noir. Des cheveux au sol. Les pores de Justin et la forme de sa peau sur ses os. J'étais d'humeur meurtrière.

– Lenah, on ne peut pas le laisser là comme ça.

– Il le faut.

J'étais déjà en train de descendre. J'empruntai le grand couloir qui partait de la tour. Le cercle était proche ; je le sentais.

– Que va-t-il arriver ? Lenah ?

Je m'arrêtai.

– Chut !

Puis j'inspirai profondément afin de mieux projeter ma voix.

– Tuer un jeune homme seul et sans défense, criai-je dans l'obscurité du couloir. Eh bien, ce n'est pas joli-joli.

Je les défiais volontairement. Je les sentais, je voyais leurs mouvements. Ils arrivaient. Je ne distinguais pas clairement s'ils étaient déjà dans le bâtiment. Mes pensées étaient abstraites, je savais simplement qu'ils voulaient me trouver, me traquer. Et qu'ils le feraient.

– Partons, dis-je à Justin en le prenant par la main.

Sa chaleur m'était plus que jamais nécessaire.

– Mais on ne devait pas les emmener dans un lieu clos ?

Je n'avais pas besoin qu'il me le rappelle. Le gymnase se trouvait au bout du couloir et j'étais avantagée : c'était l'endroit parfait. Je jetai un regard en arrière dans le long corridor. Il était désert, mais mes adversaires étaient proches, ou j'étais proche d'eux. J'ouvris les portes du gymnase, jetai un coup d'œil à l'intérieur et poussai Justin pour qu'il entre en premier.

– Mets-toi au milieu.

Il faisait noir, à l'exception d'une ligne de veilleuses qui couraient au plafond et jetaient une lueur sourde. Le gymnase était une vaste salle rectangulaire avec des gradins sur deux côtés, autour d'un terrain de basket. Les fenêtres alignées donnaient sur la plage de Wickham. À côté des gradins, les murs étaient couverts de miroirs. Quand il n'y avait pas de match, le club de danse les utilisait pour s'entraîner. Exactement ce qu'il me fallait.

– Place-toi dos à moi.

Nous prîmes position dos à dos, mes mains sur sa taille, les siennes sur la mienne. Nos yeux fouillaient la pénombre. Nous attendions que la chasse commence.

– Promets-moi une chose. Quoi que je fasse, tu écouteras ce que je te dis.

– Promis.

Je ne pus m'empêcher de remarquer le tremblement de sa voix.

– Lenah, ajouta Justin tandis que nous nous tournions l'un vers l'autre, j'ai quelque chose à te dire. Je t'aime plus que tout au monde. Si je ne survis pas ce soir. Si l'un de nous deux meurt...

Il me serra dans ses bras. Nos bouches se trouvèrent et ses lèvres se pressèrent contre les miennes. Sa langue s'insinua dans ma bouche pour un baiser parfait. Son goût de sang, de sueur et de larmes allégea momentanément mon chagrin. Je verrais le visage de Tony devant mes yeux pour le restant de mes jours. Et pourtant en cet instant, il n'y avait que Justin et moi, et la manière dont il m'avait sauvée. Dont il m'avait appris à vivre. Puis il y eut un bruit assourdi, suivi d'un silence, et je sus...

– Justin ? chuchotai-je.

Nos lèvres s'effleuraient encore.

– Oui ?

Ses yeux étaient fermés. Pas un bruit.

– Ils sont là.

Il fit brusquement volte-face et nous nous retrouvâmes de nouveau dos à dos.

Vicken, Gavin, Heath et Song nous cernaient. Ils étaient entrés par les fenêtres. Comment et pourquoi, je ne le saurais jamais. Ils étaient vêtus de noir, certains en cuir, d'autres en chemise. Il était là, mon puissant cercle. Gavin, avec ses cheveux noirs et ses iris verts, Song, avec son corps trapu et ses muscles impressionnants, Heath, blond et beau, les bras croisés. Il me cracha quelque chose en latin. Vicken était tout à gauche, du côté des agrès.

– Tu savais que cela arriverait, me dit-il en posant la main sur les barres parallèles. Liés à ton destin, nous sommes venus te chercher. Tu le savais. La magie du cercle est sacrée.

Song fit un pas en avant, mais c'était terminé. Le temps était venu. Comme je le leur avais appris, ils s'avançaient très lentement : en un clin d'œil, nous nous retrouverions acculés dans un coin. J'avais besoin des miroirs sur la gauche et la droite du mur. Je ne pouvais pas les laisser me pousser dans un angle. Il fallait que je reste au centre de la salle.

– *Malus sit ille qui maligne putet*, dit Heath.

La phrase de mon tatouage.

Gavin gloussa et Song se ramassa comme une araignée prête à bondir. Nous y étions : l'instant qui précède l'attaque. Justin paniquait ; je sentais sa peur.

– Renoncez, Altesse, murmura Gavin.

– Abandonner tout ceci ? dis-je, sarcastique, même si j'étais fermement résolue.

Je devais me concentrer, faire monter la puissance de l'intérieur. Faire jaillir la lumière.

Nous étions cernés et le temps filait vite.

– Accroche-toi à ma taille, dis-je tout bas à Justin même si je savais que le cercle entendait chacun de mes mots.

– Oh, on prévoit une petite ruse ? me taquina Gavin.

– *Quid consilium capis, domina ?* siffla Heath.

Vicken fit un pas en avant et je reculai d'autant, avec Justin toujours dans mon dos. Je levai les paumes devant moi et émis une lumière solaire, projetée par tous les pores de ma peau. Les rayons allèrent frapper les vampires au visage et tous se rétractèrent en se couvrant les yeux.

Vicken était abasourdi.

– Quelle est donc cette magie noire ? cracha-t-il.

Il agitait une de ses mains, comme s'il s'était brûlé.

– La lumière du soleil.

Je regardai chacun tour à tour.

– Comment est-ce possible ?

Song se propulsa en avant et bondit très haut pour fondre sur nous. Les mains recourbées comme des griffes, les crocs dénudés. Je brandis mes paumes et en fis sortir la lumière. Le rayonnement était si violent que Song fut rejeté contre les vitres. Mais au moment où je m'y attendais le moins, le faisceau lumineux faiblit.

Heath et Gavin firent encore un pas, et je pressai la chaleur dans mes mains. Le soleil en sortit une fois de plus et les fit reculer, mais de nouveau il vacilla, comme une flamme de bougie quand la mèche est consumée : il clignota quelque peu, puis s'éteignit.

– Tu ne pourras pas tenir bien longtemps, Lenah, me dit Vicken.

Song inclina la tête sur le côté. Il se préparait pour un nouvel assaut. Gavin bougea très légèrement la main dans sa poche. Un couteau ne pouvait pas me tuer, mais avec sa précision, il anéantirait Justin en un instant. J'avais besoin que le soleil revienne, plus fort que jamais. Je fermai les yeux et me concentrai, comme je l'avais fait à longueur de nuit à Hathersage.

J'inspirai profondément. La chaleur blanche montait en moi. Des images tourbillonnaient dans ma tête : mon premier jour à Wickham, les biches paissant dans les prés. Le sourire de Tony ingurgitant sa glace. Puis les paroles de Vicken me revinrent et je sentis que la chaleur commençait à faire vibrer mes mains.

Utilise le rituel. Fais de moi un humain. Les images resurgirent alors, et mes paumes recommencèrent à émettre de la lumière. J'en sentais la brûlure sur mes cuisses.

La surprise et la colère se mêlaient sur le visage de Vicken : des émotions imbriquées que je ne connaissais que trop bien.

Je le mérite, Lenah. Tu ne crois pas ?

Je fermai les yeux.

Le visage de Rhode illumina les ténèbres de mon esprit.

Rhode sur la colline dans cette prairie de rêve, son chapeau haut de forme. Sa mort.

Je sentis les mains de Justin sur mes hanches, et mon amour pour lui courut dans mon corps. J'y étais presque... la puissance vibrait en moi.

– Lenah, m'avertit Justin.

Le cercle était si proche ! J'ouvris les yeux et me concentrai sur la main de Gavin.

Il la sortit de sa poche, prêt à lancer son couteau...

Je relevai la tête, plongeai mon regard dans celui de Vicken, et dis :

– Je te suggère de te baisser.

Je levai les deux bras au-dessus de ma tête, avec un claquement si assourdissant que quand mes paumes se heurtèrent, un éclair explosif de lumière blanche se réverbéra dans toute la salle. Sous l'effet de souffle, le sol du gymnase se fissura en mille endroits, les vitres implosèrent, et un nuage de poussière forma un champignon.

Alors, juste un instant, le silence se fit.

Chapitre 32

– Lenah ?

La voix de Justin se brisa.

– Je suis là.

La salle était pleine de fumée. Je gisais sur le ventre. En levant la tête, je constatai que la fumée était en réalité de la poussière. Des myriades de particules qui emplissaient les lieux, au point que je voyais à peine devant moi. Au fond, les fenêtres étaient brisées et le vent qui s'y engouffrait poussait la poussière en rond.

Dans un coin, un homme gémit. Je regardai sur ma gauche.

Je vis une paire de bottes noires, chevilles croisées, dépassant de sous les gradins. Vicken Clough avait survécu.

Je bougeai la main devant mon visage pour chasser la poussière et mieux voir. Une alarme résonna et, écoutant attentivement, je déterminai qu'elle venait du bâtiment Hopper.

Puis je vis ce qu'il y avait au centre de la salle.

– Va chercher Vicken, dis-je à Justin.

– Vicken ? Quoi ? Je croyais que tu allais tuer...

– Je t'en prie, fais-le.

Il courut vers les gradins.

L'alarme hurlait toujours. Elle n'allait pas tarder à réveiller les élèves et à attirer les autorités. Je m'approchai à grands pas du milieu de la pièce et regardai par terre. Il y avait trois tas de poussière là où s'étaient tenus Heath, Gavin et Song. À la différence des cendres de Rhode, celles-ci ne scintillaient pas. Ce n'était que de la poussière, comme de la cendre de cheminée. Alors, j'entendis une voix...

31 octobre 1899, Hathersage, Angleterre.

– Lenah ! s'écria Song depuis la porte d'entrée.

Le soleil venait de disparaître à l'horizon. Depuis le grand couloir, je vis mon cercle se réunir sur les marches. Song ne portait que du noir et Vicken était fringant dans son pantalon noir, son gilet gris bruyère et son haut-de-forme. C'était la mode, en cette fin du XIXe siècle. Et nous étions bien assez riches pour la suivre.

Un photographe se tenait face à la porte ouverte. Il prépara son appareil, qui ressemblait à une boîte montée sur trois grandes pattes. Il attendait que nous prenions la pose. Tenant l'appareil à deux mains, il colla son œil à un tube qui dépassait du couvercle : le viseur. Je sortis à mon tour sur les marches. Près de moi, Song, Heath, Gavin et, bien sûr, Vicken attendaient.

Vicken tenait une coupe. Son contenu rouge oscilla lorsqu'il me la tendit.

– Un bon cru anglais, me dit-il avec un sourire.

Je lançai un bref coup d'œil au photographe.

– Prête ? me demanda ce dernier. Pendant que nous avons encore de la lumière ?

Je levai ma coupe...

La voix de Justin m'arracha à mes souvenirs et je vis de nouveau les tas de cendres.

– Lenah, il faut partir !

Pivotant sur moi-même, je le vis qui soutenait Vicken. L'explosion avait assommé ce dernier et ses genoux cédaient sans cesse sous lui. Je n'avais jamais vu un vampire dans un tel état. L'alarme hurlait toujours.

Quelque part, pas si loin de nous, résonnaient les sirènes de la police.

Nous partîmes en courant vers les vitres brisées.

Je pris une gorgée dans la coupe, la fis tourner dans ma bouche. Gavin, Heath, Vicken et Song m'entouraient.

– Cette photographie sera un souvenir de notre lien. Elle représentera toutes les âmes pathétiques et esseulées que nous foulerons aux pieds.

J'allai prendre place entre Vicken et Song. Heath et Gavin se rangèrent à nos côtés. Nous étions comme un nœud de serpents suspendu aux branchages dans l'air chaud.

Je passai un bras derrière le dos de Song pendant que le photographe apprêtait son appareil. Je tenais la coupe de la main gauche. Je la levai et avalai de nouveau une gorgée. Puis, les dents couvertes d'un film de sang, je repris la pose, entre Vicken et Song.

– Honni soit qui mal y pense ? demandai-je en levant le menton. Que nul ne l'oublie.

– Allez ! m'exhorta Justin en sortant du gymnase.

En franchissant la fenêtre, je jetai un dernier regard aux tas de cendres. Le cercle, mes frères : ils n'étaient plus. Je soutenais Vicken par une épaule, Justin par l'autre. Nous nous ruâmes vers les bois qui séparaient le campus de la plage. Vicken tâchait de lever les pieds mais à chaque pas ses jambes tremblaient. Sa tête était tombante, comme s'il n'avait pas la force de la soulever.

– Pas le bateau ! s'écria Justin.

– Pourquoi ? Il faut qu'on parte d'ici.

– Non, il faut qu'on reste sur le campus. Si nous partons en bateau, les flics entendront les moteurs. Oublie cette idée. Il y a toujours des gens garés à côté de la jetée.

Je voyais déjà la plage, mais Justin avait raison.

– Seeker Hall.

Nous nous dirigeâmes vers l'allée. Derrière les arbres, sur le campus, les élèves sortaient en masse de leurs dortoirs, et je sus que nous allions devoir être discrets pour gagner mon bâtiment.

– Lenah, râla Vicken. Quelque chose ne va pas. Ma poitrine.

– Arrête-toi, dis-je à Justin.

– On ne peut pas. Regarde !

Il pointa le doigt. Des voitures de patrouille s'arrêtaient en faisant crisser leurs pneus devant le gymnase. Des lumières s'allumaient dans les dortoirs les plus proches et tous les vigiles du campus descendaient de leurs véhicules.

– Il faut qu'on arrive à Seeker le plus vite possible.

Je ressentis soudain un tiraillement dans mon ventre, l'impression que mon estomac se retournait comme une chaussette, et je dus lâcher Vicken. Mais il fallait continuer, avancer, et je savais ce qui n'allait pas. J'empoignai mon ventre un instant.

C'était la perte. La perte du cercle. La magie qui se brisait.

– Ça va ? me demanda Justin qui soutenait toujours Vicken.

– Ça va.

Je me remis en position pour supporter la moitié du poids de Vicken.

Puis mes yeux se portèrent au loin dans les bois, près de l'emplacement de la chapelle. Suleen se tenait dans l'ombre, vêtu de sa tenue traditionnelle indienne. Il leva une main, puis la posa sur son cœur.

– Lenah, tu es toujours là ? balbutia Vicken.

Je le regardai un instant. Quand je relevai la tête vers Suleen, celui-ci avait disparu. Je n'eus pas le temps de me demander comment et pourquoi il était là. J'avais des milliers de questions à lui poser, mais il n'y avait plus trace du vampire en blanc.

Justin se remit en marche. Nous passâmes derrière les labos de sciences.

– Lenah ? geignit Vicken.

– Oui. Je suis toujours là.

Une fois bien engagée sur le chemin, je jetai un coup d'œil dans la direction du bâtiment Hopper. Le clignotement des gyrophares des ambulances et de la police emplissait l'obscurité.

Le corps de Tony devait avoir été trouvé, à l'heure qu'il était. Je me demandai qui allait appeler sa famille.

Mon cœur saignait de chagrin.

Nous forçâmes la porte de service de Seeker Hall, et j'aidai Justin à porter Vicken jusqu'à ma chambre. En le soulevant, marche après marche, je sus pourquoi je l'avais sauvé. Il était comme moi. Une victime, vouée à aimer quelqu'un qui n'était plus là. Il vivait un enfer éternel et je voulais lui épargner cette souffrance. Justin me jetait des regards inquiets et me prit la main gauche. Il la tint serrée. Nous étions à la porte de ma chambre.

– Dis-moi à quoi tu penses, me chuchota-t-il.

Vicken gémit. Nous tournâmes vivement la tête vers lui. Nous entendions des élèves dévaler l'escalier au-dessous de nous, impatients d'apprendre ce qui se passait.

– Lenah, me dit Justin en me pressant la main pour attirer mon attention. J'ai besoin de savoir à quoi tu penses.

442

Je détaillai son visage attentif et répondis :

– Comment te sentirais-tu si tu venais de tuer toute ta famille ?

Nous étendîmes Vicken sur mon lit.

– Lenah...

Il se couvrit les yeux de son bras. Je fermai la porte derrière moi et m'assis avec Justin dans le canapé. Je posai la tête dans mes mains. De sa paume solide, Justin me caressait le dos. Je lui souris avec douceur. Je me penchai pour appuyer ma tête sur sa poitrine.

Pendant que Justin buvait un verre d'eau, je contemplai fixement le rideau tiré devant la porte-fenêtre donnant sur le balcon. Toujours nichée contre lui, je pensai au matin de la mort de Rhode, à ces mêmes rideaux agités par la brise. Comme une respiration.

– Qu'est-ce qu'on va faire de Vicken ? me demanda-t-il.

Je secouai la tête.

– Je suis tout ce qu'il a. Il désire tellement ce rituel...

– Mais tu m'as dit qu'il fallait avoir cinq cents ans pour l'exécuter. Et le rituel a tué Rhode.

– Le plus important, en réalité, c'est l'intention.

– Que veux-tu dire ? Quelle intention ?

Je triturais la bague en onyx à mon doigt.

– Je désire que Vicken vive en tant qu'être humain. Et de mon côté, je veux être obligée à mourir.

En voyant la bague, je me rendis compte que j'avais oublié que je la portais, toute l'année. C'était mon talisman, le seul objet, à part les cendres de Rhode, que j'emportais partout avec moi.

– C'est vrai ? Tu veux mourir ?

– Je veux que le cycle prenne fin. Et d'une certaine manière, c'est déjà le cas.

À cet instant, je sus précisément ce que j'avais à faire. Tout comme je l'avais su, la nuit du bal d'hiver, en abandonnant Justin dans la salle de réception. Même si je mourais, même si cela ne fonctionnait pas, Vicken ne pouvait pas demeurer vampire, et moi non plus. Et peut-être le savais-je depuis le début. C'était peut-être pour cela que j'avais tant travaillé à trouver le rituel et que j'étais revenue à Wickham.

– J'ai besoin que tu fasses quelque chose pour moi, dis-je à Justin en me redressant.

On aurait dit qu'il revenait de la guerre. Ses cheveux blonds étaient trempés de sueur et son visage maculé de poussière, de cendres de vampires.

– Tout ce que tu voudras.

Il me lissait les cheveux de la main.

– Tu irais voir s'ils ont emporté le corps de Tony ? Je ne peux pas y aller, mais il faut que je sache. Et j'ai besoin de m'allonger quelques heures. Tu reviendras au petit matin ?

– Bien sûr.

Il m'embrassa sur le front.

Une fois Justin parti, j'ouvris la porte-fenêtre du balcon et laissai la brise passer sous le rideau pour entrer dans l'appartement. J'allai à la cuisine et m'arrêtai devant les boîtes de métal noir posées sur le comptoir. Celles qui contenaient des herbes et des épices.

Je déroulai le parchemin du rituel, qui n'avait toujours pas quitté ma poche. Je me munis de thym, pour la régénération de l'âme. En retournant vers la chambre, je me haussai sur la pointe des pieds et pris une bougie blanche à l'un des chandeliers muraux.

J'ouvris la porte de ma chambre.

Vicken était couché sur le lit, le bras toujours posé sur les yeux. Je fermai derrière moi et m'adossai au battant.

Au bout d'un moment, il parla.

– Je me sens déchiré, écartelé, éparpillé. En mille morceaux.

– Ça passera.

– C'est tout l'effet que ça te fait ?

Il se redressa lentement sur son séant. Ses paupières étaient cernées de noir et sa peau avait blanchi. Il lui fallait du sang, et vite. Il se radossa aux oreillers.

– Ne suis-je qu'une victime ? Une victime de ta période sombre ?

Je m'approchai du lit et posai les herbes et la chandelle sur la table de chevet. Je m'efforçais de garder ma concentration et refusais de regarder ma chambre, l'écrin de la vie que j'avais laissée derrière moi en décembre.

– Je ne te vois pas comme une victime.

Il rit, puis vacilla un peu, ivre de soif.

– Et maintenant, qu'est-ce qu'on fait ? On retourne à Hathersage ? On reprend notre existence ? Je me sens horriblement mal.

Je levai une main et tins ma paume à quelques centimètres de la mèche de la chandelle blanche. En utilisant la lumière qui émanait de mes mains, je l'allumai. Vicken regarda la bougie, puis moi. J'ouvris le tiroir et trouvai mon coupe-papier en argent. Ce n'était pas un couteau, mais il faudrait que cela suffise.

– Je te libère, Vicken Clough.

Il ouvrit de grands yeux étonnés.

– Non, dit-il, assis tout droit. Je n'étais pas dans mon état normal. J'étais fou. Lenah...

Je brandis la lame et l'abattis sur mon poignet, si fort qu'une plaie béante s'ouvrit. Le sang coula, mais, comme je m'y attendais, je ne ressentis nulle douleur. Vicken contempla fixement mon poignet, puis se lécha les lèvres, sans cesser de secouer la tête.

– Ce n'est pas ce que je veux.

– Je te libère.

– Non...

Je lui offris mon poignet.

C'était ce que je voulais, moi. Retirer les siècles de douleur et de souffrance que je lui avais imposés. Faire quelque chose de bien, au moins une fois. Réparer. Pour que Vicken vive, et Justin aussi. Si Vicken demeurait vampire, je passerais l'éternité à le combattre. Il méritait mieux. Il le méritait déjà au XIXᵉ siècle, quand je lui avais promis une chose que je n'étais pas en mesure de lui donner.

Justin Enos était la raison pour laquelle j'étais venue à la vie. Il m'avait offert cette liberté. J'avais dansé parmi des milliers de gens, fait l'amour, eu des amis. J'étais pleinement humaine, et c'était grâce à Justin et à Tony. Et pour le moins, je devais à Vicken la même chance, et je devais à Justin la liberté de me laisser partir.

– Je veille sur toi, dis-je à Vicken.

J'utilisai la lumière de ma main droite pour embraser les herbes. Vicken saisit mon poignet et le porta à sa bouche.

– Garde espoir... et sois libre.

Des volutes de fumée s'élevaient des herbes qui brûlaient sur la table de chevet. Je baissai les paupières et fis ce que j'avais à faire. Et à cet instant, en pensant à Justin, je sus que je ne me trompais pas.

Chapitre 33

Je sortis de ma chambre en titubant et refermai la porte derrière moi. Je retombai le dos contre le mur. Je renversai la tête en arrière, les yeux fermés. J'étais affaiblie au-delà de toute mesure. J'avais perdu presque tout mon sang. J'étais si épuisée que la pièce me semblait déformée et floue.

Le salon était sur ma droite, et, au-delà, la porte-fenêtre du balcon. L'aube était levée et le soleil filtrait sous le rideau. Vicken était plongé dans le sommeil le plus profond qui fût. À son réveil, il serait de nouveau Vicken. Il ne serait plus le vampire enragé et sans âme que j'avais créé.

La porte de l'appartement s'ouvrit.

Justin entra. Sa belle bouche boudeuse était affaissée, l'énergie avait déserté ses traits. D'abord, il ne dit rien. Il n'y eut que l'inexplicable sonorité du silence.

– Son corps a été emporté. Par la police.

Il me regarda enfin, et ses yeux se posèrent sur ma main droite qui serrait mon poignet gauche ensanglanté. Il retint un cri et tendit le bras vers moi, mais je levai la main gauche et il s'immobilisa.

– Dis-moi que tu ne viens pas de faire ce que je crois. Dis-moi, Lenah, que tu m'aurais demandé avant.

– Je ne peux pas.

– Lenah...

Les larmes jaillirent de ses beaux yeux verts. Son jeune visage se tordit de douleur et le remords m'envahit. Il allait connaître le chagrin, et c'était ma faute.

Il s'approcha de moi mais je gardai la main autour de mon poignet pour conserver le peu de sang qu'il me restait. Mon corps ne savait pas régénérer le sang, et bientôt il en serait entièrement vidé. Justin me tendit ses bras, mais je gardai les miens le long du corps. *Tiens debout*, me dis-je, et je luttai pour ne pas perdre connaissance.

Il m'embrassa, fort. Je me dégageai et, sans un mot, retirai ma bague en onyx pour la poser dans sa main. Il l'observa, désarçonné un instant, puis releva la tête vers moi.

– Tu ne vois pas ? dis-je en soutenant son regard, en admirant ses beaux iris verts mouillés de larmes. Je suis tombée amoureuse de toi.

Mes genoux cédèrent mais Justin était là pour me rattraper. Il déglutit et une autre larme roula sur sa joue. Il l'essuya. Je voyais double. Le temps m'était compté.

– Lenah...

Il pleurait à chaudes larmes, à présent.

Je me déplaçai insensiblement vers la droite, vers la porte du balcon.

– Ne fais pas ça, insista-t-il comme si je pouvais encore changer d'avis.

– Là, dis-je en désignant la porte de la chambre.

En même temps que je mourais, le vampire en Vicken s'évaporait et quittait son corps.

– L'intention, c'était *toi*. Ta protection et ta liberté. C'est tout ce que je veux maintenant : que tu sois hors de danger. Tu te réveilleras demain libéré de la peur. Elle s'arrête avec moi.

Le sang coulait de la main qui serrait mon poignet.

– Va-t'en, je t'en prie, ajoutai-je tout bas. Il ne faut pas que tu voies ça.

– Hors de question, affirma-t-il, les dents serrées. J'attendrai ici.

Si j'avais pu pleurer, je l'aurais fait. Mais je n'avais pas de larmes en moi. Je n'étais qu'une carcasse.

– Promets-moi seulement que tu seras présent quand il se réveillera. Cela prend deux jours. Raconte-lui toute mon histoire. Il saura quoi faire.

– C'est promis.

Mes talons heurtèrent le seuil du patio. Je souris. Mes mains tremblaient.

– Tu m'as éveillée à la vie.

Avant qu'il ait pu répondre, je me tournai vers la porte-fenêtre.

Il me sembla entendre quelque chose avant de sortir dans l'aube. Je crois que c'étaient les genoux de Justin heurtant le sol. J'écartai le rideau et un éclair de lumière matinale me frappa en pleine face. Je levai les mains sur les côtés.

Je voudrais vous dire que je ressentis le feu, et l'enfer et la douleur. Ce serait la seule punition juste pour toutes les vies que j'avais prises sans vergogne au cours de mon existence.

Mais ce n'est pas ce qui arriva.

Tout ce que je ressentis, c'est un éblouissement d'or et de diamants de lumière.

Remerciements

J'aimerais remercier l'incomparable Michael Sugar. Rien de tout cela ne serait arrivé sans ta foi dans mon travail. Ta générosité ne cessera jamais de m'étonner.

Je tiens à remercier Anna DeRoy qui a adoré Lenah et son histoire dès le départ.

À l'équipe de St. Martin's, en particulier Jennifer Weis et Anne Bensson, pour m'avoir aidée à mener à bien cette trilogie. Votre dévouement et votre travail sont des denrées rarissimes.

Un remerciement particulier à Rebecca McNally chez MacMillian Children's Books. Vos conseils éditoriaux ont été extrêmement généreux. Vous m'avez permis d'écrire un meilleur livre.

Merci, merci, merci à mon inégalable agent, Matt Hudson. Vous êtes patient, impliqué et brillant. Ce livre ne serait pas ce qu'il est sans vous (je suis probablement au téléphone avec vous en ce moment même...).

Aux CCW : Mariellen Langworthy, Judith Gamble, Luara Backman, Rebacca DeMetrick, Macall Robertson et Maggie Hayes. Vos avis sont précieux.

J'aimerais aussi remercier les personnes suivantes, qui ont aidé *Humaine* à venir à la lumière : les talentueuses Monika Bustamante, Amanda Leathers (toute première lectrice), Alex Dressler (expert en latin), Corrine Clapper,

Amanda DiSanto, Tom Barclay, responsable du département d'histoire locale de la bibliothèque Carnegie (le bibliothécaire le plus généreux d'Écosse), Joshua Corin, et Karen Boren, qui m'a enseigné ce que c'est que d'aimer la fiction.

Enfin, et non des moindres :

À Henoch Maizel et Sylvia Raiken, qui comprenaient la beauté des mots. J'aurais aimé que vous puissiez voir cela.

D'autres livres

wiz
Albin Michel

Candace BUSHNELL, *Le Journal de Carrie*
Meg CABOT, *Une (irrésistible) envie de sucré*
Meg CABOT, *Une (irrésistible) envie d'aimer*
Meg CABOT, *Une (irrésistible) envie de dire oui*
Fabrice COLIN, *La Malédiction d'Old Haven*
Fabrice COLIN, *Le Maître des dragons*
Fabrice COLIN, *Bal de Givre à New York*
Elizabeth CRAFT et Sarah FAIN, *Comme des sœurs*
Elizabeth CRAFT et Sarah FAIN, *Amies pour la vie*
Melissa DE LA CRUZ, *Un été pour tout changer*
Melissa DE LA CRUZ, *Fabuleux bains de minuit*
Melissa DE LA CRUZ, *Une saison en bikini*
Melissa DE LA CRUZ, *Glamour toujours*
Melissa DE LA CRUZ, *Les Vampires de Manhattan*
Melissa DE LA CRUZ, *Les Sang-Bleu*
Melissa DE LA CRUZ, *Les Sang-d'Argent*
Melissa DE LA CRUZ, *Le Baiser du Vampire*
Melissa DE LA CRUZ, *Le Secret de l'Ange*
Melissa DE LA CRUZ, *Bloody Valentine*
Norma FOX MAZER, *Le Courage du papillon*
Rachel HAWKINS, *Hex Hall*
Hervé JUBERT, *Blanche ou la triple contrainte de l'Enfer*
Hervé JUBERT, *Blanche et l'Œil du grand khan*
Hervé JUBERT, *Blanche et le Vampire de Paris*
Melissa MARR, *Ne jamais tomber amoureuse*
Melissa MARR, *Ne jamais te croire*
Sarah REES BRENNAN, *La Nuit des démons*
Laurie Faria STOLARZ, *Bleu cauchemar*
Laurie Faria STOLARZ, *Blanc fantôme*
Laurie Faria STOLARZ, *Gris secret*

www.wiz.fr
Logo Wiz : Cédric Gatillon

Composition Nord Compo
Éditions Albin Michel
22, rue Huyghens 75014 Paris

ISBN : 978-2-226-22001-1
ISSN : 1637-0236
N° d'édition : 19394/01. N° d'impression :
Dépôt légal : avril 2011
Loi n° 49-956 du 16 juillet 1949 sur les publications destinées à la jeunesse.